SOULLAND II

斗罗大陆II
绝世唐门

~~~~~~ SOULLAND II ~~~~~~

2004—2014
唐家三少创作十周年纪念

斗罗大陆

第二部

绝世唐门 15

唐家三少 ◎ 著

湖南少年儿童出版社

HUNAN JUVENILE & CHILDREN'S PUBLISHING HOUSE

图书在版编目（CIP）数据

斗罗大陆. 第二部. 绝世唐门. 15 / 唐家三少著. —
长沙：湖南少年儿童出版社，2013.12
ISBN 978-7-5358-9815-9

Ⅰ. ①斗… Ⅱ. ①唐… Ⅲ. ①长篇小说－中国－当代
Ⅳ. ①I247.5

中国版本图书馆CIP数据核字(2013)第305745号

斗罗大陆 第二部 绝世唐门 15

策划编辑：李 芳　　　　　　　　　　责任编辑：唐 龙　向艳艳

质量总监：郑 瑾　　　　　　　　　　特约编辑：梁 洁

统筹编辑：李 薇　路 培　　　　　　装帧设计：杨 洁

出版人：胡 坚

出版发行：湖南少年儿童出版社

社址：湖南省长沙市晚报大道89号　　　邮编：410016

电话：0731-82196340（销售部）　　　82196313（总编室）

传真：0731-82199308（销售部）　　　82196330（综合管理部）

常年法律顾问：北京市长安律师事务所长沙分所　　　张晓军律师

经销：新华书店　印刷：北京盛通印刷股份有限公司

印张：17　　　　字数：340千字

开本：710 mm × 1000 mm　1/16

版次：2014年1月第1版

印次：2014年1月第1次印刷

定价：32.80元

目录

CONTENTS

第339章
大幕拉开

对于面前这两位很可能是圣灵教长老的家伙，霍雨浩心中是充满警惕和忌惮的。以他现在的修为，他根本看不出这两位长老的实力。他们的功力绝对可以用深不可测来形容。

伴随着圣灵教逐渐浮出水面，他们强大的实力也渐渐进入了霍雨浩的视线之中。

当初龙神斗罗穆恩曾经跟霍雨浩说过，邪魂师想要成为封号斗罗是极为困难的。但他现在可以肯定，这不知道经历了多少年积淀的圣灵教，应该已经掌握了让邪魂师实力突破的方法。他见过的邪魂师之中，就已经有四五位拥有封号斗罗级别的实力，譬如眼前这二位。他们至少是封号斗罗级的邪魂师。别说自己，就算海神阁的宿老们遇到他们也会很头疼。

而且，这两人在圣灵教中的排位，想来也不会太低。毕竟，这夕水盟控制着明都接近一半的地下势力。作为圣灵教的经济来源，夕水盟肯定掌控在地位较高的人手中。

南宫碗很感兴趣地看着霍雨浩，道："唐五小友，上次相见之后，你给我们留下了深刻的印象。等这次大赛结束后，我们一定要亲近亲近。"

霍雨浩眼中立刻装出警惕之色，道："没什么可亲近的，我只是来参赛而已，可不会和你们这些地下势力扯上什么关系。"

南宫婉哈哈一笑，道："无妨，无妨。那就赛后再说吧。晨安，你给两位小友介绍一下今天决赛的情况。"

晨安在一旁听着霍雨浩与南宫婉的交谈，心中暗暗打鼓。这位唐少的情况似乎和自己的判断有所出入啊！盟主应该就是那个地方的人，怎么会不认识他呢？可唐少的能力分明是……

虽然心中疑惑，但晨安在这个时候也没有别的选择。他从霍雨浩身上得到了不少好处，更别说双方还有即将进行的合作。他只能压下心中的疑惑。

"是，盟主。"晨安恭敬地向南宫婉行礼之后，才转向霍雨浩、和菜头，"今天将举行本届明都魂导师精英大赛的决赛。决赛将由我们夕水盟和平凡盟、奥都商会共同举办。地点定在西郊。那边我们已经安排妥当了。

"比赛的规则经过仔细商讨之后，已经最终确定。我们三方，各派遣三人参赛。每个人有三个时辰来制作魂导器，制作时使用的材料不限，但只能制作一件魂导器。三个时辰后，魂导器制作完毕。九个人将进行三场比试。首先是技巧比赛。到时会给出一个神秘题目。目前我们还不清楚这个题目是什么。经过三个时辰的魂导器制作，九位参赛魂导师的精力消耗都会很大，在这个时候进行技巧拼拼，无疑是对你们极大的考验。技巧考验后，将采取末位淘汰制，取八个人进入下一轮。

"第二轮比的是实战。在本轮比赛中，技巧得分最高的人，会在八进四的比赛中面对技巧得分最低的人。得分第二高的人，则对战倒数第二的人。以此类推，决出前四名。前四名通过抽签进行半决赛，然后是最终决赛。

"这个比赛规则是为了尽可能公平而制定的，但其中也有一些地方要注意。首先，参赛者制作和使用的，都只能是一件魂导器。追求攻击还是防御，就要看各位自己的安排。在制作魂导器的时候，参赛者不宜消耗过多的精力，否则在之后的技巧比拼中，就有被淘汰出局的危险。而且，技巧比赛得分高的人，在接下来的八进四比赛中，就能够占据一定的优势。所以，在一开始三个时辰的魂导器制作中，各位贵宾就必须要有充分的准备。"

听了晨安的介绍，霍雨浩、和菜头心中都暗暗惊讶。这三大地下势力的最终决赛无疑要比他们想象中的更加复杂。想要获得最终的冠军，他们不但要制作魂导器，而且要进行一场技巧测试和三场战斗。这个强度可不低啊！

不过，他们不知道的是，对于这个冠军，三大地下势力都看得很重。平凡盟和奥都商会隐隐有联手对抗夕水盟的意思。因此，在这最终决赛的赛制方面，三方不知道进行了多少次磋商，最终才商量出了这个结果——尽可能地让双方魂导师代表凭借实力来完成比赛。

当然，整体来看，平凡盟和奥都商会还是占了便宜的。毕竟，他们有六个人，在战术安排上要容易得多。

见晨安介绍完了，南宫碗的脸色也随之变得凝重起来，沉声道："三位，你们这次代表我们夕水盟参赛。对于三位的实力，我们是很有信心的。但是，你们要做好同时对抗另外两家参赛者的准备。他们很可能会在战术安排上针对我们这边。既然三位是为我们夕水盟出力，我们夕水盟也不会白白让你们出力，无论你们中的谁能够获得最终的冠军，我们夕水盟都将单独拿出一份奖励来。这份奖励，我相信是平凡盟和奥都商会绝对给不起的。而且，当场兑现。来人，把东西拿上来。"

说着，南宫碗右手一挥，立刻有四名黑衣人从旁边抬着一个箱子走了过来。

尽管那四名黑衣人都是身材强壮的青年，但抬着这个箱子竟然有些吃力。

霍雨浩下意识地释放出了自己的精神力，向那个箱子扫描了过去。但是，他那无往不利的精神力在接触到这个看上去厚重的黑色大箱子之后，竟然无法穿透，完全被阻挡在外，还有一部分精神力被折射开来。

"这是……"

霍雨浩在短时间内做出了判断——这个箱子里面应该有着一层厚厚的铅，专门用来隔绝各种气机。箱子外面还有一层混合了秘银的精钢。而且，从这几名壮汉抬箱子的状态看，这个箱子的重量应该在五百到一千斤之间。这是什么玩意儿？竟然会用纯铅制作，并且用混有秘银的金属封存。

不只是霍雨浩，和菜头和那位九十六号黄征的眼睛也都瞪得大大的，看着这个箱子。他们虽然没有精神探测，但身为魂导师，他们对金属都是很敏感的，也都感觉到了那个箱子上带有的秘银。

如此珍贵……

箱子被抬到三人面前放下。南宫碗亲自走到箱子前，抬起右手，在箱子侧面轻轻一按，顿时，一个小型的屏幕弹了起来。屏幕上，有着许多复杂的符文。

南宫碗将自己的手掌贴在屏幕上，同时，五根手指飞速地律动着。

这居然是魂导密码高爆箱？

魂导密码箱，就是魂导器结合密码的一种特殊箱子，要通过事先制定好的固有频率敲击才能开启。"高爆"两个字，毫无疑问地意味着，一旦密码输入错误，就会引爆其中的高爆魂导器，从而产生恐怖的爆炸。

不过，一般来说，这种高爆箱会有几次输入错误的机会，并不会一次就爆开。但这个机会最多不会超过五次。用它来封存机密档案的情况比较多。别看它只是一个箱子，但它已经达到了六级魂导器的层次！

霍雨浩从南宫婉将手掌贴上箱子的那一刻开始，就已经将自身的精神力高度集中，凭借着强大的精神力，硬是将南宫婉那快速敲击的频率完全记在了自己的脑海之中。虽然未必有用，但记下来总是个机会。

持续敲击了二十秒，南宫婉的手才重新抬起。屏幕回缩，伴随着轻微的"咔咔"声，箱子顶部从中央开始，缓缓裂开。

南宫婉身边的三长老一抬手，一个半圆形的护罩就将几人全都笼罩在其中，包括他自己以及那位被淘汰的九十八号默克在内。

就在这个箱子只是裂开一道缝隙的时候，霍雨浩四人就再次倒吸了一口凉气，也同时明白了那位三长老要用护罩将他们封住的原因。

一股难以形容的金戈铁马般的肃杀之气，几乎在箱子开启的瞬间就从里面飘了出来。

刹那间，除了三长老和南宫婉状若无事之外，霍雨浩、和菜头、黄征和默克都脸色一白，眼中露出惊骇之色。

其中感受最深的要属精神力最强的霍雨浩了。正因为精神力强，他受到的冲击也最大。

他只觉得，自己仿佛面对着一片由百万大军组成的钢铁战队。这个钢铁战队带着疯狂的杀意奔涌而来，竟差点冲击得他灵魂失守。他全身荡漾起一层淡金色的光芒，灵眸武魂在瞬间被激发了出来，这才勉强稳住心神。

不过，霍雨浩及时施展出了自己的模拟魂技，没有让自己真正的魂环情况出现在众人面前。

"这是……"和菜头失声道。叫出这一句后，他才想起和霍雨浩的约定，赶忙噤声，但眼中的震惊更加强烈了。

此时，箱子已经完全裂开，露出了内部。箱子内部是用特殊的填充物填满的。那是一种名叫玉胶的东西，本身洁白如玉，却极为坚韧、有弹性，一般用来充当缓冲的垫子之类。

就在那一块块用来填充的玉胶的中央，摆放着一个东西，长约一米五，圆柱体，前端呈锥形，后端有环形凹槽，通体无缝隙，看上去浑然一体。淡金色的本体上充满了金属光泽。

那狂暴肆虐的杀戮气息，正是由它散发出来的，有几分愈演愈烈之势。哪怕只是面对着它，霍雨浩四人都有种心神俱颤的感觉。

默克咽了一口唾液，喃喃地道："这是……"

黄征再也无法保持沉稳了，失声道："九级，定装魂导炮弹。"

九级定装魂导炮弹，意味着什么？

被评定为九级，意味它本身就是一件九级魂导器，更是一件一次性消耗的九级魂导器，配合九级魂导炮，甚至能够横跨半个大陆进行攻击。就算没有九级魂导炮，它也可以被近距离引爆。前提是，引爆的那个人有方法瞬间远遁，否则，必定形神俱灭。

九级定装魂导炮弹的破坏力，足以让超级斗罗为之色变。普通的封号斗罗如果正面面对它，除了死，没有别的可能性。

九级定装魂导炮弹，目前为止，只有日月帝国能够制作。具体有多少枚，只有真正的高层才知道。数量绝对不会多。

为什么本体宗、史莱克学院、星罗帝国那么多强者在谈起本次日月帝国对明都的封锁时都要色变，要选择未知的西方作为突破口？

他们不是想不到西方有可能出现危险，而是不敢去另外三个方向冒险啊！那三个方向，各自至少有五枚九级定装魂导炮弹。

一旦被这种层次的恐怖存在锁定，封号斗罗也绝对挡不住。更可怕的是，九级定装魂导炮弹的攻击范围极大，一旦爆炸，毁灭的就是一片空间，而不是一个点。

五枚九级定装魂导炮弹存在于同一个方向，就连玄老那个级别的强者都要忌惮。或许他有能力冲过去，却不可能保护得了身边的人。

无论对于什么人来说，九级定装魂导炮弹都是无价之宝。霍雨浩几人万万想不到，夕水盟为了本次大赛的胜利，竟然拿出了这么一件奖品。晨安原本给霍雨浩带来的好处，只是一些赌注分成而已。而这枚炮弹的存在，本身就比任何分成都给力。因为这根本不是能够用金钱来衡量的，也根本就买不到啊！

霍雨浩曾经听轩梓文说过，就算在日月帝国，九级定装魂导炮弹的数量也一定不会超过五十枚，有一些在明面上，有一些则在暗处。具体数量只有帝国的皇帝才完全清楚。可以肯定的是，一枚九级定装魂导炮弹足以毁灭一座小型城市。两枚的话，一座中型城市就完蛋了。

像明都这种规模的大陆第一城，也绝对禁不住十枚炮弹的爆炸覆盖。可见其有多么可怕了。

日月帝国敢以一隅之地来对抗原属斗罗大陆三国，并且一直没有被三国侵略，和这九级定装魂导炮弹有很大的关系。

夕水盟，或者说是圣灵教，实在是太有能力了。这等国家级的战略武器，居然被搞了一个来。

霍雨浩不禁怦然心动，眼中的光芒变得灼热起来。对他而言，这可不只是一枚炮弹而已，更是一件样品。如果他能够将其研究透彻了，就可以让唐门也拥有制作九级定装魂导炮弹的可能性。至少轩老师的研究会更容易取得突破啊！

只是，这枚定装魂导炮弹，真的那么好拿吗？在这次大赛中夺得冠军的价值难道比这枚炮弹更大？

"想必你们都看出来了，没错，这就是一枚九级定装魂导炮弹。它的名字叫毁灭风暴。具体的功能、使用方法，要等你们获得最终的冠军时才能从我这里得知。我可以保证的是，只要你们获得今天比赛的胜利，那么，我们会当场兑现这份大奖。所以，你们可要努力了。"

说着，南宫婉大袖一挥，箱子重新闭合，也将那份疯狂的杀戮气息遮盖了。

霍雨浩四人的呼吸这才变得顺畅起来。不过，默克看向他的眼神充满了怨毒。上次输给霍雨浩，他已经失去了争取这枚定装魂导炮弹的机会，甚至还失去了那柄列榜刻刀——黑暗青龙。

对于他的怒视，霍雨浩根本就不在意。此时他的心已经平静了下来，双眸重新变得清澈。他身后的和菜头，依旧处于亢奋状态呢。

"年轻人，加油吧。"南宫婉微笑着说道。在说这句话的时候，他始终注视着霍雨浩。当他看到霍雨浩的眼神重新变得清明时，也不禁微微一愣，立刻向他点了点头。

"出发！"

南宫婉大手一挥，和那位三长老走在前面，霍雨浩四人跟在后面，周围则是那些黑衣大汉。

那枚九级定装魂导炮弹自然不能让这些人抬着，而是被三长老直接收入了储物魂导器之中。出了青涩酒店，他直奔西郊方向离去。

对于比赛场地，霍雨浩并没有什么想法。他此时已经闭上双眸，似乎在凝神静气，为稍后的比赛作准备。

和菜头直到出了酒店，被外面的冷风一吹，才完全清醒过来，脸上露出一丝古怪的神色，甩了甩头，眼神恢复了正常。

黄征的情况与和菜头差不多。而那默克，眼中只有怨毒，想要平复心情，可是不太容易的。

青涩酒店位于靠近市中心的位置，他们自然不可能直接步行过去，那样就太慢了。

酒店外，马车早已准备好了，全都是用角马拉着的华丽马车。

霍雨浩、和菜头、黄征，这三名参赛的人乘坐一辆。南宫碗、三长老以及默克则乘坐另一辆。剩余的黑衣大汉将携带的各种稀有金属放在其他较为简易的马车上，也纷纷上了马。一行百余人，浩浩荡荡地朝着西郊方向行去。

马车中。

"师傅，真的要用九级定装魂导炮弹作为奖励吗？"默克一脸义愤地说道。

三长老皱了皱眉："闭嘴。这里有你说话的分？"

默克心中虽然充满不甘，但一看到老师脸上的不耐烦就立刻收敛起来。他可知道，自己这位老师的脾气并不好。当初，曾经有一位师兄因为顶撞了老师两句，直接被打晕了。

三长老向南宫碗看去："二哥，你看如何？"

南宫碗眼中亮起一层银灰色的光芒，整个马车内的光线顿时明亮了几分，似乎都蒙上了一层银灰色。

"那小子不简单。在短暂的吃惊之后，他竟然很快恢复了清醒。这证明他的精神修为相当强大。我们的猜测应该没错。他应该是拥有精神召唤能力的邪魂师，却不一定是日月帝国人，毕竟，以本教多年来的搜罗能力，要是发现这样的人才，不可能不拉拢过来。"

三长老脸上浮现出一丝微笑，道："嗯，那小子不错。不枉费我们这次拿出一份重奖。以后我会好好教导他的。"

南宫婉哈哈一笑，道："老三，你少来这套。这小子可是我先看上的。精神召唤正好和我契合。你的弟子已经这么多了，我可还没有一个能传衣钵的。我已经跟副教主说好了。这次大赛就是对他的进一步测试。我要收他当亲传弟子。不然，我为什么要请副教主出面弄来这枚九级定装魂导炮弹？我下了这么大的本钱，你想抢走可是不行。"

三长老哼了一声，道："可是，二哥，你也别忘了，他可是一名优秀的魂导师。看他的年纪，最多二十四五岁，却已经有了六级魂导师的实力。继续培养下去，他成为九级魂导师是必然的。你忘了吗？教主说过，未来是魂导师的世界。这个霍雨浩的魂师修为虽然不弱，但魂导器可是不能放弃的。不如，我们一起教他得了。"他知道自己争不过这位二哥，索性退而求其次。

南宫婉略微犹豫之后，道："这个倒不是不能考虑。但他只能是我的亲传弟子。你要是愿意教他点东西的话，问题不大。不过，这也要看他的精力是否足够。魂导师在未来确实会是主流，但是，目前魂师依旧比魂导师更加强大。我发现，很多学院都已经认识到魂师和魂导器结合的重要性了。"

三长老没好气地道："二哥，你可真是打得一手好算盘。让我教他，他却是你的亲传弟子。哼哼！"

南宫婉哈哈一笑，道："好了，好了。你也要理解一下二哥的心情嘛。等我收下了他，那柄黑暗青龙让他还给你就是。"

听南宫婉这么一说，一旁的默克顿时面露喜色，赶忙道："多谢师伯。"

南宫婉看着他，皱了皱眉，道："那黑暗青龙就算要回来，你也暂时没有拥有的权利了。你这孩子太过浮躁，还需要好好打磨几年。这次回去，你到后方去专门制作魂导器吧。"

默克愣了一下，脸色顿时难看起来，看向三长老，低声道："老师……"

三长老冷哼一声："二师伯这是给你机会，要是依着我……哼！"

听了三长老这一声怒哼，默克顿时吓得不敢说话了。

马车在角马的拉拽下，全力狂奔，很快就出了明都。夕水盟作为三大地下势力之首，自然不会在意在闹市纵马这种事，一路可谓是横冲直撞。普通民众只要看到他们马车上的标记，绝对是避之唯恐不及的。

霍雨浩一直闭着眼睛，没有任何动静。和菜头坐在他身边自然也不吭声。黄征看看二人，同样没有搭话。相比于另一辆马车，他们这边要安静多了。马车减震、隔音的效果都很好，并不会有什么声音传出。

不过，在平静的表面之下，霍雨浩真的那么心平气和吗？事实正好相反。此时的他，正在不断地提聚着自己的精神力。

在霍雨浩的精神之海中，他进入了一种奇妙的状态之中。浩瀚无垠的精神之海内，波涛汹涌，海水已经变成了金银双色。这是在他完成了本体武魂二次觉醒之后才出现的。这双色海水每一次奔涌，带起的浪花都会在空中略微停顿。看不到边际的海面上不时出现一个个双色旋涡。

精神之海的上空，一颗洁白的光球散发着淡淡的光芒。这个光球并不是浑圆的，而是椭圆的，有些像蛋。光线忽明忽暗，充满了生命的气息。

精神之海内，几道身影静静地漂浮在海面上。

冰帝依旧是冰碧帝皇蝎的形象，但在这精神之海内，它的身体有百丈长。炫目的钻石冰晶和那碧绿色的长尾，绚丽夺目。

在冰帝身边，悬浮着已经有八九岁的雪帝。八九岁状态的她，已经出落得十分漂亮。洁白的长裙更是纤尘不染。她巧笑嫣然，不时轻靠在冰帝身上，似乎在低声说着什么。

体积最大的不是冰帝，而是那懒洋洋地躺在精神之海中的天梦哥。

霍雨浩的精神力最初几乎全都来源于天梦冰蚕。因为天梦冰蚕的存在，他那灵眸武魂才拥有了后来的一切。虽然现在他的精神层次已经提升到了极高的境界，但与天梦冰蚕的契合度依然是最高的。天梦冰蚕在他的精神之海内畅游得依旧十分舒畅。

不过，此时天梦冰蚕的情绪着实有些不好。它偷眼看着一旁的雪帝和冰帝，心中着实有些委屈。

上次大难之后，雪帝化为魂灵，冰帝和它都沉睡了。但也正是那次，他和冰帝之间的关系终于靠近了一些。

可此时，冰帝已经清醒过来，对它依旧和以前一样不假辞色。哪怕雪帝已经失去了绝大部分记忆，冰帝却依旧宁可跟雪帝亲近也不理自己。这让天梦冰蚕怎能不郁闷呢？

"天梦，雨浩这样真的可以吗？会不会有危险？"冰帝清冷的声音十分动听。

天梦冰蚕懒洋洋地道："没事。他的灵魂境界已经赶上我当初的最强状态了，又融合了我的精神力。现在对他来说，是他的身体承受不住精神力，而不会有精神力匮乏的问题。他现在是纯粹用精神力去做事，又不是通过精神力直接攻击别人，不会有事的。

他的精神力只是暂时分离出去一部分而已，就算回不来，也不会对他造成实质性的伤害。"

冰帝哼了一声，道："看你的样子，倒是一点都不着急。"

天梦冰蚕道："唉，我都不想活了，还着什么急啊？就算雨浩真有什么事，我跟他一起死就是了。"

冰帝愣了一下，问道："不想活了？在这个世界上，还有谁比你更明白好死不如赖活着的道理吗？你都腻腻歪歪地活了百万年，还会有不想活了的念头？"

天梦冰蚕气得差点吐血："我说冰儿，你就不能对我好点吗？我对你这么好……我跟你说，我这次可真是生无可恋了。我已经化为了雨浩的魂灵。我仔细感受过这个魂灵。就算我出现问题，也不会影响到雨浩的。你这么不爱我，说不定我哪天就寻死去。"

冰帝没好气地道："你少来这套。不要以为上次你大义凛然了一把，我就会喜欢上你。看你那蠢笨的样子！你们冰蚕一族天生就是我们冰碧蝎一族的食物。我和你，是绝对不可能的。"

听了冰帝的话，天梦冰蚕出奇地没有反驳，而是变得沉默了。胖胖的身体扭转过去，没有再开口。

冰帝那双黄钻之眼中，情绪稍微波动了一下。巨大的尾巴轻轻抬起，抽击在精神之海上，像在发泄着什么。一双前螯示威似的朝着天梦冰蚕举了举，却终究没有对它下手。

这个笨家伙！我为什么要喜欢它？我是高贵的冰碧帝皇蝎，我怎么可能喜欢上一只冰蚕！

冰帝在心中反复地告诉自己，但不知道为什么，天梦冰蚕突然的沉默令它十分烦躁。

身边的雪帝正睁着一双漂亮的大眼睛看着它，眼神中满是清澈。

冰帝呆了呆，仿佛又看到了当初在昊天堡时的那一幕。它想起了许多场景，想起了那只大虫子的义无反顾，也想起了雪帝最后说的话。

难道，我真的已经……

正在这时，悬浮在精神之海上空的那个蛋状光团悄然破碎了，一道光影随之在其中舒展开来。

"怦怦！"有节奏的心跳声清晰有力。那空中的身影缓缓下落，飘荡到冰雪二帝和天梦冰蚕面前。

"怎么样？感受一下我的气息。"这空中落下的，正是霍雨浩的光影。只不过，这是由精神力凝结而成的，通体呈现为一种冰白色，就像用冰晶雕塑而成的，但身体周围弥漫着淡金色的光芒。

天梦冰蚕终于再次开口了。它扬起巨大的头颅，凑到霍雨浩身前，赞叹道："卵生化身法。不错。你已经能够将有形无质的精神力完全发挥出来了，暂时进入了有形有质的境界。不过，你记住，时间不可长。虽说这精神分身就算损失了，也不会影响到你的本质，却依旧会让你短时间内失去记忆，并且会使你的精神之海受到重创，至少要恢复三个月才能回到正常状态。所以，你必须要在一个时辰内回来。同时，本体不能跨越空间。记住了吗？"

霍雨浩点了点头，道："放心吧，天梦哥，我有分寸。我很期待，我们在今晚这一场大戏中的表现。看看这一场大戏中，究竟谁是主角。"说到这里，他脸上露出了自信的笑容。

看着天梦冰蚕的大头，他传递了一个意念过去。因为他背对着冰帝，所以冰帝并无所觉。

现在的霍雨浩早已不是当初那个需要冰帝和天梦一直呵护着的小家伙了。现在的他，渐渐成长，尤其是在精神力这个层面上，已经不亚于这几位强大的十万年、百万年魂兽。

天梦冰蚕眼中异光一闪，轻轻地朝着霍雨浩点了点头，嘴角裂开，露出一个冰蚕版的笑容。

夕水盟的豪华马车终于停了下来。此时，整个马队已经来到了距离明都五里外的西郊。

霍雨浩似乎适时地清醒了过来。睁开双眼时，他的眼神略微有些迷茫。但是，谁也没有注意到，在他的眉心处，一团扭曲的光纹悄悄滑出，转瞬间消失不见了。

"到了。"外面有声音传来。

黄征率先下车，和菜头紧随其后。他先把霍雨浩的轮椅搬下去，然后又将他抱到轮椅上坐好。

霍雨浩的眼神显得有些呆滞，但随着夜风的吹袭，似乎很快就恢复了正常。

双眼微眯，精神探测扩散开来，霍雨浩心中暗暗一惊——今晚，真是好大的阵仗啊！

在他的感知中，周围至少有数千人之多，明显分成三个部分，分别处于三个方向。他们这边算是一个方向。另外两方最大的区别在于人员的衣服颜色。

其中，夕水盟阵营的左前方，是一群身穿白色劲装的壮汉。右前方的人则以黄色衣服为主。

晨安此时已经跳下马，快步走了过来，低声介绍道："今天，我们三大地下势力的高层几乎都到了。三方对于本场比赛都很重视，都派出了最强阵容。穿白色衣服的，是奥都商会的人。黄色衣服则代表着平凡盟。除了我们三方之外，明都最有名望的名门望族和参赌的一批豪客也将亲自参与到这场最终的决赛中。我们三方根据要求，都不得超过一千人。剩余的，就是这些观战者了。一切都以公平为原则进行比赛，所以三位尽可放心。"

霍雨浩的嘴角微微牵动了一下。不知道为什么，他感觉这地下三大势力的大赛，论公平程度的话，似乎在全大陆青年高级魂师精英大赛之上。起码没有在裁判方面的暗箱操作。或许，绝对的利益有时候要比那些表面光明，暗地里却充满龌龊的事情好。

三人在晨安的引导和一众夕水盟黑衣壮汉的护卫下，向内走去。

这西郊的场地并不算简陋。三大地下势力的人马在外围，将这片上万平方米的场地全部圈了起来。远处还有三大地下势力的人封锁道路，不让普通行人靠近。里面则已经摆了一圈圈阶梯向上的观战台。观战台同样分为三个区域。上面坐着的是分别押注在三大势力身上的赌客们。在这些阶梯观战台的内部，还有围成了一个圆圈的观战台。这些观战台距离核心区域最近，也就是晨安说的那些有名望的贵族和著名魂师、魂导师的观战区域了。

最让人惊讶的是比赛场地。

这比赛场地的圆台，如果让霍雨浩、和菜头来评价，简直就是全大陆青年高级魂师精英大赛那个比赛台的翻版。它的直径也有百米开外，周围看上去也有魂导护罩的保护。

最好笑的是，在比赛台周围，竟然也有三个休息区，分别在三个不同的方向。如果用直线连接的话，形状是一个等边三角形。

霍雨浩他们被带到了夕水盟这边的休息区之中。南宫婉、三长老也坐了进来。

霍雨浩心中暗想：难道说，今天夕水盟，或者说是圣灵教这边就只有他们两名高层人员在吗？以夕水盟对本次比赛的重视程度，应该有更多人才对。

此时，气氛有些喧闹。比赛开始前，并没有专人暖场。那些坐在观众席和嘉宾席的人都在交谈着。在一盏盏明亮的魂导灯照耀下，场内的光线很好。这些挑在空中的魂导灯提供了足够的光线。

看到这些，霍雨浩心中不禁暗暗感慨——魂导器应用于普通民众的生活之中，在这方面，哪个国家也比不上日月帝国。在这方面，原属斗罗大陆三国跟它都有着巨大的差距啊！想要追上它，绝不是凭借个人的力量就能够完成的，更不是短时间内可以完成的。就算现在别的国家已经意识到了这个问题，可追逐的方向也只能是军工方面。

三长老低声向南宫婉说道："据说这次他们请了九级魂导师坐镇。这次的七名评委中，有三个是他们的人。我们却只有两个人。另外两人中立。会不会有问题？"

南宫婉冷笑一声，道："不怕。稍后，副教主会带着大哥、三弟和五弟、六弟过来。他们能翻天？如果不是给日月帝国皇室面子，小小的奥都商会和平凡盟哪有资格和我们并列比赛？这次比赛在利益分配上很重要。教主严令我们要按规矩行事。不过，有副教主在，在一些地方变通一下应该问题不大。我倒要看看，他们拉拢的那几个人敢不敢真的站在我们的对立面。"

三长老嘴角处也浮现出一丝冷笑，轻轻地点了点头。

霍雨浩虽然看上去目光平静，但对周围的一切在认真地进行观察。听南宫婉说稍后还会有圣灵教的高层前来，他也不由得心中暗暗惊喜。惊的是这圣灵教的实力、底蕴，喜的是圣灵教的实力必然会因此而有所分散。到时候，就有他们奔波的了。

此时，三方的人似乎都已经到齐了。有人过来向南宫婉询问了几句，在得到确定之后，很快，所有灯光都聚焦在了比赛台上。比赛台上也多了一个人。

此人身材高大，相貌十分英俊，身穿一身大红色的华丽礼服，金发梳得一丝不苟。一双桃花眼仿佛充满了电光一般。

"大家好，我是本次大赛最终决赛的主持人，路奇。"这位主持人的声音着实不错，清亮有磁性，配上他那英俊的容貌，很容易让人产生好感。

不过，霍雨浩已经用精神探测扫描过他了。他不过是个普通人而已，身上一点魂力波动都没有。

"今天，是我们明都魂导师精英大赛的最终决赛。九名参赛者分别由平凡盟、奥

都商会和夕水盟选送。相信各位观众对于这九位参赛者的资料都已经很熟悉了。我就不一一赘述了。下面，有请本次大赛的主办方——平凡盟、奥都商会和夕水盟的三位会长登场致词。"

台下，夕水盟休息区中。

南宫碗脸色阴沉地自言自语："不知死活。"说着，他纵身而起，朝着台上走了过去。

三长老冷笑连连地道："这平凡盟的小东西玩这种排名的把戏，真是找死。真以为平凡盟就护得住他吗？"

霍雨浩几人这才明白，原来南宫碗是因为那主持人报名的时候把夕水盟放在最后而发怒。

南宫碗并没有显露他的修为，而是一步步地通过阶梯走到台上。另外两个方向，也分别有一人上台。

奥都商会那边，是一名年约四旬的中年人，一身紫色大氅，相貌堂堂，隐隐有上位者的威势。如果只是看人，很难想象他竟然是一个掌控着盗贼、杀手的地下势力的首脑，反倒像一名官员。此人走起路来，龙行虎步，眼中精光闪烁。

从他身上散发出的魂力波动中，霍雨浩就能感觉出，此人的修为至少在八环以上。他刻意压制了自己的气息。不过他距离封号斗罗应该还有差距。

相比于奥都商会的这个人，平凡盟上台的那位就更加引人注目了。

那是一名身穿大红色长裙的女子，远距离看上去极美。一头栗色长发高高地盘成云髻。她走起路来，一步三摇，聘聘婷婷。她身姿妖娆，脸上却充满了圣洁之色，真是人间尤物。

她一上台，不知道会有多少人口干舌燥，目不转睛。

来参加明都魂导师精英大赛，霍雨浩对这明都地下三大势力早有了解。那位身穿紫色大氅的中年男子，就是奥都商会的会长安立桐。在他背后，是日月帝国军方。另一边，那身材妖娆、面容圣洁，却看不出年岁的女子，则是平凡盟盟主，是掌控了明都所有娱乐业和大部分餐饮业的上官薇儿。

霍雨浩听晨安说过，这个女人很厉害，不知道曾有多少强者拜倒在她的石榴裙下。别看她如此妖娆动人，可实际上，早在四十年前，她就已经是平凡盟的主事人了。她真正的年纪根本没有人知道。她的修为甚至在奥都商会会长安立桐之上。平凡盟背后，则是明都的大贵族阶级。

夕水盟这边，盟主是南宫碗。明面上，他们代表的是帝国皇族。也正因如此，夕水盟才能在另外两家面前做大。但另外两家代表的也是实力极其强大的阶层，就算皇族也没办法将其完全吞并。平凡盟和奥都商会虽然隐约知道夕水盟背后有邪魂师的影子，但因为各自代表的利益集团十分庞大，倒也不惧。

在这种前提下，才有了这次大赛。表面上，三大地下势力联手发起的明都魂导师精英大赛是为了圈钱，从大量游客手中赚取赌资，而实际上这也是三大地下势力重新洗牌的重要时刻。夕水盟想要进一步掌控地下势力，而奥都商会和平凡盟则隐隐有联手对抗他们的势头。

三方背后势力相互商讨之后，才有了这次"公平"的比赛。正如霍雨浩感觉到的那样，论公平，这地下三大势力举办的比赛甚至比明面上的大赛更加公平。无数双眼睛在盯着这场比赛呢。

本届大赛对于这地下三大势力来说，最大的利益是什么？这个问题就只有三大地下势力真正的高层才知道了。

那就是掌控走私稀有金属的权利。

在日月帝国的国家层面上，稀有金属是严禁买卖的，也正因如此，稀有金属的价格居高不下。这可以说是日月帝国人为控制造成的。在这种情况下，稀有金属走私就变成了极其暴利的敛财途径。这笔钱不能在明面上赚取，用来走私的稀有金属的数量也绝对不能多，却是必须要赚的。

皇室、军方、贵族，谁不想在这块巨大的蛋糕上咬一口？

之前他们也都是这么做的。但随着时间的推移，太子徐天然上台之后，马上发现了这积弊已久的龌龊事情。三方走私，令稀有金属的流失数量远远超过日月帝国控制的范围。震怒之下，徐天然这才决定改变。

将它完全取缔显然是不可能的，越是压制，反弹就越厉害，更何况他现在还没有登临大宝，自然不敢过于得罪军方和大贵族。在仔细思考之后，这位太子殿下才推动了本次地下势力的重新洗牌。

这次大赛，谁能获得最后的胜利，谁就能独家掌控稀有金属走私这一块。当然，这一家也必须要将自己原本控制着的地盘都交出来，给另外两方分配。这个方法算是尽可能做到公平了。

相比于其他行业来说，走私稀有金属的暴利实在太吸引人了。三方都寸土必争，所以才有了本届大赛给出重奖的情况。

当然，这些都是在暗中进行的。别说霍雨浩不知道了，包括那位三长老的弟子黄征在内的其他魂导师也都不知道。

对于徐天然来说，这是一次重新掌控地下势力的机会。当然，稀有金属的所有权也是他必须抓在手中的。怎么抓？自然是通过夕水盟，或者说是通过圣灵教。他势在必得！

主持人路奇满脸微笑地站在一旁，将三大地下势力的首脑引到了比赛台中央。

"下面，请三位会长为本届大赛致词。首先，我们有请夕水盟盟主南宫碗先生致词。"

南宫碗虽然对他已起杀机，但在场面上自然不会表现出来，淡淡地道："本次大赛由我们三方联手主办，到目前为止，已经为帝国博彩业贡献了一份不俗的成绩。今天的决赛，我们夕水盟志在必得，我也相信我们的选手有这个能力。冠军，必然是夕水盟的。尚未下注的朋友们，不妨多考虑一下。"

说完这句话，他就后退一步，表示自己说完了。

第二个开口的是奥都商会的会长安立桐。瞥了南宫碗一眼，安立桐皮笑肉不笑地道："看来，南宫盟主很有信心啊！不过，我可不这么认为。本次代表我们奥都商会出赛的，都是魂师界年轻一代中的翘楚，我对他们有绝对的信心。我在这里表个态。我代表奥都商会，押注一亿金魂币在他们身上。只要他们之中有人能够赢得本场比赛，这一亿金魂币带来的收益，将全部归其所有。"

此言一出，无数人倒吸凉气。一亿金魂币啊！就算赔率只是一比一，也有一亿金魂币的奖金了。这可是一个令人疯狂的数字。

当初，雪帝魂灵那等存在也没有拍卖出如此恐怖的天文数字。这一亿金魂币对于花销巨大的魂导师来说，绝对有着无与伦比的吸引力。奥都商会不只显现出了他们的财大气粗，同时也显现出了他们深厚的底蕴以及获胜的决心。一时间，不少尚留有后手的赌客开始倾向于他们了。

正在这时，平凡盟那位年龄不知几何的美女盟主上官薇儿轻笑一声，走上前来，道："两位都是信心满满啊！那小妹也不能落于人后，不是吗？我们平凡盟可没有奥都商会那么财大气粗。一亿金魂币我们是没有的，有也舍不得拿出来。但我们平凡盟有的是美女。咱们这边的魂师要是获得了最终冠军的话，我平凡盟中的数万美女将任由其挑选。同时，我还可以让三位拥有上古血脉的龙女为其女奴。"

龙女？听到这两个字，和菜头一头浆糊，黄征、默克也都一脸不解。但霍雨浩已经目瞪口呆。

身为史莱克学院第一位极限单兵计划的培养对象，他学习了各方面的知识，曾经听一位老师讲起过龙女。

龙女是什么？其实是一种半人半兽的特殊生物。龙女，都是相貌极美的女子形态，只是身上长满鳞片，只有脸部与人类一样。

当她发情的时候，身上的鳞片才会消失。而这个时候，龙女不但将完全展现出自己的美貌，也会变成一种神奇的鼎炉。

人类一旦与龙女结合，就能够吸收其体内的龙血精华，从而彻底改变自身体质，让自己的血脉中拥有一丝龙血气息。这必然能够促进自己的武魂在原有基础上进化一次，而且必然是良性进化。

只不过，这种龙女的数量极其稀少，只有在深山大泽中才有可能寻觅得到。而且，她们身上都有厄运诅咒。第一个抓捕她们的人，必然会被诅咒，几乎必死无疑。因此，能够找到她们，并且敢于对她们下手的人就少之又少了。

平凡盟居然能够找来三名龙女！这在霍雨浩看来，简直就是不可思议啊！

龙女对于他们这些本身武魂就已经很强大的人来说，好处并不算太明显。但对于魂导师来说，她们是无价之宝。

很多魂导师因为自身的武魂并不优秀，都是通过各种药物进行强行提升的。药物必然含有杂质。当他们的修为提升到一定程度后，就很难再进步了，甚至还有可能出现后遗症。若他们能够与一名龙女相结合，那么，这些问题就都不再是问题。龙女的血脉之力不但能够清除他们体内残留的杂质，更能够让他们的武魂进化，为他们日后提升到九环扫平道路。

没错，一亿金魂币是个天文数字。但是，就算一亿金魂币也未必买得到龙女啊！龙女在魂导师们眼中，那可是无价之宝。

有关龙女的知识，自然不需要霍雨浩去告诉和菜头、黄征。那位主持人路奇早已娓娓道来。听着他的话，霍雨浩能够明显感觉到，一向沉稳的黄征的呼吸变得粗重了。和菜头反倒表现得一片平静。

霍雨浩下意识地扭头向和菜头看去。和菜头清明的双眸中流露出一丝笑意，虽然没有说什么，答案已经昭然若揭。

萧萧，你选二师兄作为伴侣，真是选对人了啊！

三大地下势力，先后出招。毫无疑问，风头全被最后的平凡盟盟主上官薇儿抢走了。

南宫婉脸色一片铁青，不过，在这个时候，他显然不会站出来再说一遍。而且，夕水盟奖励的九级定装魂导炮弹也是不能说出来的。

南宫婉脸色铁青地回到休息区，扭头看向霍雨浩，道："最后动手的时候，给我尽可能地干掉他们的人。随便你用什么能力。出了事，我们负责。年轻人，好好干，这次大赛之后，必然有你享不尽的好处。那个上官薇儿说的龙女，老夫会为你弄一个来。"

霍雨浩有些愕然，没想到南宫婉竟然如此看好自己。不过，也难怪他如此。上一次比赛中自己击败默克时，展现出的邪魂师手段就是他对自己充满信心的原因。

第340章
日月神针

　　轻轻地点了点头，霍雨浩没有说什么，但眼神是十分坚定的。只不过，南宫婉并不知道，他眼中的那份坚定可不只是针对本场比赛的。

　　主持人接下来介绍的是七名裁判。

　　七名裁判全是高阶魂导师。其中，九级魂导师就有三位之多，剩余的四位也都是八级的层次。这七个人一上场，立刻就充满了气势。

　　他们的发言明显没有那么重的火药味，更多的是从比赛的公平性出发，又说了一些激励九名参赛选手的没营养的话。

　　七位裁判的位子设在比赛台上。七张舒适的大椅子早已搬了上去。

　　在这宽阔的比赛台上，还有九张魂导器制作台。相比之前比赛中用的制作台，眼前这九张单是在体积方面就已经大了一倍。此时，三大地下势力的工作人员正在摆放他们带来的制作仪器以及稀有金属。

　　比赛尚未开始，三方的较量就已经展开了。

　　通过精神探测观察着那九张魂导器制作台，沉稳的霍雨浩都不禁为之动容。

　　就算当初在明德堂，他都没用过这么多辅助装置。每一种都是制作极其精良的精密仪器。有了这些东西，魂导师在制作魂导器的时候，不但速度、精确度能够大大地提

升，而且，具备了越阶制作的可能性。

至于稀有金属方面，那就更是应有尽有了。有一些，甚至连霍雨浩都没见过。

夕水盟拿出的稀有金属的数量是最多的，竟然足足有六十四种。一时间，这些稀有金属散发出的氤氲宝光，令已经坐下的三名裁判都不禁面面相觑，眼中不时流露出贪婪之色。

真下本钱啊！霍雨浩心中暗暗赞美着三大地下势力，同时扭头与和菜头再次进行了一次眼神的交流。

在来之前他们就已经有了计划——在这最终的决赛上，他们将不再有所保留地进行比试。这么做的目的，一是为了测试自己在魂导器制作方面的能力，二是为了那丰厚的奖品。

如果能够获得最终冠军，就能获得大赛组委会提供的一件九级魂导器和那枚九级定装魂导炮弹。这可都是金钱无法买到的至宝。更何况还有一吨稀有金属。越是没见过的，就越吸引霍雨浩、和菜头他们这样的优秀魂导师。拿回去仔细研究研究，说不定他们就能创造出新的魂导器来。

"好了，激动人心的时刻就要到了。下面，我们要拿出本次大赛的最终冠军奖品，由七位裁判共同保管。这件奖品是为我们最终的冠军准备的。请本次大赛的裁判长——九级魂导师、封号为星空的封号斗罗叶雨霖大师为我们请出这件最终奖品。"

坐在七名裁判最中央的一名身材高大的老者站起身来，右手一抬，一点银光冲天而起。

那似乎只是一个银色的火星，但伴随着升空，它的体积却迅速变大。当它高悬于百米的空中时，竟然已经变成了一个璀璨的银色光团。

星空斗罗叶雨霖？霍雨浩心中暗吃一惊。

在史莱克学院学习的时候，他就听帆羽老师讲过一些特别值得注意的日月帝国九级魂导师。其中就包括这位星空斗罗。

星空斗罗叶雨霖是九级魂导师，修为在九十二级到九十三级，在魂导器制作方面，是绝对的天才，跟明德堂堂主镜红尘相比也不落下风。他最擅长制作各种高空魂导器。他那星空封号也是由此而来的。

和菜头曾经释放过的恐惧之眼，就是这位星空斗罗创造出来的。据说，他在战斗的时候，释放出的魂导器能够化为满天星斗，释放出强大的攻击力。他甚至还能够借助天象进行攻击。其代表性的魂导器，名为太阳神针，在九级魂导器中，以攻击能力强悍著称。

天空中的银色光团此时已经稳定了下来。紧接着，一道银色光束从天而降，落在了叶雨霖身前。这位九级魂导师没有说话，双手做出一个上托的动作。顿时，又一颗淡金色的光球出现在了银光之中。

这枚光球的直径足有一米，徐徐升起时，像一轮太阳一样。它逐渐上升，与天空中那团银光交映生辉，直到飞到那银光旁边才停止。

两个光球就那么在天空之中遥相呼应，围绕着莫名的圆心开始了旋转，在空中交织出一个更大的金银双色光球。

没有任何威势与强大的气息传出，但当它们在空中开始盘旋后，在场的魂导师中，那些修为超过八级、熟知星空斗罗的人都不禁倒吸一口凉气。

"尊敬的叶雨霖大师，能否请您为我们介绍一下这份奖品？"面对叶雨霖，主持人路奇显得十分恭敬。

叶雨霖是一名老者，秃顶，面色红润，目光如电。

他抬起头，有些不舍地看了一眼那旋转中的金银双色光球，沉声道："本次用来作为最终冠军奖品的是我制作的一件魂导器。我给它命名为日月神针，寓意为我日月帝国的定海神针。它弥补了我原本那太阳神针只能在白天发挥作用的弊端，是一件攻击型魂导器，最高升空高度为一千六百米，可打击范围是直径三十公里。在精神力足够强大的情况下，魂导师可以通过它侦查到直径三十公里内的任何地方，进行精确打击。不过，我要先提醒一下即将参赛的年轻人。这件日月神针是老夫的得意之作，希望你们不要让其蒙污，同时，也不要尝试去解析老夫这件魂导器，否则，只会得到反噬的结果。我就说这么多，准备开始比赛吧。"

日月神针！

霍雨浩、和菜头都倒吸了一口凉气。九级魂导器，打击范围直径三十公里，还能放大精神力进行侦测、精确打击……这玩意儿太变态了！

他们第一次接触到九级魂导器，终于明白为什么九级魂导师在自身武魂能力不强的情况下依旧能够和封号斗罗对抗，并且在战争中具有明显的优势了。

个人战斗中，九级魂导师肯定是不如九环封号斗罗的。但他们制作出的九级魂导器无疑都是极其恐怖的杀戮机器。

八级魂导器霍雨浩还是见过的，但和眼前这九级魂导器比起来，简直就是天差地远啊！当然，这日月神针本身应该是九级魂导器中最顶级的那种。

和菜头有些亢奋地低声道："小师弟，这玩意儿简直就是为你量身定做的啊！"

霍雨浩眼神一凝，赶忙瞪了他一眼。和菜头这才意识到自己失言，赶忙闭嘴。

不过，他这一声"小师弟"还是被南宫婉和那位三长老敏锐地听到了。他们眼底都露出了一丝疑惑，但因为和菜头并没有暴露出更多的东西，这点细节还不值得怀疑，所以他们也就没有说什么。毕竟，霍雨浩在他们看来，本就是擅长精神召唤的邪魂师。精神力强，他使用这日月神针自然就更适合了。

三长老冷哼一声，道："别听叶雨霖那老家伙说得动人。他这日月神针是不错，但单是充能，就要进行三天，而且只能靠日月光华进行充能。攻击威力是不弱，但充能完毕后，攻击不超过三次。而且，每一次使用，都要消耗巨大的魂力。就算是我来使用，三次之后，魂力也要消耗近半，精神力更是不济，完成一次精确打击都费劲。他那直径三十公里的范围，只是理论上存在的。不过，一千六百米高空悬浮却是真的。"

南宫婉呵呵一笑，道："老三，你就不要嘴硬了。在高空魂导器方面，你确实不如叶雨霖。这家伙本次是代表皇室而来，你跟他较劲有什么意思？这日月神针虽然使用困难，但其威力在九级魂导器中是顶级的存在了。获得它，只有好处，没有坏处。不过，你们无论是谁获得了，在修为提升到九环之前，还是不要使用比较好。否则，一个不好，就会引起反噬。听叶雨霖的意思，在他这魂导器之中，还装有自爆装置，你们千万不要试图去拆卸。"

他虽然说的是"你们"，但在说这些话的时候，目光却是一直落在霍雨浩身上的。倒真有几分老师教导弟子的味道。

霍雨浩没有吭声，轻轻地点了点头。

和菜头心中暗笑，是金子总要发光，这小师弟无论到了什么地方，都会吸引别人啊！连邪魂师都想收他做徒弟了。

奖品的介绍，无疑又引起了一片惊呼声。比赛在这时候，终于要开始了。在这西郊之中，真正的高潮即将来临。

"下面，有请参加明都魂导师精英大赛最终决赛的九位选手登台。我们的精确计时魂导器已经准备完毕。在今天大赛的第一环节，你们将有三个时辰的时间制作一件魂导器。整个制作过程都将在我们七位裁判的监督之下进行。一切试图破坏规则、破坏公平的选手将被立刻逐出比赛。请各位谨慎对待。"路奇的表情变得严肃起来，侧身站到一旁，做出一个请的手势。

三方选手各自出了休息区，在三大地下势力首脑的陪同下上了比赛台。

和菜头依旧推着霍雨浩的轮椅。除了他之外，其他八名参赛选手都是健全人。

南宫碗走在前面，率先上了比赛台。他的目光中威严四射，冷冷地扫了路奇一眼。

路奇只觉得心神一乱，大脑仿佛被重锤击了一下似的，不禁骇然色变，下意识地后退一步。

奥都商会会长安立桐依旧是那副皮笑肉不笑的模样，瞥了一眼南宫碗背后的霍雨浩三人，勉强挤出一抹笑容，道："南宫盟主，早就听说你们夕水盟的参赛代表中有一位残疾人，我还以为是开玩笑的，没想到，你们真的选拔了一名残疾人出来啊！果然是独具匠心。"

南宫碗淡然一笑，道："身体的残疾不算什么，就怕有些人这里有问题，那才真的致命啊！"说着，他指了指自己的头。

安立桐脸色微微一变，对南宫碗，他着实有几分忌惮。双方打交道这么多年了，他自然知道南宫碗的邪魂师身份。只不过奥都商会背靠军方，他才能不怕。

"哟！南宫大哥，您还是这么言辞犀利啊！让小妹心中好怕哦。"巧笑嫣然的上官薇儿走上台来，依旧是一步三摇，聘聘婷婷地来到南宫碗身边。

南宫碗脸上的笑容突然变得热烈起来："好久不见啊！上官大姐。你这青春永驻的容颜着实让老夫钦佩。"

南宫碗是一副耄耋老者的模样，居然称呼上官薇儿为大姐，台上所有人顿时都感觉背脊上凉飕飕的，刚刚因为上官薇儿那充满诱惑的模样升起一丝旖旎之思也立刻消失了。

上官薇儿脸色一变，原本的娇媚瞬间被冷厉代替了："南宫碗，你找死！"

南宫碗依旧满面堆笑，眼底深处却升起两簇银灰色火焰："上官大姐，你还是消停点比较好。比赛就要开始了。"

看着他眼底升起的火焰，上官薇儿心中凛然，冷哼一声，神色又恢复了先前的样子："那就赶快开始吧。今天的事，改日奴家定要让你这个冤家偿还。"

三位首脑在短暂的言语交锋之后，都各自退到一旁，除了观察着对方带上来的参赛选手之外，并没有多余的动作。众目睽睽之下，就算是他们，也不敢用什么手段。

霍雨浩也在观察着自己的对手。

奥都商会那边，登场的三名魂导师都是男子，看上去都是三十岁左右。他们在相貌方面没有什么出奇的地方，唯一值得注意的就是他们沉稳的气质。他们显然都是很有经验和天赋的魂导师。

平凡盟这边注定是最令人瞩目的。上台的居然都是女性。女性魂导师不是没有，但相比于男性魂导师，在数量上就要少多了。一下上来三名女性魂导师，而且相貌都极美，着实令人惊讶。很明显，这三名女魂导师都是平凡盟自己培养出来的。

她们分别身穿红、黄、蓝色长裙。这三原色着实好认得很。

身穿红色长裙的女子相貌娇艳，宛如一朵盛开的玫瑰。穿蓝色长裙的少女则一脸冰冷，胜似傲雪寒梅。而穿黄色长裙的少女则是一身宫装长裙，高贵得宛如帝国公主。

三名少女，各具特色，无一不是人间绝色。

不过，在霍雨浩眼中，她们就是普通人而已。因为，她们都不能主宰自己的灵魂，表面上展现出的一切，很大程度上都是经过训练得来的，少了一丝天然绝色的浑然天成。这种女子，无论多少个，也无法和冬儿相比。连比的资格都没有。

"不要被美色所诱惑。平凡盟培养出的这些女魂导师，个个都是心如蛇蝎之辈。有机会的话，立刻下狠手，不要给她们任何机会。"南宫婉的声音同时在霍雨浩、和菜头和黄征耳中响起。

霍雨浩心头一动。确实，平凡盟这些女性魂导师在某种意义上是会占便宜的。面对美女，只要是正常男人，在对阵之时，多少都会有些手软。

身为总裁判长的叶雨霖大手一挥，道："三位会长都下去吧。所有参赛者各就各位，准备比赛。"

南宫婉、上官薇儿和安立桐三人，互相看了一眼，就带着冷笑转身离去了。

和菜头推着霍雨浩到了一张魂导器制作台后，自己才走到了另一张比赛台后面。

叶雨霖双手背在身后，苍老的面庞十分冷峻，哪怕是对那三位三大地下势力的会长，他也不假辞色，更不用说对这些参赛的选手了。

如果不是太子徐天然亲自发出邀请，他根本就不会出现在这里，这件日月神针也是徐天然答应给予他极为丰厚的补偿后才忍痛割爱的。在他看来，魂导师就应该踏踏实实地研究魂导器制作，来参加比赛纯属浪费时间，更何况还是这些肮脏的地下势力举办的比赛。因此，他对这些参赛的选手一点好感都没有。

同样是九级魂导师，叶雨霖和不破斗罗郑战比起来，地位就要高多了。

同样是九级魂导师，研究的方向不同，成就也不同。叶雨霖在日月帝国的九级魂导师中，能够排在前三位，论实力，比镜红尘有过之而无不及，更有着星空掌控者的美誉。

此时，他冰冷的目光从参赛的九个人脸上扫过，隐隐有一股威压之气横扫全场。其中，坐在轮椅上的霍雨浩是他目光停留时间最长的对象。他的目光只有落在霍雨浩身上的时候，才变得温和了少许。

虽然同样是代表三大地下势力参赛，但在叶雨霖看来，坐在轮椅上的霍雨浩大有几分身残志坚的品质。毕竟魂导师修炼是需要很多资源的，一名残疾魂导师想要获得资源的难度要比正常魂导师大得多。所以，叶雨霖就格外关注了一下霍雨浩。

"你们将有三个时辰进行魂导器制作。每个人只能制作一件魂导器。可以使用任何材料，但绝对不能使用任何已经提前制作完毕的半成品。一经发现，立刻出局。同时，我必须要提醒你们，在三个时辰之后，你们将没有休息时间，直接进行技巧考核。末位淘汰，排位也将关系到你们之后的八强对阵。所以，在制作魂导器的时候，你们必须要保留一定的精力，以免精力过度透支无法应对后面的技巧考核。技巧考核的难度很大。"

听了星空斗罗叶雨霖这番话，参赛的九人都暗暗一惊。连这位九级魂导师都说技巧考核的难度大，那它的难度就可想而知了。

霍雨浩心中一惊，双眸微闭，双手搭在桌案之上，静静地等待着。

"计时开始！隔音护罩，升。"

伴随着叶雨霖的一声大喝，一层淡淡的白色光罩从比赛台周围升起，柔和的白光很快在空中汇聚成穹顶，将整个比赛台笼罩在内。外界的嘈杂声完全被隔绝开来。星空斗罗叶雨霖重新坐到了自己的位子上，目光灼灼地看着开始行动起来的参赛魂导师们。

霍雨浩在叶雨霖大喝"开始"的那一瞬间就动了起来，双手同时展开，各自抓向一块稀有金属，熟练地拉过魂导器制作台上的冲压装置，开始制作。

和其他人都趁着精力最好的时候先制作核心法阵不同，霍雨浩率先制作的，竟然是外壳。只见他双手翻飞，动作奇快无比，一块块稀有金属在他手上被各种工具制作、冲压，打造成不同的形态。

正是因为他的这种选择，导致了在全部参赛的九人之中，他的动作最大。一个个磨

具被不断地制作出来，而且体积都不小。

叶雨霖之前因为霍雨浩的残疾关注到了他，此时更是将目光聚焦在他这边。看到他这种制作方式，叶雨霖脸上也不禁流露出一丝惊讶之色。

这个年轻人在干什么？为什么不趁着精力最好的时候先制作难度大的核心法阵，反而一上来就制作外壳？难道在他看来，一件魂导器的外壳装置要比核心法阵制作起来更加困难吗？

不过，他心中虽然这么想，但显然不会去打扰霍雨浩的行动。每个参赛者都有选择自己制作魂导器的方式。

霍雨浩的动作太快了，短短几分钟之后，他那魂导器制作台上，就已经摆满了十几个制作完成的金属外壳。而且，这些外壳的体积都不小。他已经需要将它们放在地上才能继续制作了。

七位裁判中，坐在最左侧的一名老者眉头微皱，道："那个夕水盟的残疾小子不会为了多用点稀有金属回头带走，才准备制作这么大块头的魂导器吧？"

叶雨霖同样皱起眉头。这位裁判猜测的这种可能性他也想到了，而且觉得很有可信度。一共三个时辰的制作时间，这才开始不到一刻钟，霍雨浩就已经用了不少稀有金属，而且制作出了这么多类似于魂导器外壳的东西。可以预测，他今天制作的魂导器的体积就一定不会小了。这种制作方式最大的好处，就是能够带走大量的稀有金属。不过，他现在使用的都是较为廉价的稀有金属，没有使用什么特别贵重的。只是以叶雨霖的经验都看不出，这个报名名字叫唐五的年轻人究竟要制作一件怎样的魂导器。难道是他独创的？那可有点意思了。

霍雨浩的动作很快，而且看上去极为认真，但是，没有人注意到，他的眼神虽然认真而执着，但相比于以往，少了几分灵动。

灵魂分离的感觉，还真是痛苦啊！强忍着伴随灵魂分身远离而传来的阵阵虚弱感，霍雨浩手中的动作虽然不慢，但精神之海在剧烈地翻腾着。

要是能够达到精神力实质化就好了。等到进入了有形有质的境界，他再进行精神分身的话根本就不会有这么多问题。

霍雨浩当然不是不知道要利用精力最充沛的时候先制作核心法阵。只是，现在的他根本就没办法集中精力啊！

在马车上分离出的那部分精神力，已经在他的模拟魂技掩护下悄然离开了这边，直奔明都而去。

霍雨浩以前也尝试过进行这样的精神力分离，但那时候，他的本体是处于静默状态的，可以将精力全都集中在分离出去的精神力之中。而这次不一样，本体要在这边参赛，分离出的精神力还要去做其他的事情。

虽然成功了，但带来的副作用还是让他的本体不断出现晕眩的感觉。而且，在霍雨浩的意识之中，分离出的精神体和本体不断出现交互闪烁。如果不是他的灵魂足够强大，单是这种情况就能让人发疯了。

不过，伴随着时间的推移，霍雨浩开始逐渐适应了。他那分离出去的精神体，是寄托了他一丝灵魂的。那一丝灵魂中蕴藏着的意识渐渐苏醒，逐步将两边的精力分离开来。心分二用，这才是真正意义上的心分二用啊！

不过，他这毕竟只是第一次尝试，精力难免不能集中。那边的精神体在空中飞行的过程中，已经有好几次穿墙而过了。而这边的本体制作魂导器虽然还没出现问题，但在现在这种不能集中精神的情况下，制作核心法阵显然是没办法的。

在精神体分离的时候，霍雨浩就将自己的大量精神力凝聚了过去。这种分离很奇妙，似乎连魂技都能分离过去似的。灵眸第一魂环的四个魂技，都被霍雨浩分配给了那个精神体。本体这边没有精神探测的配合，他现在就只能制作外壳了。

幸好，他现在要制作的这件魂导器已经不是第一次制作了，可以说是轻车熟路。有这么多稀有金属可供挥霍，他才不在乎失败，只是将速度提升到最快。他今天要给在场的所有人一个大大的惊喜。而这件魂导器，就是重中之重。

以前在尝试制作的时候，哪舍得用稀有金属制作外壳啊！能用点铁就不错了。现在这么好的机会，他自然不能放过，要尽可能给自己争取利益。而且，这件魂导器制作成功的话，对他以后的行动也有着极大的好处。

随着时间的推移，很快，半个时辰过去了。

叶雨霖因为将更多的精力放在了霍雨浩这边，也开始看出了一些端倪。

这小家伙不会要制作一件人形魂导器吧？这怎么可能啊？

从霍雨浩目前制作的外壳来看，拼接在一起，似乎就是一个人形的模样。这倒确实是一件魂导器。可是，人形魂导器的难度在魂导师界有目共睹。

叶雨霖自己也曾经尝试过。但人形魂导器需要的核心法阵传感器太多，而且对本体材质的要求、核心法阵的衔接以及人体本身的控制，也都有着极高的要求。

制作一件能够由人操控的人形魂导器不难，难的是制作出一件能够让自己实力大增的人形魂导器，在速度、攻击、防御各方面都凌驾于魂师自身的能力，并且还不能影响自身魂技的使用。

对九级魂导师来说都是难题的人形魂导器，竟然会被一名年纪不超过三十岁的年轻人在这场大赛中制作出来。他的信心从何而来啊？

难道他认为，在短短三个时辰内就能制作出一件人形魂导器，帮助他获得本次大赛的胜利不成？

不对！叶雨霖眼睛突然一亮，有些明白霍雨浩的目的了。

这小子下肢残疾，在接下来的对战中显然是要吃亏的。如果他只是制作一件帮助自己行动的人形魂导器，倒是有可能实现的。可是，那样的人形魂导器就需要额外配备攻击魂导器。而今天的比赛规则是，只允许制作一件魂导器。他怎么解决这个问题？难道说，在制作完成这件人形魂导器之后，他就放弃后面的比赛了？

就算他的目的是这样的，在短短三个时辰内，他能够完成人形魂导器所需的上百个核心法阵，让自己行动自由吗？这也不可能啊！

一时间，这位强大的星空斗罗都觉得自己的脑子有些迷糊了。看着霍雨浩，他的好奇心也变得越来越强烈。

霍雨浩的制作在继续，但他依旧没有制作核心法阵，而是开始精雕细琢地制作一些细小的零件，而他所用的稀有金属也开始变得越发珍贵起来。

好的稀有金属就是不一样啊！同样制作一个零件，用坚韧度足够的弹簧铜和普通的铜精相比，简直是天差地远。以往要失败不知道多少次才能成功一次，并且还要为强度担心，可用了这弹簧铜，不但一次成功，而且品质绝对过硬。这之间的差别太大了。

自从成为魂导师之后，霍雨浩还没有过这么畅快淋漓的感觉。那完全是一种挥霍的快感。

就在他的本体享受着快感的同时，他那有形无质的精神之体也在快速飞行的过程中重新回到了明都城内。

日月皇家魂导师学院此时已经一片肃静，距离熄灯的时间已经不远了。学院的学员们早就返回了自己的宿舍。

夜色弥漫，今天的天气有些阴沉，以至于夜晚到来之后，光线变得格外弱。只有日月皇家魂导师学院墙头上的一盏盏魂导灯，才能给学院周围带来几分光亮。

就在距离日月皇家魂导师学院不远处的一座大门处，几道身影静静地站在那里。借助夜色的掩护，他们仿佛已经完全融入了黑暗之中。

"怎么还不来？"一个女生有些焦急地喃喃问道。

"别急。"冰冷的声音响起，虽然短暂，却很容易给人留下深刻的印象。

正在这时，天空中的云朵似乎在夜风的吹拂下悄然散开了，月光正好从这黑暗的角落中掠过，显露出了里面的五道身影。

静静等待在这里的，一共有五个人——剑痴季绝尘、荆紫烟、萧萧、王冬儿、王秋儿。

是的，王秋儿和王冬儿都在。

整个唐门，除了贝贝依旧坐镇在酒店之外，已经全都动了起来。而在大赛主办方的监视中，他们这会儿应该都在酒店中休息。

之前说话的，正是王冬儿和王秋儿。

王冬儿眉头微皱，眼中露出淡淡的神光。她并不为今晚的行动而紧张，但只要一想到霍雨浩要施展精神与灵魂分离的能力，就不由得担心起来。要知道，霍雨浩的本体还要在另一边参赛，而那边，有圣灵教的强者。众目睽睽之下，只要出一点问题，就可能危及到霍雨浩的生命。以和菜头一个人的力量，根本不可能保护他。

不过，到了这个时候，说什么都已经晚了，一切只能按照霍雨浩的计划和安排去做。

……

"钱都在这张卡里，你验一下。"徐三石全身笼罩在黑色的大斗篷之中。站在他身边的江楠楠也是一样。

站在他们面前的，是一名鬼鬼祟祟的中年人。他不时地四下张望着，此时飞速地接过徐三石手中的卡片，从怀中摸出一个小型魂导器，将卡片插入魂导器之中。

很快，一个有着很多零的数字就出现在了水晶显示屏上。这鬼鬼祟祟的中年人的神色变得放松了几分。

"货呢？"徐三石沉声问道。他身上，随之弥漫起一股无形的气势。

第341章
龙皇、饕餮、本体

因为伤势较重，徐三石和江楠楠才没有参加另一边的行动，而是在这里作为霍雨浩的代表与晨安派来的人进行交易。

在霍雨浩的计划中，任何对唐门有利的事情都不能放过。就算另外两边都失败了，这次交易中获得的稀有金属都足够唐门使用不短的时间了。至于金钱，哪有稀有金属重要啊！而且，这些金魂币除了许久久和维娜两位公主给的订金之外，更多的是从那地下大赛中赢来的。

完成这笔交易，也更不容易被晨安怀疑。这条线，说不定以后还能用得到。

一个手环和两枚戒指被交到徐三石手中。

徐三石递给身边的江楠楠。江楠楠立刻将它们佩戴在自己手上，通过精神力进行查验。

很快，她就向徐三石点了点头。两人对视一眼，都看到了彼此眼中的那份欣喜。这边的交易，算是成了。

"货对吧？"前来交易的中年人有些焦急地问道。

徐三石点了下头。

那中年人脸上的神色终于全都舒展了开来，拉上自己背后的斗篷，朝着两人挥了挥手，快步离去，很快就没入了夜色之中。

徐三石微微一笑，道："楠楠，我们走。他们那边的行动估计也快开始了，准备去接应他们。不知道雨浩那边怎么样。"

"嗯。"江楠楠轻声答应着。两人也悄然没入夜色中，消失不见。

日月帝国，皇宫。

夜晚的皇宫灯火辉煌。太子徐天然正在书房中看着书。橘子在一旁陪着。

"橘子，想不想去看看魂导器制作人赛？你也是魂导师，对这个应该很有兴趣吧？"徐天然突然抬起头，微笑着向橘子问道。

橘子愣了一下，道："殿下，这不好吧……您怎么能出现在那里？"

徐天然却微笑道："没关系。只要不暴露身份就是了。今晚就将有个结果了。稀有金属就算要走私，利益也必须都掌握在皇室手中。而且，圣灵教的胃口那么大，没有这份收益，他们那边也不稳固。而且，去看比赛的不是我，是你自己而已。你想去就去吧。"

橘子突然想说什么，却又忍住了。

"怎么？担心我跟圣灵教合作是与虎谋皮吗？"徐天然一眼就看出了她心中的疑虑。

橘子轻轻地点了点头，道："圣灵教毕竟是由邪魂师组成的宗门，不为世人所容。他们思考的方式和我们正常魂师是截然不同的。我怕……"

徐天然摆了摆手，道："我又何尝不知道与他们合作是与虎谋皮？但是，现在我不得不这么做。

"在魂导器的发展速度上，原属斗罗大陆的那三个国家肯定赶不上我们。我国的国力更远胜于它们。可是，真的论实力，我们对付一个国家还可以，但想要统治整个大陆非常困难。

"那三个国家为什么一直都没有致力于发展魂导器？并不只是因为他们缺乏稀有金属，更重要的是因为根深蒂固的魂师理念。魂师这个强大的职业，在斗罗大陆上已经存在了太久太久。强大的魂师，对于国家来说，就是战略性的存在。在魂师数量上，我们是远远无法与这三国相比的，在高端战力上更是如此。你想想，单是一个史莱克学院，就有多少封号斗罗？或许，几百年后，我们日月帝国积攒了足够的魂导器和优秀的魂导

师，也能够一统大陆，可是，我活不了那么久。大丈夫，只争朝夕。我一定要在我统治着帝国的日子里，征服整个大陆。"

说到这里，徐天然双眸之中已经满是狂热之色。

"想要做到这一点，我们就需要盟友，需要有在高端战力方面对抗那些魂师的实力。魂导师在有着充分准备和布局的情况下，并不怕魂师，甚至在范围作战方面要远胜于魂师。可是，一名九级魂导师面对一名真正的封号斗罗，在突然的遭遇战中，几乎没有获胜的可能性。而每一位九级魂导师对于帝国来说，都是无比珍贵的财富。所以，我不会用他们去对付那些魂师、封号斗罗的。在这种情况下，最好的选择就是跟圣灵教合作。

"圣灵教那些邪魂师，隐忍了无数年，发展了无数年，才有了现在的规模。在高端战力方面，他们就是我们最大的帮手。而圣灵教因为自身是由邪魂师组成的，他们是不可能站到台前来做什么的。他们只能在幕后，让我来做这个台前人。我和他们，本来就是相互利用的关系。他们最重要的要求对我来说并不算什么——他们只是要成为我们日月帝国的国教，教主世袭国师之位。等我们统治大陆之后，要我昭告天下，宣布他们是魂师正统，取缔邪魂师的称号。

"所以，你根本就不需要担心什么。就算我们彼此出现矛盾，那也是在统一大陆之后。而到了那时候，说不定我已经积攒了足够强大的实力。"

说到这里，徐天然嘴角处闪过一抹冷意。

橘子静静地聆听着，心头却阵阵发寒。太子殿下的心机实在太深了，也唯有在自己面前，他才会吐露一些心声吧。霍雨浩，你走了没有？赶快走吧。你怎么可能斗得过他啊！我真不想看到你的尸体。

一想到霍雨浩，橘子就不禁揪心起来。她甘冒奇险，找人送信给霍雨浩，就是为了让他能够早日离开明都这个大旋涡。这一次，不知道要有多少人被卷入这场祸端之中。

徐天然道："橘子，推我到窗前去。"

"是。"橘子赶忙推着徐天然的轮椅来到窗前，并且帮他推开窗子。

夜风吹袭，带来阵阵凉意。徐天然看看天色，微笑道："你要是想去看比赛，现在就要出发了。"

橘子摇摇头，道："我哪都不去，我要陪着殿下。"说着，她将双手搭在徐天然的肩头，为他轻轻地捏着肩膀。

徐天然脸上难得地露出一丝温馨的微笑，轻轻地拍了拍橘子的手，道："只有和你单独在一起的时候，我的心才能放松。这种感觉，真是美好啊！可惜，今天晚上我注定不能安静地享受这份美好。你要是不去看比赛的话，待会儿记得不要离开我身边。他们也该来了。"

橘子惊讶地问："谁要来？这么晚了。"

徐天然冷笑一声："有些人可不会因为时间的早晚而放弃愚蠢的决定。"

正在这时，突然间，一个苍老的声音在空中响起："既然都来了，就不要藏头露尾了，都出来吧。"

大量的侍卫瞬间涌出，将徐天然所在的书房围了个水泄不通。天空中突然亮起一团白光，将漆黑的夜空照耀得纤毫毕现。

一道身影就那么骄傲地悬浮在太子徐天然书房的上空。一身黑色长袍在夜风的吹拂下轻轻地飘动着。

他就那么踏虚而立，仿佛自远古时期就傲立于那里似的。

他的脸上没有任何表情，但苍老的面庞上，有一种难以形容的骄傲，仿佛这天空是他掌控的，这大地就该在他面前臣服一样。

"龙皇斗罗什么时候成了人家看家护院的走狗？真是人心不古啊！"怪声响起。天空仿佛突然裂开了似的，一团浓重的墨绿色云朵横空出世。绿云绽开，一道身影从中走了出来。

没错，那悬浮在徐天然书房上空的，正是有黑暗圣龙之称的龙皇斗罗龙逍遥。

而此时从绿雾中步出的，却是本体宗宗主、接近极限斗罗层次的九十八级本体斗罗毒不死。

也只有他这个层次的强者敢于正面面对极限斗罗层次的龙逍遥了。

看着满头绿发的毒不死，龙逍遥冷哼一声："你哥哥当年重伤在穆恩手中，今日，你也想留在这里，断绝本体宗一脉的话，老夫就成全了你。"

毒不死双眼微眯，冷冷地道："龙逍遥，你少在这里倚老卖老。如果我没记错的话，你本是天魂帝国人，而现在不但沦落到加入邪魂师宗门，更成了日月帝国的走狗。本宗主看不起你。"

听到"天魂帝国"几个字，龙逍遥脸上微微动容，沉声道："你们本体宗真的已经投靠天魂帝国了？"

毒不死不屑地道："什么叫投靠？我们是合作。本宗现在是天魂帝国的护国宗门。龙逍遥，你要还认自己是天魂帝国人，就赶快闪开。"

龙逍遥摇了摇头，淡淡地道："看在你为天魂帝国出手的分上，老夫今天饶你一命就是。多说废话无益。封号斗罗的规矩你应该明白。涉入世俗之争，我们天上说话。玄子，你也出来吧。今日老夫就一起会会你们。"

说着，龙逍遥摇身一晃，身体已瞬间拔高。在他身后，一道道身影也随之出现，其中包括了蝎虎斗罗张鹏。紧随在龙逍遥身后的，正是日月帝国那位神秘的国师。

在魂师界有一条不成文的规矩——但凡封号斗罗级别的强者涉入世俗之争，为了避免生灵涂炭，天空才是他们的战场。只有获胜一方，才有向对方封号斗罗以下层次的人出手的资格。只要对方还有一名封号斗罗没被击败，这些封号斗罗级别的强者就都不能涉入世俗之战。

这条规则是万年前唐门先祖唐三在升入神界之后留下的神谕。尽管在任何国家都没有这样的法令，但无论是哪一方的封号斗罗，都无不遵从。

战争，对于平民的伤害是最大的。而封号斗罗这等级别的强者一旦全力出手，就算毁灭一座城市也不是什么难事。有了这个限制之后，至少在万年以来的战争中，极大地减少了人员伤亡。龙逍遥提出的规矩，也正是由此而来。

无论是他，还是本体宗宗主毒不死，都不会去破坏规则。万年之后的今天，唐三当年的神谕还有多少效果没人知道，但是，他们都很清楚，如果自己破坏了规则，对方也会破坏规则。那么，恐怕整个大陆就都要生灵涂炭了。因此，无论出于什么目的，他们都只能将战场摆在天空之上。攻打皇宫的任务，就只有依靠那些九环以下的强者了。

一道黄色光芒照亮了半边天空，饕餮斗罗玄老在空中出现。他隐隐与本体斗罗毒不死遥相呼应，钳制龙逍遥。三个人同时升空而起。

在玄老和毒不死身后，超过二十位强者跟随着他们一起升空。就算是龙逍遥这样实力的强者也不禁微微色变。论封号斗罗的数量，他这一方只有对方的一半。

而且，龙逍遥很清楚，以本体宗和史莱克学院的底蕴，在这些封号斗罗中，恐怕超过一半有超级斗罗的实力。否则，他们就不会明知道自己就在明都皇宫，也敢贸然前来。

"玄子，咱们不用跟老黑龙客气了。他在辈分上比我们高。咱们并肩上吧。"毒不死哈哈一笑，刚刚升入高空之中，就已闪身飞出，悍然朝着龙逍遥扑去。

　　玄老双眉一拧，只迟疑了一下，就跟着毒不死飞了出去。

　　他们两人都是当世最顶尖的强者，都是九十八级超级斗罗，虽然距离九十九级极限斗罗的实力只有一级的差距，但他们很清楚这个差距意味着什么。这也是当初面对穆老的时候，尽管毒不死知道穆老旧伤未愈，也不敢贸然动手的原因。一对一，他们对上龙皇斗罗龙逍遥，一点机会都没有。

　　但合二人之力就不一样了。两人都是当世的顶尖强者，就算以龙逍遥的实力，一对二也未必赢得过他们。这不是一加一等于二那么简单，而是两人百年的经验、实力相辅相成的提升。

　　其他封号斗罗都没有动手，而是远远地退开，遥望这场超级对决。对他们来说，这也是一次不可多得的好机会。能观摩这种级别的对战，对他们这个层次的强者来说，有着极大的好处。一旦能够从中领悟到些什么，对他们接下来的提升会有巨大的推动作用。要知道，成为封号斗罗之后，他们想要再提升一级都是极其困难的事情。尤其是那些卡在超级斗罗门槛前的封号斗罗，更是如此。

　　面对两大强者的进攻，龙逍遥怡然不惧，在半空中抬起双手，朝着毒不死和玄老各自拍出一掌。

　　低沉的龙吟声，宛如滚滚巨雷一般在空中荡起。在玄老和毒不死眼中，眼前仿佛有一条老龙翻身，向他们亮出了龙爪。

　　两道黑色掌影在空中迎风暴涨，很快就变成了高达百米、如山如岳般巍峨的巨灵之掌。

　　"嘿！"毒不死低喝一声，全身绿光涌动。在他背后，一层墨绿色光影骤然展开。只见他双臂瞬间暴涨，一双巨灵之掌前拍，正好抵住了那黑色掌影。

　　"砰！"那一声低沉的轰鸣，令下方的明都皇宫都为之一颤。毒不死身体微震，但他那双墨绿色的大手已经插入黑色掌影之中，硬生生地将其在自己面前撕扯开来。

　　另一边，玄老应对的方法要猛烈得多。他在虚空中踏出一步，背后，饕餮神牛光影闪现，头顶上方，两根螺旋长角探出，两黄、两紫、四黑、一红，九个魂环浮现出来。他的右拳悍然轰出。

　　"轰隆隆。"

　　黑色掌影溃散，玄老应声倒飞出十余米。而远处的龙逍遥肩膀微微一晃。

　　一对二，龙皇斗罗依旧占据了上风。这就是实力！

……

"轰隆隆！"天空中传来宛如闷雷一般的轰鸣，更有忽明忽暗的光影在空中闪烁着。

"开始了。我们也开始吧。"日月皇家魂导师学院旁的阴暗街道中，响起了清朗的声音。

在这里出现的是奇异的一幕。

王冬儿、王秋儿、季绝尘、荆紫烟、萧萧五人面前，悬浮着一个身高只有一尺，却宛如真人一般的小人儿。

看那模样，不正是霍雨浩吗？此时的他，身上的光芒并不显眼，如同实体一般。只不过，他不再行动不便，就那么飘荡在众人身前。那样子，倒有几分像魂灵小雪女。

就在几分钟前，这种形态的霍雨浩出现在众人面前的时候，着实令他们吓了一跳。

没错，这就是霍雨浩分离出来的精神之体。经过一路飞行，他已经渐渐控制了这个精神之体。尽管第一次使用心分二用还有些生涩，但他能够让自己的精神之体飞到伙伴们面前，就已经证明了他的成功。

到来之后，霍雨浩并没有急于带着伙伴们展开行动，而是默默地等待着。直到天空中那一声闷雷般的轰鸣声响起，他才飘飞到王冬儿肩头坐下，发出了开始的声音。

王冬儿瞥了他一眼，忍不住笑道："你这个样子还挺可爱的嘛。"

霍雨浩翻了个白眼："快走，抓紧时间吧。那两边已经集中了所有强者。看样子，日月帝国果然对这次突袭早有准备。我没猜错的话，镇守在这里的那名九级魂导师也被抽调过去了。我们这渔人之利能够得到多少，就看这半个时辰的行动。"

"嗯。"王冬儿答应一声，在霍雨浩的精神力指引下走在最前面。其他四人紧随其后。

王秋儿在王冬儿后面，看着坐在王冬儿肩头上的霍雨浩，眼中闪过阵阵奇异的光彩。这家伙，果然是越来越强大了。

他们来到的这个地方，正是那天晨安悄悄摸过来与人会合，又被霍雨浩侦察到的地方。

那次霍雨浩用的也是精神分身。但那时候，他的本体没有其他行动，精神分身也不能使用任何能力，比这次容易多了。这次他可是全力以赴了。模拟魂技已经发动，他自己带着五个伙伴，全部与周围的环境融合在一起。就算有人近距离查看，都看不到他们的存在。

　　顺着日月皇家魂导师学院旁边的小路前行，凭借模拟魂技绕过外面把守的那些士兵，很快，他们就来到了当初晨安与人会合的那个院子外面。

　　"就是这里了。"霍雨浩通过意念将信息传递给伙伴们。同时他将精神探测的范围扩大，笼罩在整个院子之中。

　　和他判断的情况一模一样，今天在这里值班的，正是那天与晨安接头的李姓中年人。此时，他就站在院子里，脸色平静，但眼神中不时闪过一丝焦急之色，仿佛在等待着什么。

　　李姓中年人在等待的并不是钱。在提货的时候，晨安就已经把余款给他了。他在等的是一个交易顺利的消息。

　　要知道，他可是在背着上面私底下卖出稀有金属，一旦被发现，身家性命不保啊！由不得他不谨慎。

　　他手里握着一个黑色的小金属盒，不时将目光投向金属盒上面的水晶屏。

　　"我去吧。"王秋儿低声说道。

　　霍雨浩却赶忙摆了摆手，道："不急，再等一下。这里面外松内紧，机关重重。一定不能打草惊蛇。他在等消息。等他得到消息之后，我们再动手，以免和他接头的人感觉到不妙，出现意外。"

　　霍雨浩的沉稳，也感染了身边的人。王秋儿没有再说什么。

　　此时，远方的天空中，那如同滚雷一般的轰鸣声越来越响。天空中，墨绿、黑色、黄色各种光芒不断迸发。

　　尽管那战场是在高空之上，但隔着这么远依旧能够感受到那份恢宏的气势。

　　霍雨浩眼底露出一丝惋惜的神色。如果不是这边有更重要的事情去做，他真想好好观摩一下这当代最强者之间的碰撞啊！

　　李姓中年人自然也听到了远处传来的轰鸣声，不时看向那个方向，眼底流露出一丝惊惧之色。他身为魂导师，本身自然也是魂师，可如此恐怖的视听盛宴还着实是第一次遇到。他并不知道发生了什么事儿，而且自己心里又有事儿，一时间，看向手上屏幕的次数变得更多了。

　　正在这时，一道道身影突然从他所处院子后面的另一个院子中腾空而起。一个苍劲的声音随之响起："李冲，你护好门户，我们去皇宫那边看看。"

八道身影冲天而起，紧接着就化为流光朝着轰鸣声响彻天际的明都皇宫方向飞去。

看着那一道道消失在天际尽头的身影，无论是王冬儿、王秋儿，还是季绝尘、荆紫烟和萧萧，看着霍雨浩的眼神都多了一丝钦佩。

就是这短暂的等待，让他们原本可能面临的危险骤减。

霍雨浩微微一笑，并不承认这是自己的预判："运气不错。秋儿，你去吧。钥匙在那个李冲腰间。尽可能把动静弄小一点。他后面左侧的房间是空着的，把他带过去。"

"嗯。"王秋儿答应一声。伴随着霍雨浩模拟魂技范围的增大，她轻轻一跃，就进入了院内。

李冲之前听到那苍劲的声音时，心头骤然紧张起来。这人心里要是有事，对外界的变化就会特别敏感。直到听得那声音说只是去皇宫那边看看，而不是发现了什么，身为管事的他才放松下来。身体甚至充满酥软的感觉。

就在这个时候，他手中那魂导通信器的屏幕终于亮了起来。一个代表着交易成功的符号传递过来，终于让他悬着的心彻底地放松了下来。眼神中也随之流露出了释然之色。

可惜，他不知道的是，他身体的这一系列变化，全都在霍雨浩的精神探测监控之下。在霍雨浩的精神探测指引下，王秋儿借着这个机会出手了。

身影闪烁，王秋儿几乎闪电般蹿出。因为速度过快，她一瞬间就已经钻出了霍雨浩的模拟魂技范围。

但是，她的速度实在是太快了。李冲心生警惕的时候，想要反应已经来不及了。

不过，他毕竟是一名魂导师，身上的五级触发式魂导护罩瞬间弹出，试图抵挡王秋儿的攻击。

可是，他面对的是号称本届全大陆青年高级魂师精英大赛中最强的龙魂师——黄金龙女王秋儿啊！王秋儿最擅长的就是攻坚！

就像刺破了一张纸一般轻松，黄金龙枪瞬间穿入魂导护罩。这一击，是王秋儿蓄势而为，不仅充斥着她那恐怖的力量与魂力，更融入了精神力。那一抹金芒，令已经进入魂圣境界的季绝尘都不禁脸色微变。

锋利的枪芒准确地从李冲喉结处刺入，他身上只是发出骨骼破碎时的一声轻响，就再没有任何声音发出了。

李冲的眼睛瞪得大大的。刚才瞬间放松后，他脑海中已经在勾勒自己未来幸福的奢侈生活了。可瞬间，一切就已经发生了天翻地覆的变化。一时间，他整个人已经完全凝滞，不甘地看着面前重新被模拟魂技笼罩，变得扭曲模糊的身影。

李冲的生命力顺着黄金龙枪迅速流逝，没有一滴鲜血滑落。王秋儿用长枪挑着他的尸体，一闪身进了霍雨浩说的那个房间之中，轻巧地将他的尸体放在角落中。枪尖再挑，她已经将李冲腰间的那一串钥匙挑了出来。

王秋儿完成这次突袭，只不过用了短短数秒而已。当王秋儿重新从那个房间中穿出，轻轻地关好房门时，王冬儿、季绝尘、荆紫烟和萧萧也已经进了院子。

霍雨浩向王秋儿竖起大拇指，道："季兄，你跟紫烟姐留在这里为我们放风。如果有强敌赶来，你们发出信号后立刻突围回酒店，不用管我们。三师兄和四师姐会在巷子的另一边接应你们。萧萧、冬儿、秋儿，我们走。"

这个时候，团队里只能有一个声音。荆紫烟和季绝尘都轻轻地点了点头。

按照上次的记忆，霍雨浩带着他们进了院子正中的一间房门之中。这个房间同样没有人。季绝尘和荆紫烟分别找了一个窗子，隐藏在旁边，注意着外面的动静。霍雨浩则带着秋儿、冬儿和萧萧三女走到里间一个大柜子的前方。

"开柜门。"霍雨浩说道。

王冬儿和王秋儿几乎同时上前一步。二女对视一眼，王秋儿终究还是停下来，让王冬儿开了柜门。

霍雨浩忍不住拍了拍自己的额头，看来，下回还是要说准确一些才好。

"秋儿，紫色钥匙，插入柜子左侧上方的钥匙孔中。"霍雨浩这次吩咐的时候就说得准确多了。

王秋儿从那串钥匙中找出唯一一枚紫色的，又找到那个十分隐秘的钥匙孔，将钥匙插了进去。

顿时，伴随着一阵轻微的声音，柜子后面的背板徐徐横向开启，露出了一扇门户，里面隐隐有光亮起。

王秋儿想要直接入内，却被霍雨浩叫住了。

霍雨浩沉声道："从现在开始，我们进去以后就要面对各种机关和埋伏了。这个地方对于日月帝国来说是极为重要的所在。各种魂导器机关极多。稍后冬儿走前面，萧萧走中间，秋儿断后。一切都要按照我的计划走，切不可出现任何错误。否则的话，我们就要一起陷入万劫不复之境了。在这个时候，我不管你们心中有什么其他的想法，都收

起来。"

王冬儿痛快地道："我没问题。"

萧萧似笑非笑地分别看看秋冬二女，这才点了点头。

幸好霍雨浩此时只是精神体，即使在萧萧怪异的注视下也不会脸红……

王秋儿深吸一口气，道："听你的。"

"走！冬儿走最前面。"霍雨浩也不耽误时间，立刻发出了指令。

王冬儿轻轻纵身而起，灵巧地钻入了柜子内的甬道之中，没有发出任何声音。萧萧和王秋儿紧随其后。

这条甬道竟然给人一种十分宽敞的感觉，并不是直接向下，而是笔直向前延伸的。甬道周围都是厚实的石壁。厚度全都在一米以上，就算霍雨浩的精神力，也很难直接穿越这么厚的阻隔。

前行大约十米，前方出现了三个门。每个门上，都有零到九的十个数字按钮，还有一个钥匙孔。

如果不是霍雨浩曾经凭借精神分身跟随着李冲来过这里，面对这等机关，他即使再聪明也没办法化解。

这是此地的第二重防护。

就在他们来到这三个门前的时候，突然，伴随着一阵"咔咔"声，周围的墙壁上出现了一个个小孔。一根根冰冷的金属魂导射线管从里面探了出来，全角度地封死了所有可以闪避的空间。

王秋儿下意识地就要有所反应，却被霍雨浩一声低喝叫住了："别动。"

或许是内心深处对他的信任使然，王秋儿紧绷的身体这才停顿下来。

霍雨浩沉声道："只要找对门，密码也正确，这些东西就不会发起攻击。秋儿，左侧的门，密码是37645169……"霍雨浩接连说出了十六个数字。

王秋儿一一在左侧门的密码锁上按动。很快，十六个数字按完。

"黄色钥匙，插入，右转两周半。"

王冬儿照做。

"铿铿铿……"

三声轻响之后，那扇大门向外弹出三寸，之前出现的那些魂导射线孔也随之闭合。

"哧——"仿佛释放了什么压力一般，那扇门这才弹开。

萧萧忍不住赞叹道："好精巧的魂导器设置。单是这一关，如果不是事先知道，我们就很难通过了。"

霍雨浩微笑道："这还不算什么，更厉害的还在后面呢。毕竟，这种层次的防护只能针对魂帝以下的魂师。真正的强者凭借蛮力也能进入。你们看到了这些机关，后面更要小心一些。走吧。"

王冬儿点了点头，依旧走在最前面，进入了第二扇门。

进入之后，三女才惊讶地发现，这竟然是一个大约二十平方米的密闭空间，并没有任何通路。

霍雨浩向王秋儿道："秋儿，左侧墙壁上有三块黄色方砖，你去敲击。第一块敲三次，第二块敲五次，第三块敲一次。"

王秋儿的速度何等之快，几次眨眼的工夫就完成了。

顿时，这个密闭的房间轻微地震荡了一下，之前他们进入的大门缓缓合拢。顶部周围亮起一圈黄色的光芒。

然后，这个密闭的房间就轻微地震荡了起来，并且传来一些轻微的失重感觉。

"这是……我们在下降？"王冬儿看向霍雨浩。

霍雨浩点了点头："这个地方比明德堂的防御等级要高得多，深入到地下百米。方圆数千平方米范围内，全是各种触发式的魂导器。如果不通过这个大型升降梯进入，就算是九级定装魂导炮弹，都炸不开上面的防御。"

第342章
黄金蝶龙变

持续了二十秒左右，这个大型升降梯再次震荡，缓缓停了下来。

"准备战斗，两个人。冬儿左，秋儿右。"

霍雨浩话音刚落，升降梯的大门就缓缓开启了。

"李管事怎么这会儿下来了，难道是给我们兄弟送酒喝吗？"一个带着几分谐趣的声音响起。

霍雨浩眼底金光一闪，两声闷哼几乎同时响起。灵魂冲击！

尽管只有精神之体的他，根本发挥不出灵魂冲击的真正威能，但在这个时候已经足够了。

王秋儿和王冬儿都闪电般冲了出去。王秋儿依旧用的是黄金龙枪，王冬儿探出的则是自己的右手。

在猝不及防之下，那两道身影身上的触发式魂导护罩刚刚弹起，就被二女分别刺破。

黄金龙枪、光之破魔。

两名中年人在二女的攻击下不甘地软倒在地。

他们是六级魂导师。就像徐天然对橘子说的那样，在有准备的情况下，魂导师是不怕同级魂师的，在等级低的时候甚至还有优势。

可是在突发性的攻击下，魂师的反应速度比魂导师快多了。王秋儿、王冬儿都有破开魂导护罩的能力，因此两名六级魂导师没有任何反抗机会就倒了下去。

做完这些，二女同时看向霍雨浩。而此时呈现在他们面前的，是一条甬道。甬道有些空旷，两侧悬挂着魂导灯。向里大约十几米，有一扇大门。

霍雨浩道："在这两个人身上，各有一把钥匙，拿出来。"

王秋儿和王冬儿分别搜出一把钥匙。

"顺着通道左侧走过去。记着，步伐横向不能超出两尺。"霍雨浩沉声说道。

三女按照他说的话，沿着左侧走到那扇对开的大门前。

这扇大门十分高大，高度足有四米，宽度也在三米开外。上面没有什么装饰，只有一个危险的符号、一个三岔钥匙孔和一组密码按钮。

"这次要先插入钥匙。刚才那两把钥匙，冬儿，你把你那把插在三岔的左下方位置，秋儿，你把你那把插在右下方。秋儿，李冲那串钥匙中有一片黑色的，你把它插在上面的岔口。三把钥匙先拼在一起，然后再插入。"

越是深入，三女就越是心惊。她们这才明白霍雨浩非要冒险分离出一个精神分身跟随她们同来的原因。

这里面的每一个细节都很重要，出不得半点差错，必须有他的精神探测指引，才能规避各种风险！实在是险之又险。

对于霍雨浩强悍的记忆力，她们也不禁在心中暗暗赞叹。

钥匙全部插入，接下来又是输入密码的环节。这一次，密码数量竟然有三十二个之多。王秋儿在霍雨浩的指示下输入完毕后，自己已经忘记了前面的。

大门在"咔咔"声中开启。一股淡淡的金属味道已经从里面飘了出来。

王冬儿、王秋儿和萧萧都不是魂导师，还好一些，但看到里面的一切，霍雨浩的精神体已经有些亢奋了。

这是一个面积巨大的仓库，一眼望不到边际，至少有一万平方米。

一个个大箱子分门别类地摆放在不同位置。浓重的金属气息就是从这些箱子之中传出的。

箱子自然不足以阻挡霍雨浩的精神力。因此，在他的感知中，这根本就是一个巨大的宝库啊！

至少有上万吨稀有金属摆放在这里。简单的探查之下，他发现，在这里放着的稀有金属一共有三十二种，虽然都不是特别稀有的存在，但胜在量大。单是这么一个仓库中的稀有金属，霍雨浩能够想出的评价词，就只有"富可敌国"了。

"都是稀有金属？我们开始装？"王冬儿轻声问道。

霍雨浩摇了摇头，道："不。这里面还有很多机关。这些还都不是最珍贵的。在这里一共有三个仓库。这只是第一个。幸好刚才那些魂圣以上的守护者都去皇宫那边了，不然还真有些麻烦。李冲只能进入第二层的仓库。走，我们到第二层去。那边有更多重要的稀有金属。"

"小心，注意地面的砖，只能踩颜色深的那种。遇到没有深色砖的时候，就跳过去。还有，两侧箱子上带红边的，一定不能靠近到一米之内，否则会引发警报，导致魂导器攻击。"

这如此重要的地下仓库为什么没有重兵防御？除了之前离去的那些强者坐镇之外，最重要的就是因为这里的魂导器机关可以说是武装到了牙齿。哪怕是他们这里内部的人，也只知道自己那一个区域的机关布置情况。

李冲因为是管事，知道的情况较多一些，但进入刚才那扇大门，也需要其他两人的钥匙配合才行。

在霍雨浩的指引下，众人战战兢兢地前行，有精神探测共享的提醒，总算没有出现什么错误。他们一路小心行进，从入口处一直向里走大约一百米，再向左转，连续转了几个弯之后，才在一片大箱子后面，找到了第二扇大门。

这扇大门的钥匙孔竟然是五分岔的，而李冲的钥匙只有一把而已。另外四把钥匙，都被先前离开的那些强者带走了。

"雨浩，怎么办？"面对这扇大门复杂的钥匙孔以及不知道输入多少位才能通行的密码，众人都不禁有些傻眼了。

王冬儿扭头看着自己肩膀上的霍雨浩，道："雨浩，不能冒险。不如我们就从这里取一些稀有金属走吧。我们集中了三十多件储物魂导器，还有那个大型的星光蓝宝石护心镜，能装走的东西已经不少了。"

霍雨浩微微一笑，道："没事。这种情况我早就预料到了，先前只是为了尽可能避免麻烦而已。这个门我们并不是开不了。"

王秋儿点了点头，道："我全力以赴攻击的话，应该有机会把它硬破开。有他的帮助，可能性就更大了。但引来的魂导器攻击强度有多大，你能算准吗？"

她口中的他，自然是一旁的剑痴季绝尘。幸好季绝尘这会儿不在这边，不然的话，以他的性格，恐怕直接就会把审判之剑拿出来了。

霍雨浩虽然是精神之体，但也觉得要流汗了，无奈地道："别那么暴力啊，还没到你施展暴力的时候。"

说着，他那精神之体突然变得虚幻了一下。紧接着，一道碧光就从他身上分离了出来，悬浮在三女面前。

那是一柄通体碧绿色的刻刀。刻刀本身光晕流转，充满了生命气息。

看到这柄刻刀，王秋儿眼神猛然一凝，失声惊呼道："这是生灵之金？"

霍雨浩一愣，除了已故的死灵圣法神、亡灵天灾伊莱克斯之外，这还是他第一次听别人说出"生灵之金"这几个字呢。

王秋儿的目光一下子变得锐利了起来："你这生灵之金是从何而来的？"

霍雨浩道："运气好，在一次拍卖会上得来的。这柄刻刀本来名叫噬灵刻刀。我得到之后，去掉了上面的诅咒特性，还原了其本来样貌，使它变成了这个样子。既然你知道生灵之金，那也应该知道它的作用吧？"

王秋儿眼神有些复杂地看了他一眼，点了点头，抬手取过了她面前的生灵守望之刃。

"我的黄金龙枪能够吞噬生物的生命力，而这生灵之金凝结而成的刻刀，应该能够吞噬物体的生命力。没想到，竟然会有这么大块的生灵之金。它才是天地孕育的几乎不可复制的稀有金属啊！"

说着，王秋儿突然手起刀落，一刀刺在了旁边的大门上。

只见那生灵守望之刃上碧光一闪，那坚实的大门已经被它刺入半寸。

奇异的一幕出现了。

一层淡淡的碧光开始在大门上蔓延开来。原本充满古朴、厚重气息的大门，立刻在碧光的渲染下多了一层淡淡的灰色。而生灵守望之刃本身的碧光变得越发强盛起来。

王秋儿推着刃柄，不断注入自身魂力，将生灵守望之刃上散发出的碧光引导出来。另一只手则握着自己的黄金龙枪，将枪杆紧贴在自己的右手之中。

那被剥离出来的碧光融入到黄金龙枪内，顿时令黄金龙枪金光大炽，把周围方圆数十米都照耀得一片金灿灿。

霍雨浩此时是精神体，感知力比平时更加敏锐，看到这一幕，不禁惊讶地道："你这是在通过生灵守望之刃吸收大门的生命力注入到黄金龙枪之中吗？竟然还可以这样？"

王秋儿瞥了他一眼，道："空有宝山而不自知。这么一大块生灵之金，足以称为神器了。它最神奇的地方不是本身赋予金属的特性，而是令金属进化。所以，生灵之金还有另一个称号——金属之母。它可以抽去任何金属的生命力，但本身并不能吸收这些固态生命力，如果不加以引导，只会挥散于空气之中。我的黄金龙枪和它的情况有些类似，只能吸收生命体的生命力，却不能补充自身，只能补充人体。反过来，我也可以用黄金龙枪吸收生命力给你这块生灵之金进行补充。它们的存在，可以说是相辅相成的。"

听了王秋儿的解释，霍雨浩这才明白，自己果然是身在宝山而不自知啊！这一点，就连自己的老师伊莱克斯都不清楚。如此秘辛，学院没有任何记载，王秋儿却知道。对于她的来历，霍雨浩不禁更好奇了。

就在他们说话的工夫，面前的这扇大门表面已经开始有金属粉末掉下来了。在王秋儿的催动下，生灵守望之刃附带的裁决能力似乎已经被开启到了最大。

霍雨浩不再吭声，而是将自己的精神探测增强到最大程度，感受着周围的一切。一旦发现有什么不对，他就会在第一时间警告伙伴们。

生灵之金的裁决能力破坏的是金属的特性。这扇大门的厚度足有一米，本身又是由七八种金属组成的合金。硬攻的话，一般的八环魂斗罗都未必能破开这道防御，而一旦硬冲，立刻就会因为震荡引发这里的各种魂导器装置。

裁决可以直接吸收金属本身的生命力，令其自己崩溃，别说是建造这地下仓库的设计者了，就算所有的九级魂导师，恐怕也想不到这种可能性。

"秋儿，还要多久？"王冬儿忍不住问道。她担心的是霍雨浩精神力与本体分离时间太长，会出现问题。而且，霍雨浩在另一边，参加的可是魂导师大赛。他把生灵守望之刃带来了，在那边用什么刻刀？

王秋儿道："这扇门很厚，金属强度也很高。从吸收的生命力强度就能看出来，至少还要十分钟，才能让它完全崩溃。"

霍雨浩自然猜得到王冬儿的担忧，安慰她道："没事，时间还很充裕。不过你们要做好准备，我估计在这第二层之内，他们总会留有人看守的，实力也绝对不会弱，至少是一名七级魂导师。冬儿、秋儿、萧萧，只有你们三个全力配合，才能在最短时间内击杀对手。之后，我们再尝试能否进入第三层仓库。那里估计才是真正藏着珍品的地方。镇守的强者大部分离去，那里又在最深处，有防守的可能性反而不大。"

王冬儿和王秋儿自然明白他的用心。二女对视一眼，都轻轻地点了点头。事关重大，在这个时候，无论她们心中有什么芥蒂都只能暂时放下了。

明都西郊。

明都魂导师精英大赛正在紧锣密鼓地进行着。经过半个多时辰的制作，每一位魂导师制作的魂导器都已经有了雏形。只有一个人例外！

星空斗罗叶雨霖此时一半的时间都在注视着那个坐在轮椅上的青年。

别人的魂导器都已经有模样了，核心法阵已经至少做好了一到两个，可他那边依旧在制作那些精巧的零件。

绝对不可能是人形魂导器啊！别说他不可能有那样的实力，就算是有，一百多个核心法阵，就算是九级魂导师都需要半个月到一个月的时间才有可能完成。而且人形魂导器需要的测试时间最长，没有三五个月，根本别想完全制成。这个年轻人究竟在做什么啊？

如果只是制作魂导器，叶雨霖不会这么注意霍雨浩。叶雨霖之所以如此注意他，主要是因为霍雨浩制作那些零件的速度，以及在制作过程中如行云流水一般的制作进度。此时，无论是制作台上还是制作台下，都已经摆满了各种零件。可他要制作的零件似乎无穷无尽，这已经快一个时辰了，他还没有一点停下来的意思。

就看看他究竟能做到什么程度吧！叶雨霖心中暗暗想着。

霍雨浩自己心中有苦自己知。因为精神分身的缘故，他这边看上去动作快捷，可是，只能做这些不算精巧的零件。而且，因为没有生灵守望之刃，他根本没办法去完成重要的部件，更别说是核心法阵了。

在制作魂导器的过程中，他的精神力还经常要切换到另一边。王秋儿在使用生灵守望之刃开门的时候，他才能把精力多放在这边一点。

此时，下面的休息区内，那位神秘的蒙面副教主已经来了。正如南宫碗所说，这位副教主还带来了几大强者。

远处的天空中不时爆发出的阵阵轰鸣与光芒，这边都能看到。举办大赛的三大地下

势力却状若无事一般，只是告诉观战者们，那边出现的是烟花而已。那位圣灵教副教主也没有任何要去援助的意思。从这一点就能看出，他们胸有成竹。

看来，那边的行动是注定不能成功了。只是不知道，这圣灵教在同时面对史莱克学院、星罗帝国和本体宗时，究竟要依靠怎样的力量才能抵挡住全面攻势呢？难道就凭借一个龙皇斗罗龙逍遥和一些邪魂师封号斗罗吗？在人数上，他们比对方相差太多了。玄老和毒不死就算赢不了龙逍遥，以他们九十八级封号斗罗的实力，缠住龙皇斗罗应该没什么问题。而且，那里可是明都，九级魂导师就算有威胁到这些封号斗罗的实力，他们敢轻易动用强大的魂导器吗？万一波及皇宫或者城内，那可就是大事了。

霍雨浩的思绪不断地变化着，就算他的精神力再强，也在短时间内出现了头疼的症状，赶忙收敛心神，集中在制作魂导器上，不敢再有分神。

皇宫那边他无论怎样都顾不上了，只能尽量把自己这两边的事情做好。日月帝国看样子真的是早有准备，只能希望玄老他们不要有事就好。

对于玄老以及史莱克学院的众人，霍雨浩还真不是很担心。为什么张乐萱会答应那两位公主的请求？这本身就在他的计划之中。

张乐萱在去见那两位公主之前，先见了贝贝和霍雨浩，而且是带着玄老来见贝贝和霍雨浩的。

仔细商量之后，史莱克学院这边才有了定计。在事先做好准备，又有玄老带队的情况下，日月帝国想要留下玄老他们，几乎是不可能的事，就算有极限斗罗在也不可能。毕竟这是在明都之中，日月帝国要防备这些顶级强者鱼死网破。一群超级斗罗、封号斗罗若真的发起疯来，明都就算不被夷为平地，恐怕也会满目疮痍。这绝对不是徐天然想要看到的。

心神稳定的同时，霍雨浩制作的速度却一点都不敢放慢。这些制作方法和零件的情况完全在他的脑海之中，他需要做的就是以最快的速度去完成罢了。

尽管手头没有生灵守望之刃，但霍雨浩现在手里拿着的也是一柄品质相当不错的刻刀。一时间，制作台上金属碎末横飞。

"好了。小心！"

伴随着一声轻响，面前的金属大门终于完全溃散。在它溃散的同时，霍雨浩的精神力已经迅速给出了指引。

一道惨白色的光芒瞬间从里面射了出来，直奔手握生灵守望之刃的王秋儿。

王秋儿冷哼一声，美眸中光芒一凝，也不闪躲，将黄金龙枪竖直在自己身前，挡住了那道惨白色的光芒。

此时她手中的这柄黄金龙枪刚刚吸收了大量金属生命能量，金光璀璨得就像变形了的太阳一般，将周围视线所及的空间全都照耀得一片灿金。

她之所以不躲闪，是因为在霍雨浩的提醒下，要预防里面的那个人发动各种魂导器陷阱。

旁边的王冬儿一矮身，背后的翅翼已经张开，几乎是贴地前行，一双翅翼宛如两柄巨大的铡刀一般，朝着里面那个人拦腰横扫过去。

那是一名看上去五旬左右的中年人，此时身上已经配置上了多种魂导器。

这边大门的变化，刚开始的时候并没有引起他的注意。但随着时间的推移，大门内部的颜色开始出现变化了。那种衰败的金属变化，终究还是引起了这位留在二层中的唯一魂圣的注意。

他小心地碰触了一下大门，立刻发现有金属碎屑散落下来。

这种情况他是第一次面对，一时间有些不明所以，尝试去开启大门，却发现开启装置已经没有效果了。

因为不清楚发生了什么，他并没有在第一时间拉响警报，只是惊疑不定地看着面前的大门，并且试图将其打开。

而在这个时候，整个大门已经在生灵守望之刃的吞噬中衰减到了极点。

感受到不对的魂圣，这才开始准备应对。

第二层的魂导器防御比第一层的要严密许多，但警报器在第三层大门那边。只有那一处的警报器才能将信息传递到外面去。先前在这里驻守的强者们也是通过那个警报装置得知了外面皇宫那边突然出现的变化。

正当魂圣准备向内跑去的时候，门突然崩塌。他下意识地释放出一道衰老射线。

可惜，他遭遇的是黄金龙枪的阻挡。

这位中年魂圣还是相当有经验的，并没有因为门外出现的是三名年轻少女就轻敌。身上的魂导器瞬间全开的同时，整个人已迅速后退。他的目的很简单。在这第二层之中，有着无数布置好的魂导器陷阱。只要把对手引进来，发动这些陷阱，就算对方是封号斗罗，都要脱一层皮。而且，他根本不知道敌人来了多少，第一时间去拉响警报才是

最好的选择。

他当机立断，立刻向后飞退。

王冬儿的速度不可谓不快，但这位魂圣身上释放出的可都是七级魂导器。就算在猝不及防之下，没有什么特别强大的蓄力魂导器出现，可也不是用身体能够扛住的。

斩出翅翼铡刀的同时，王冬儿只得释放出一道道蝶神之光去阻挡对手的攻击。

如果没有霍雨浩在，这位七级魂导师或许真的能转身逃脱了。但是，早已感受到对手位置的霍雨浩又怎会没有针对性战术的安排呢？

黑光毫无预兆地亮起。一尊大鼎准确地出现在了这位七级魂导师退后的必经之路上。

三生镇魂鼎的这一下卡位可以说是妙到毫巅。

在这秘密仓库的第二层，和第一层一样，地面上有很多魂导器的触发装置，一旦踩中，就会引起魂导器的集中攻击。

霍雨浩曾经以精神力跟随着李冲来到过这里。因此，他对于第二层的情况还是较为熟悉的。在这种情况下，那尊大鼎所处的位置，正好是唯一能够安全退后的地方。大鼎两侧虽然还有空间，但那都是有魂导器陷阱的地方，一个不好，踩上去，那他就是作茧自缚了。

七级魂导师的感知力是相当敏锐的，当他发现那尊大鼎出现的时候，难过得险些吐血。

他立刻跳起，想要从大鼎上方冲过去，但是，萧萧怎么会给他这样的机会呢？三尊三生镇魂鼎宛如叠罗汉一般横挡在他的身前，切断了全部退路。鼎的顶端几乎已经贴到房顶了。

这一下，七级魂导师真的有些急了，身上魂导器光芒大放的同时，一颗暗红色的金属球已经出现在他的手中。

七级高爆弹！他就不怕把这里炸塌了吗？霍雨浩心中暗骂，却通过精神探测同时向王秋儿和王冬儿说道："你们两个还在等什么？难道真的想要我们全都葬身在这里不成？"

王秋儿眼底原本有些犹豫的光芒瞬间消失，脚尖点地的同时，已经在第一时间冲到了王冬儿背后。同时，生灵守望之刃宛如一道碧绿色的光芒，从她掌中飞出。

他们面对的这位魂圣确实是七环修为。但是，日月帝国的七环魂圣只要是魂导师，那么，就绝对不能用正常的七环修为来衡量。因为那根本就不在一个水平线上。

简单来说，这位七级魂导师只要是在一定范围内遭遇到王秋儿，一对一的情况下，都没有太大的获胜机会。

他有魂导师所有的优点，也有所有的缺点啊！首先就是反应速度的差距。

碧光一闪，速度太快了。王秋儿的力量何等强大啊。那七级魂导师只觉得身前光芒一变，他刚刚拿出的那个金属球才甩出不到三尺，就已经被那道碧光命中了。

刻刀？七级魂导师这下可看清楚了。魂导师对于刻刀都是相当敏感的，所以，在这一刹那他愣了一下。

紧接着，那柄刻刀就在他面前变得碧光四射。然后他就看到，自己摔出去的七级投掷型高爆弹，居然就那么在空中化为一团碧光，消失不见了。

这怎么可能？骇然之下，七级魂导师的第一个反应就是保命要紧。身上金光一闪，可以维持十五秒的无敌护罩已经被他点亮开来。在这种时候，他首先想到的是如何能够生存下去。而且，他也相信，有十五秒的时间让他发动这里的魂导器装置，挡住这些人是不成问题的。

但是，就在这最关键的时刻，他居然又愣了一下。这一次发愣，实在是因为面前的一切发生得太过诡异了。

有着大波浪粉蓝色长发的少女骤然追上前面展开双翼的少女。两人竟然有着一模一样的绝美娇颜。更加奇异的是，那后面冲上来的少女，将手中的长矛向前一甩，就悬浮在了前面那名少女的身前。紧接着，她就从后面紧紧地拥抱住了有着蝶翼的少女。

灿烂的金光瞬间令七级魂导师的视线全部消失了。紧接着，一股巨大的震荡力从背后传来。

他那无敌护罩虽然能够保护住自身，但对这种强烈的震荡冲击力还是没有任何办法的，只能靠他自身的修为去抵挡。

无敌护罩的松动，令他下意识地向前趔趄了一步。

就在这一刹那，他身前重合的两道身影已经变了。

原本的蓝金色蝶翼瞬间变成了灿烂的金色，美丽的蝶翼变成了流线形，前翼裂开，竟然变成了两对翅翼，后翼下移，让开了位置。更加诡异的是，原本的蝶翼竟然变得宽大了许多。那分明是小型的龙翼模样啊！上面覆盖了菱形的金色龙鳞。

六片龙翼，竟然是六片金色龙翼！

绝美的身影没变，粉蓝色的长发也没有变，只是她身上多了一层晶莹的光芒。

每一根发丝都像用水晶拉丝而成的一般，晶莹剔透，粉蓝色光晕在上面流转，就像渐变的霓虹灯。长发披散，金色龙翼张开，修长的身形也随之长高了许多。一身金色铠甲覆盖全身，看上去全都是用细密的鳞片拼接而成的。没有头盔，只有一个奇异的头箍，头箍中央是一个金龙首。龙首两侧，却有一双蝶翼。

这绝美的身影一抬手，就用覆盖着龙鳞的右手抓住了面前的黄金龙枪。下一瞬，嘹亮的龙吟声响彻整个第二层。金芒一闪，万千金光就已经倾覆在了面前的无敌护罩之上。

炫目的金光，令七级魂导师呆滞了一瞬间。就是这一瞬间，他那金色的无敌护罩上已经不知道中了多少枪。

刺耳的破裂声randazzo之响起，在他不可思议的目光中，金芒瞬间闪烁。他那极有信心的七级无敌护罩竟然只抵挡了不到两秒，甚至还不足以让他从呆滞中完全清醒过来，就已经溃散。

七级触发式魂导护罩被瞬间穿透。

六翼金龙！这是什么？

这是七级魂导师脑海中的最后一个念头。下一瞬，他就已经什么都不知道了。只剩下漆黑的世界。

一圈圈金色光芒顺着黄金龙枪闪烁着。全身笼罩着一层金蒙蒙光彩的绝色佳人傲立于第二层之内，将手中的长枪斜指，大有几分睥睨天下之姿。

别说萧萧看呆了，就连精神体状态下的霍雨浩也看呆了。

尽管这种组合是他策划出来的，可实际上，他也是第一次见到啊！

没错，这就是秋冬合体——王冬儿和王秋儿共同完成的武魂融合技。

在这一瞬间，霍雨浩已经替她们想好了名字——黄金蝶龙变。

这黄金蝶龙变和他们的三位一体武魂融合技只差了一个字，威能也差了不少，可是，这是目前他们几个人能够施展出的最强武力了。

霍雨浩在那天的大战结束后，曾经计算过在紫金蝶龙变状态下，自己能施展出的实力。之后，他就能够肯定，在那种状态下，自己施展出的实力已经接近了八环魂斗罗巅峰的境界。尽管这种情况很难再复制，但确实是他们目前所能达到的极限。

而眼前王秋儿和王冬儿合体施展出的黄金蝶龙变，至少有七环魂圣巅峰的能力。更可怕的是，有黄金龙枪这个近乎变态的神器存在，只要她们的对手数量够多，并且——死在她们手中，她们的战斗持续时间就会远远超过一般的武魂融合技。

　　霍雨浩为什么会知道冬儿和秋儿能够施展出这样的武魂融合技？原因很简单。因为他分别可以和王冬儿、王秋儿进行百分之百武魂融合啊！而且他们三个能施展出三位一体武魂融合技。如果王冬儿和王秋儿不能融合，那就怪了。

　　就在刚才这一瞬间，霍雨浩都已经有些疑惑王冬儿和王秋儿是不是亲姐妹的问题了。她们长得这么像，还能进行武魂融合，除了姐妹之外，他真的想不出其他可能性。

第343章
好多好多啊!

"你们俩,现在谁在主控?"霍雨浩下意识地问道。

"我!"

"我!"

两个声音同时回答。

虽然这是两个都很动听的声音,但还是很容易区分出来。王冬儿的声音清脆动人,宛如出谷黄鹂。王秋儿的声音则多了一份冷傲。

霍雨浩有些头疼了。如果不是为了借助王秋儿强悍的实力,他今天真的不想找她来。

"我控制的是近战能力,她控制一切能量攻击和辅助能力。"王秋儿的声音再次响起,总算解释清楚了。

霍雨浩心中一动,道:"那如果你们两个配合得好,岂不是比一个人控制着的武魂融合技效果更好吗?可是,一般来说,武魂融合技不是只能有一方来控制吗?为什么你们会……"

王冬儿没好气地道:"现在是研究这个问题的时候吗?赶快办正事吧。我们吸收了那个魂圣的力量,暂时还能够维持着这种形态。"

说着,黄金蝶龙变的绝美身影已经捡回了跌落在地面上的生灵守望之刃。

这第二层的面积,要比之前的第一层小了不少,大约只有第一层的三分之一。但就算只有第一层的三分之一大,也相当广阔了。

这里没有那么多箱子。此时霍雨浩才来得及注意。上次他的精神之体跟随李冲来的时候,更注意的是各种机关。而这一次,他才真正感受到日月帝国是多么富有。

在这第二层仓库内,至少摆放了三十种以上的稀有金属,而且都是价值极其高昂的存在。任何一种,都比外面第一层那些贵上数倍。尤其是靠里面的七八种稀有金属。至少有五种,霍雨浩是第一次见到,以前只是听说过而已。

这些稀有金属在此地的储存量至少是按吨来计算的。

这一仓库的稀有金属,完全没办法用金钱来衡量。

霍雨浩的精神力剧烈地波动了一下,他立刻将这里的各种机关部署告诉三女。

"拿东西走人,还是继续向前?"萧萧问道。

霍雨浩道:"这样,萧萧,你拿着储物魂导器开始装东西,按照我的指示装。咱们只选贵的,不选对的!什么值钱拿什么,大不了以后再和原属斗罗大陆三国去交换其他的。冬儿、秋儿,你们直接去第三层的大门那里,用生灵守望之刃去开启那第三层的大门。我们不一定进去,但一定要看看那里面有些什么东西。就算不能带走,我们也可以把那里的东西毁掉。"

"好。"三女同时答应一声。

在霍雨浩的指点下,黄金蝶龙变之身的秋冬二人快速向内突进,很快就来到了那第三层的大门处。

霍雨浩此时一直开启着精神探测。虽然黄金蝶龙现在没有处于战斗状态中,但他还是能够通过精神探测观察到许多东西。

首先就是那无比强盛的气血。王秋儿的黄金龙力量和气血完美地作用在了黄金蝶龙身上。然后就是那强盛的光明气息。那是来自于王冬儿的。

二女的气息在这黄金蝶龙身上竟然是不相上下的。谁也没有占据明显的优势。

而她们的速度、魂力,都提升了数倍。魂圣巅峰,这似乎是很保守的估计了。霍雨浩甚至怀疑,她们此时所处的这种状态,从某种意义上来说,本身就能够算作武魂真身。

生灵守望之刃被轻巧地插入那扇金属大门之中。这一次,有更加强盛的魂力来催

动，生灵守望之刃附带的裁决效果体现得就更淋漓尽致了。

同时得益的还有黄金龙枪。王秋儿趁势吸收着庞大的金属生命能量补充自身，让这件神器变得越发气势惊人。

先前黄金龙枪在黄金蝶龙变的催动下，一举攻破七环魂圣施展着的无敌护罩，和它自身短时间内积蓄的金属能量有着很大的关系。

黄金龙枪最擅长的就是穿刺、突破。以点破面，在庞大的金属能量的加持之下，这一点发挥得淋漓尽致。在刚才那一个透点的攻击力下，王秋儿甚至短暂地突破了八环魂斗罗修为，还是拿着神器的八环魂斗罗。

黄金龙枪沾染了一点裁决之力，又将裁决之力转化成了对生命体的破坏力。无敌护罩虽然是能量体，但受到两大神器力量的影响，本身就被极大地削弱了。

一件件储物魂导器送到了萧萧面前。萧萧哪还会客气。霍雨浩也毫不客气。

"我的，都是我的！"

霍雨浩精神之体的那双眼睛变得亮闪闪的，若是实体，恐怕这会儿口水都要流下来了。

任何一位魂导师在这种环境下，恐怕都会这样，甚至还不如霍雨浩。

"对，就是那个，多棱魔晶，都是咱们的。还有那个，锻魂银，也是咱们的。好东西啊！赤阳惊魂钢，太好了。有多少装多少。咦，这是什么？黄金云，这个东西用来制作九级魂导器都算奢侈了。只有这么一点点，不到一吨啊。都装走。"

在霍雨浩的指挥下，萧萧充当起了搬运工。不过，她这搬运工作还是很轻松的。

储物魂导器经过这么多年的发展，用起来十分方便，只需要往物体上一按，再用魂力催动，就能够直接将其吞噬在内了。

霍雨浩当初从明德堂带出来那个宛如护心镜一般的巨大星光蓝宝石储物魂导器，就更好用了。

它本身的空间比其他储物魂导器加起来都要大。要知道，它当初可是放了一件十米高的巨型人形魂导器还有不少富余空间的。

这玩意儿在魂力的催动下，一次能够吞入五平方米范围内的一切物体。扫一下，仓库就空一片啊！

不过，别看霍雨浩这会儿进入了财迷状态，但精神依旧十分清醒，不时提醒萧萧规避各种魂导陷阱。

他们最成功的地方在于这次突入没有引发任何警报装置。否则，哪能如此从容啊！

这个地下仓库因为本身的密码锁实在太完备了，走的那些强者们又随身携带着第二层、第三层的钥匙，所以根本就没考虑过会被人突入。要是有人强攻那些极其坚实的大门，立刻就会引发警报装置的。

时间不长，第二层就已经空出了将近一百平方米的空间。

霍雨浩现在只是感叹着，储物魂导器不够用啊！

他们携带的储物魂导器虽多，但按照眼前的进度来计算，最多把这个第二仓库的东西装走三分之一就不错了。他们只能尽可能地挑选值钱的、密度大的稀有金属。

霍雨浩现在恨不得有一个巨大无比的储物魂导器将这整个仓库都装回去呢。

终于，又过了一会儿，那个巨大的星光蓝宝石储物魂导器终于装满了。因为消耗较大，这星光蓝宝石本身的光芒都变得黯淡了几分。

霍雨浩还没停止，其他储物魂导器开始被萧萧一一装满。装满一个，她就将储物魂导器收起一个。

就在这时，另一边，带着几分怪异的高亢声音传来。

"雨浩，你快来看看。"声音是王冬儿的。

什么情况？霍雨浩心中一惊，赶忙将精神探测覆盖了过去。他的第一感觉就是，第三层的大门开了！

精神之体只要纯粹飞行就行了。几次闪身，霍雨浩就来到了二女武魂融合后的黄金蝶龙面前。

黄金蝶龙一点事情都没有，这也让霍雨浩非常宽心。但是，当他将目光投入那第三层仓库的时候，目光呆滞了。

"这……"

第三层的大门开启，面前是一道向下的阶梯。这条阶梯一直向下延伸二十米。这也是霍雨浩先前听到王冬儿惊呼时，没能直接看到里面情况的原因。

此时，第三层内的光线十分暗，只有墙壁上有一些光芒不强的魂导灯照耀着。一股浓郁的金属气息从里面传出，给人一种肃杀的感觉。

霍雨浩下意识地做出了一个吞咽口水的动作。但是，他很快就发现，处于精神体状态的他，是根本没有口水的。

"这简直是……我们真的撞上大运了啊！"

霍雨浩看到的是什么？他看到的，是一片钢铁森林。

没错，就是钢铁森林，一眼望不到边际的钢铁森林。

在霍雨浩原本的判断之中，这仓库第一层是普通一点的稀有金属；第二层的话，是珍贵的稀有金属；这第三层的面积应该比第二层小，说不定储藏有什么珍奇宝贝之类的东西，甚至会有一些高阶的魂导器。这也是他要看看第三层的原因。

他之前就已经想好了，就算这第三层有什么好东西，他们也要尽量以毁灭为主。一定不会让三女冒险进去，取里面的东西。毕竟，他并不清楚里面的机关是什么样的。

可是，当此时此刻，他真正看到这第三层的情况时，才发现，自己的判断出现了偏差。

首先，这第三层的面积，比他预想中的要大很多，至少是第一层的十倍！

没错，就是十倍。否则，他在高处怎么可能会有一眼望不到边际的感觉啊？

沿着阶梯向下，他们就会进入一个广阔的广场之中。首先映入眼帘的，是那一片一片的魂导炮……

最前排的，是大型四级魂导炮。这种魂导炮射速快、准确度高，有效范围超过五百米，体积较大，所以带有轮子，可以拖拽前行。一名四级魂导师，在没有奶瓶配合的情况下，也能够持续发射三十发以上。

在这地下仓库里，这种魂导炮至少有上千门。这还是看上去最差的一种。

大量的箱子整齐地堆积着，在精神力指引下，霍雨浩看到了什么？他看到了大量的魂导射线枪、小型魂导炮。每一种至少是四五级的魂导器。

更恐怖的是，他还看到了一整箱一整箱的定装魂导炮弹，还有一整箱一整箱的密封奶瓶……

密封奶瓶的数量，应该是这些魂导器之中最少的。但这玩意儿的作用是什么？有了它，就可以让不是魂导师的普通战士也能拿着魂导器上战场啊！就算不多，在这里也储存了上千个。可想而知，明德堂研究出这种技术之后，就在第一时间开始全力制作了。

在这庞大的地下仓库中，霍雨浩看到最高阶的魂导器，是七级定装魂导炮弹。没有更高阶的存在了。可是，这里有数量如此庞大的魂导器，如果武装到军队的话……

霍雨浩心念电转之间，紧张地算了笔账。

这里的魂导器数量和规模，至少可以全副武装四个日月帝国的魂导师军团。目前，日月帝国正在服役的魂导师军团的总量，不到十个，而且装备绝对不能和这里的魂导器相比。

也就是说，这里的魂导器如果拿出去，立刻就可以武装四个极其精锐的魂导师团，建起一支全机械化的魂导师团精锐队伍，其中还有一百架简易版的全地形自走炮台。

这样一支军队，以目前原属斗罗大陆三国的实力，就算出动一个全部由魂导师组成的军团恐怕都挡不住啊！

魂导器最可怕的地方在于一旦成规模，那么，破坏力就会大幅度提升。

一门四级魂导炮，封号斗罗连看都懒得看一眼。如果是一百门魂导炮齐射，那封号斗罗就要全力抵挡。若是一千门魂导炮攒射，封号斗罗只能掉头就跑！更别说是这么多定装魂导炮弹了。

这玩意儿可是能远程攻击的。七级定装魂导炮弹的射程，可以达到数十里。

用力地咽了一口唾沫，霍雨浩扭头大叫道："萧萧，快来！大家都有活儿干了！"

第344章
皇宫堡垒

萧萧听到霍雨浩的呼唤赶忙跑了过来。当她看到眼前的一切时惊呆了，这一幕确实令人难以想象啊！如此庞大数量的魂导器，他们任何一个人都是第一次见到。

"走，我们下去。"霍雨浩此时已经清醒过来，在短暂的震撼之后，眼中充满了兴奋之色。

王冬儿和王秋儿合体的黄金蝶龙变的身影扭头看向霍雨浩："下去？这里的机关我们还不清楚啊！"

霍雨浩微微一笑，道："刚才我略微探查了一下，已经可以肯定，这里并没有魂导器机关。"

"为什么？"发出疑问的是萧萧。

霍雨浩呵呵笑道："你不是魂导师，所以才会问出这种问题。这里面储存可都是魂导器啊！那些奶瓶和定装魂导炮弹，你们认为，它们是什么？那可是爆炸物，一旦引爆，恐怕会将整个仓库都掀飞，甚至连明都都要遭受重创。它们本身虽然稳定，但只要其中有一枚被魂导器命中，就会产生连环反应。你们认为，在这种情况下，日月帝国还会在这一层设置魂导器陷阱吗？刚才我略微感受了一下，除了这些魂导器之外，这里没有任何其他的魂力波动，哪怕最轻微的都没有。

"当然，这里也不是没有布置，但都是用来防爆的。我敢肯定，这个仓库不止一个入口。这边只是其中之一而已。他们要方便搬运，从这个角度来看，也不可能布置太多的魂导器。我们只要小心一些，应该不会有问题的。"

三女这才恍然大悟。可不是吗？之前的两层，储存的都是各种稀有金属。这些稀有金属绝大部分都是极其坚韧的，没有任何爆炸的危险。就算是魂导射线，也很难给它们造成伤害。可里面这些魂导器不同，一旦引爆，那可就是一场灾难了啊！

走下台阶，他们进入这巨大的仓库之中，感受才更为强烈。行走于钢铁森林内，他们果然没有遭遇到任何攻击。霍雨浩的精神探测也开始了全面覆盖，更深层次地感受着这里的变化。

王冬儿的声音响起："雨浩，我们要抓紧时间了。你那边还参加着比赛呢。这边时间拖得久了，你那边怎么办？"

霍雨浩微微颔首，道："开始吧。你们按照我说的计划做。这里还是有些好东西的。我们要有选择性地带走。萧萧，你先将那些密封奶瓶都装走，这可是我们的唐门未来的动力源泉。然后……"

在霍雨浩的指挥下，三女开始快速地行动起来，在这寂静的金属世界中，静悄悄地做着一些"坏事"……

"轰隆隆。"天空中，已经不知道是第几次出现这样剧烈的轰鸣声了。

在高达两千米的空中，一场大战依旧在继续着。

一条巨大的黑龙占据了半边空间，一双宽大的龙翼展开，仿佛要遮云蔽日一般。

这条黑龙身长超过百米，全身覆盖着厚重的龙鳞，一双淡金色的眼眸中充满了王者的威严。庞大的身躯每一次震动，都会使周围大片大片的空间产生扭曲。这些扭曲的空间却并不向外发散，而是将周围的冲击余波一一化解。

就在这条巨大的黑龙对面，一个全身墨绿色的巨人傲然站立。这个巨人的身高接近百米，庞大的身躯上肌肉隆起，他就像来自远古时代一般。在他背后，一个巨大的墨绿色旋涡正在不断地旋转着。在那旋涡之中，隐隐还有一道道金光闪烁。

这墨绿色巨人的不远处，一头生有螺旋双角，头部犹如巨龙的头，身体却是粗壮牛身的庞大神兽悬浮于空中。它那双螺旋长角朝向前方。脚下踩着一片片黄色光芒组成的云朵。那充满力量的感觉仿佛令天空变成了大地。

　　毫无疑问，那黑龙是龙皇斗罗龙逍遥幻化而成的。墨绿色巨人是本体斗罗毒不死幻化的。巨牛则是玄老所化的饕餮神牛。

　　三大强者在这高空之中已经拼斗已久。确实，在一对一的情况下，玄老和毒不死都不是龙逍遥的对手。但以他们百年的战斗经验，两大强者配合起来，却也并不落于下风。与龙逍遥硬拼数次之后，他们的眼神中都开始露出狂热之色。

　　在这个世界上，玄老和毒不死的修为都已经接近巅峰，成为九十八级封号斗罗已经有很多年了。他们一直都在努力地向巅峰触摸，可是，想要成为极限斗罗谈何容易？

　　玄老虽然一直有着穆老的指点，但穆老当年受伤之后，身体一直不好，不可能全力以赴地和他切磋。毒不死就更不用说了，他本身就是本体宗的第一强者。

　　此时此刻，他们面对的龙皇斗罗龙逍遥，是大陆上存在的极少数极限斗罗之一。那九十九级的巅峰实力，比起穆老也丝毫不弱。拼斗之中，在面对龙皇斗罗的强大压力下，无论是玄老还是毒不死，都有种畅快淋漓的感觉。在这种感觉中，他们都隐约感觉到自己似乎距离那道门槛更近了。

　　龙逍遥同样感受到了他们身上的变化。实际上，以龙逍遥的实力，如果全力以赴的话，就算不能击杀面前的二人，将他们击退也是问题不大的。极限斗罗和九十八级超级斗罗这一级之差，差距可是巨大的。

　　但是，龙逍遥心中有他的顾忌。他本来就不愿意给圣灵教卖命。他成名多少年了？他可以说是当今之世辈分最高的魂师，此时却要为了一群邪魂师卖命，他心中怎愿接受？他只是出于一些特殊原因不得不为之。

　　他当年和龙神斗罗穆恩是最好的朋友，尽管后来成为情敌，但这份情谊依旧存在。玄老是穆老的半个弟子，又是史莱克学院现在的支柱。龙逍遥并不愿意伤害他，就像当初他有意放过霍雨浩一样的。

　　至于毒不死，他虽然没什么好感，但之前这位本体斗罗的话确实打动了他。出身于天魂帝国的龙逍遥，多少还是顾念着一些旧情的。

　　因此，在拼斗之中，他一直都没有全力以赴。感受到对方两人竟然有拿自己作试金石的想法后，龙逍遥更加收敛了。

　　所以，三人在天空中打得虽然激烈，但实际上并不是那种搏命式的拼斗。他们这三大最强者发出的攻击，基本上相互抵消了。至于下面如何，就不是他们能控制的了。

　　此时，地面上的战斗已经进入了白热化状态。

双方的封号斗罗都作为观战者，远远地看着三大强者拼斗。可日月帝国皇宫依旧陷入了一片喊杀声中。

来自于史莱克学院、星罗帝国、天魂帝国的进攻已经全面开始了。

一支全部由七环魂圣以上修为的强者组成的突击队早在一刻钟前就已经冲入了日月帝国皇宫之中。

这些人都蒙着面，实力都极为强悍，纵横于明都皇宫之内，已经给负责防御的魂师、魂导师以及侍卫们造成了极大的损失。他们就像一柄利剑一般，直奔太子徐天然所在的御书房方向冲击着。

这些人的修为虽然都在魂圣级别以上，却没有一个封号斗罗。魂师界不成文的规矩，他们也同样是要遵守的。

一名全身闪烁着强光的青年冲锋在最前面。他的速度极为迅速，所过之处，普通侍卫根本近不了身。

此人虽然蒙着面，但如果认真看过全大陆青年高级魂师精英大赛的人还是很容易将他认出来。他正是雪魔宗，或者说是本体宗年轻一代的翘楚人物——龙傲天！

龙傲天的武魂是全身皮肤，虽然不能和毒不死以身体为武魂的强大能力相比，但他在本体宗也是佼佼者了。此时，他战力全开，着实是所向披靡。

他的身体不时产生出奇异的变化，忽而坚硬如铁，忽而柔韧如筋，各种魂导射线之类的攻击对他根本毫无作用。

在他的头顶上方，悬浮着一轮明月。月光全部针对那些威力较大的魂导炮。

这里毕竟是明都皇宫，大规模的杀伤性武器是不可能布置的。对于这一点，在发起进攻之前，史莱克学院、星罗帝国和天魂帝国三方就已经有了共识。这也是他们最大的优势所在。

日月帝国最擅长的魂导器不能全面发挥，就意味着给了他们机会。他们没有这种顾忌，而且，魂师最擅长的就是在小范围内的反应式战斗。

不过，在突入日月帝国皇宫之后，难题也出现了。

没错，日月帝国是不能在这里布置高杀伤性武器，可是，却可以在这里布置强大的防护性魂导器！

一层层魂导护罩不时从建筑内冒出，将他们进攻时就已经准备的定装魂导炮弹挡住，同时，不断地给他们造成拦截效果。

日月帝国这边的魂师们也出动了。没有封号斗罗，他们却有圣灵教的邪魂师。

霍雨浩曾经见过的钟离三兄弟就在其中。这些邪魂师的数量着实不少，能力又极为特殊，一时间，和突入皇宫内的三方强者们杀得难解难分。

"祝我升空。增幅！"一声娇喝在龙傲天背后响起。

龙傲天迅速后退一步，做出一个下蹲的动作。紧接着，一道身影就已经站到了他的肩膀上。紧接着，数十道光芒从后方射出，全都照耀在这道身影之上。下一瞬，这道身影已经如同闪电般升入空中。

强烈的银白色光芒骤然大炽，先前那一轮明月已经变成了一轮银月，真的像在天空中多出了一个月亮似的。月光缭绕，周围的空气都剧烈地扭曲、破碎着。在这一轮银月周围，形成了一圈绝对的黑暗真空。

那升入空中的身影，就站在银月之前，双手做出一个奇异的手势。在她身上，那排列在最后一位的血红色光环正在徐徐升起。银月渐渐被那血光沾染，变成了一轮血月。刹那间，下方所有人都感觉到一股腥风血雨的味道从天空中扑面而来。

不只是对手，就连己方众人都震撼地看着眼前这一幕。那数十道光芒依旧落在这道身影之上。其中最显眼的，是一尊悬浮在空中的宝塔。宝塔共七层，有五层放出光芒。那五道绚丽的彩光，正是所有增幅中最厉害的。

徐天然看到这一轮血月后，瞳孔略微收缩了一下。

"八环，魂斗罗？"

在他身边的橘子，在那一轮血月出现的时候，就已经横身挡到了他的面前，将他挡在身后，脸上露出了凝重之色。

天空中传来的压抑感，仿佛要将她的身体撕碎一般。尽管一层具有九级防御力的魂导护罩已经从周围升起，可是不知道为什么，橘子依旧没有任何安心的感觉。

就在这个时候，突然间，一声嘹亮的凤鸣响彻天际。一团浓烈的暗红色光芒突然从徐天然所在书房侧面的另一个院落中升起。这道暗红色光芒升起之后，立刻幻化成形，化为一只全身升腾着暗红色火焰的漆黑凤凰，闪电般朝着空中那道身影飞去。

血月之蚀！

血光播撒，刹那间，天地色变。就连空中观战的封号斗罗们都感受到了下面突然出现的变化。

那一道血光射出后，空气仿佛在瞬间被蒸发得干干净净。那骤然升起的黑凤凰，似乎也感受到了不妙，全力以赴地一拍双翼，瞬间升高。

幸好，那道血光针对的并不是她，瞬间就从她的身下掠过，正好命中在了保护着徐天然的九级防护罩之上。

原本金色的护罩突然被渲染成了血色。那浓重的血色瞬间蔓延，身在护罩中的橘子只觉得眼前血海翻腾，体内的气血也跟着翻腾起来。她赶忙释放出无敌护罩。

"回来，橘子！"一股不可抗拒的吸扯力从后方传来，橘子只觉得自己身体一轻，下一刻就已经落入了一个有力的怀抱之中。紧接着，她就看到周围的一切都变了，完全变成了一片赤金色。

十万年魂技！这就是十万年魂技的威能吗？橘子只觉得脑海中一片空白。

理论上来说，九级魂导护罩能够挡住封号斗罗的攻击。可是，这个理论在真正强大的魂师面前，似乎是不成立的。

那天空中的身影分明只有八环修为啊！可是，就是这样的一击，居然瞬间击溃了那牢固的九级护罩。

我死了吗？橘子呆呆地想。面对这种完全无法抗争的力量，她突然感觉到自己是那么渺小。

但是，她很快就意识到，自己没有死。因为在她的腰间，环绕着一只有力的手臂。

她下意识地扭头看去，看到的是一张冰冷，却充满自信的面庞。

"殿下，您站起来了？"

可不是吗？站在橘子背后，用一只手搂住她腰肢的，正是太子徐天然。

这一眼看去，橘子却骇然发现，御书房已经完全不见了。地面上，只有一堆正在不断熔化的血色废墟。

徐天然的脸色有些难看。对于今天三大势力的突袭，他是早有准备的。在他看来，对手只有八环以及八环以下的魂师进攻，根本就不可能冲到他这边。可是，这突然发动的血月之蚀，令他真正感受到了魂师强者们的可怕。

此时，在徐天然的头顶上方，悬浮着一件钵型魂导器。

通体暗金色的小钵只比普通饭碗略大一点，悬浮在徐天然头顶上方，开口朝下。钵体本身，闪烁着点点星光。璀璨的光芒外放，仿佛有无数星斗围绕着它旋转似的。

一层金光从这个钵口中喷射而出，将徐天然和橘子笼罩在内。橘子先前看到的光芒之所以都是赤金色，就是因为那血月之蚀的光芒经过了这层金光的遮挡。

九级巅峰防御魂导器！身为日月帝国的太子，并且曾经被偷袭而重伤，徐天然对于自己的安危一向是十分谨慎的。

天空中，血光收敛。

张乐萱此时有些遗憾。虽然这次突击，在她和贝贝、霍雨浩的计划中，并不一定非要成功，但如果成功的话，自然是更好的。

有一点星罗帝国和天魂帝国是对的。那就是击杀了徐天然，必然会导致日月帝国内乱。这也是史莱克学院希望看到的。

但是，徐天然身上的防御魂导器太强了，以至于她的十万年魂环之技——血月之蚀在同伴们的增幅下依旧没能将其一击必杀。

她只有这一击的机会。日月帝国的魂导师们已经发射大量的魂导射线，迅速朝着她这边攒射而来。

空中那升起的黑凤凰，已经带着一声厉鸣，朝着她闪电般飞来。

张乐萱身体后飘，与身体背后的银月融为一体，整个人身上都蒙上了一层银蒙蒙的光彩。

面对朝着自己飞来的黑凤凰，她并没有在第一时间迎击，而是将银月下沉，重新落回地面。

在空中，目标实在是太明显了，被对方集中攻击，就算以张乐萱的实力都有些承受不住。

那黑凤凰却不依不饶，直接从空中追了下来。

龙傲天拔身而起，化身巨锤，直接朝着那黑凤凰迎击了过去，给张乐萱的后退争取时间。

"哧！"怪异的碰撞声中，龙傲天全身竟然冒起了一层暗红色火焰，身体倒飞而出，撞入己方人群之中，引起一片惊呼。正面硬拼，他竟然败了！

"果然是你。小桃，醒醒！"张乐萱大喝一声，身体前飘，占据了先前龙傲天进攻的核心位置。

此时，她身体周围充满银月之光，她已经和银月融为了一体了。这就是她的银月真身——远近程皆宜的强大武魂真身。

右手一抬，一道粗如水缸的皎洁月光就挡住了想要追击的黑凤凰。

张乐萱只觉得一股炽热的气流扑面而来。她那发射出去的月光竟然在这股炽热的气流之中开始扭曲，冲击到对方身上的时候，明显被削弱了许多。

这是……

"极致之火？不，是有杂质的极致之火。"张乐萱瞬间就做出了判断，脸色也随之变得沉凝起来。

那黑凤凰却不吭声，瞬间闪至，开始和张乐萱硬拼起来。一时间月光、火光纵横飞舞，两人打得不亦乐乎。

就在这个时候，高空中的战斗也发生了变化。

"小的们，还等什么？都给我上！我倒要看看，没有了龙逍遥，这群家伙怎么挡我们。"本体宗宗主毒不死久攻不下，桀骜的性格发作，立刻就下达了命令。

玄老微微一惊。他当然不可能让毒不死知道自己这边的变化，只得传达了动手的信号。先打打看吧。万一这边能够得手呢？

龙逍遥所化的巨大黑龙似乎对这些并不在乎，身形在空中横卷，刹那间，大片的黑色气流化为无数黑暗流星朝着玄老和毒不死覆盖过去。

到了龙逍遥这个层次，强大的实力已经可以直接影响到天象变化了。玄老和毒不死只得全力应对。

三方的强者在空中开始展开了全面碰撞。

几乎一上来，史莱克学院这边就占据了上风。

不得不说，本体宗的实力相当强悍。他们的作风和毒不死差不多，一上来就彪悍地猛攻。邪魂师擅长正面碰撞的人可不多。他们的强大，体现在阴险毒辣和特殊能力上，直接就被压制了。

日月帝国那些封号斗罗级别的强者，面对史莱克学院这边的封号斗罗们，自然也毫无优势可言。

徐天然一直关注着空中的局势，眼看着己方竟然变得越来越不利，脸色也不由得变得铁青起来。

"传令堂主，准备。"

"是。"

书房被毁，之前他身边的侍卫死得七七八八了，但这毕竟是明都皇宫，徐天然是绝对不会缺人用的。

时间不长，另一边正在战斗中的张乐萱等人，突然听到了一些奇怪的声音。

"咔咔、嘎嘎、吱吱……"

这些声音并不是从一个方向传来的，而是在四面八方响起。

这是……

张乐萱心头一紧，身上的月光全力迸发，逼退了那黑凤凰。黑凤凰身上却荡起大片火浪，朝着她扑了过来，完全是一副悍不畏死的模样。

张乐萱等三大势力的强者们很快就感觉到了不妙。因为他们骇然发现，整个日月帝国皇宫似乎都在发生着变化。

周围那一间间有魂导护罩保护的房间，竟然动了。没错。它们就是动了。

一间间房屋裂开，一门门巨大无比的炮口开始从里面钻了出来。冰冷的金属光泽在魂导护罩的光芒掩映下充满了毁灭气息。

如果霍雨浩在这里，并且有时间仔细思考的话，他一定会猜到——他发现的那个仓库，并不是唯一一个。因为在那里，几乎没有七级以上的魂导器和定装魂导炮弹。

另一个更加宝贵或者说是恐怖的仓库，根本是在这明都皇宫之中啊！这里所有的，正好是那边的补充，全都是七级以上的各种魂导武器。

看着那一门门巨炮缓缓出现，感受着周围开始升腾的恐怖魂力，张乐萱瞬间色变，毫不犹豫地大喝一声："快撤。从地面撤。"

此时，身处于地面和敌人正面拼斗的他们，反而是最安全的。因为那些恐怖的魂导炮，全都是针对天空的。毕竟，向地面攻击的话，直接会对皇宫本身，甚至是明都造成破坏。可如果针对天空的话，就绝对不会有这个问题了。

感受更加深刻的，就是天空中的那些强者。

到了封号斗罗这个级别，如果自身有危险，那么，他们本身就会有感应。而此时，他们心中突然毫无预兆地生出了致命的威胁感。

这种感觉实在是太恐怖了。

低头看时，哪怕玄老和毒不死这等级别的强者都不禁倒吸一口凉气。

下方的明都皇宫，似乎已经变成了一片金属森林。

一根根粗大无比的炮管从建筑中探出，炮口内，已经有强烈的光芒闪烁了，分明就是正在蓄力。

这些巨炮，就算是小的，口径也要超过一尺。玄老看到的最大的巨炮，炮口的直径竟然有两米开外。

哪怕对魂导器再不了解，他也能判断得出，这至少是八级以上的魂导器啊！其中可能还不乏定装魂导器。

雨浩这小子是对的！攻击人家皇宫，本来就是一个错误的选择。作为国力第一，以魂导器著称的日月帝国，在自己的根本重地，怎会没有防备呢？

毒不死眼中闪过一道厉光，就要朝下方扑去。

龙逍遥那原本就极为庞大的身体突然出现了巨大的变化。

原本实体状态的黑龙，突然变得虚幻了，体积却瞬间增大。

眨眼间，龙逍遥所化的黑龙就已经变得长达千米，盘旋在半空之中，将毒不死、玄老以及他们这边的封号斗罗全部挡住，不让他们向下方发动任何攻击。

到了这时候，玄老哪还不知该如何应对？他立刻大喝一声："撤。"

史莱克学院这边的强者早就由玄老打过招呼了，听到他的命令，立刻虚晃一招，全都脱离了战团，迅速后撤。

他们一撤，毒不死就算还想有所作为，也不得不下令撤退。只不过，这位心不甘情不愿的毒老怪在撤退后，还忍不住爆了句粗口。

一众封号斗罗，在空中划出一道道流光，宛如流星赶月一般消失在远方的天际。

圣灵教那位神秘的教主抬起手，示意自己的属下们不要再追了。他低头看了一眼下方密密麻麻的炮口，也不禁有些头皮发麻。日月帝国的底蕴，毕竟不是他们一个宗门能比的啊！

徐天然静静地站在那里，看着战局完全按照自己的计划进行着，脸上不由得露出一丝运筹帷幄的微笑。

此时橘子才注意到，徐天然之所以能站起来，当然不是因为他的腿好了，而是因为他的下身接上了一双假腿。他这双假腿制作得极为精致，掩盖在裤子之下，竟然是看不出的。

九级魂导器！太子殿下竟然能够使用九级魂导器！橘子真的震惊了。

她自认对徐天然足够了解，可并不知道徐天然真正的实力达到了怎样的程度。能使用九级魂导器意味着什么？就算这件九级魂导器有降低使用要求的特性，但那防御力可是九级巅峰的存在。这就意味着，徐天然至少有八级巅峰的修为，达到了八环魂斗罗级别。

可是，太子殿下才三十出头。这样的能力，就算在史莱克学院，恐怕都是凤毛麟角

的。

松开搂在她腰间的手，徐天然有些感慨地道："你很好。你还是和当年一样。"

橘子抬头看向他。在这位太子殿下眼中，她竟然捕捉到了感动的光芒，心中不由得暗叹一声：对不起了，殿下，就算我未曾认识霍雨浩，我也不可能真的喜欢你。我对你，只有主仆的恩情。

徐天然自然不知道橘子在想什么，看着她那吹弹可破的娇嫩肌肤，眼底闪过一丝惋惜之色，真是可惜了……不然橘子确实是良伴。

"按计划行动，向西方驱赶他们。东、南、北三个方向的所有魂导师团，进行最高级别戒严，务必不能让他们从这三个方向逃走。"

"是！"橘子赶忙恭敬地答应一声，迅速转身去了。

正在这时，一道流光在远处的天际亮起。这道光芒看上去十分奇特，升空之后，竟然化为了一个绿莹莹的怪物模样，在空中久久不散。

正在全速离去的史莱克学院众人第一时间就看到了这道光芒。

玄老眼中一喜，右拳捶击在左掌上，低喝一声："好。"

在他惊喜的同时，紧接着，又一道红光升空，图案和刚才的一模一样。

玄老脸色一变，沉声道："走。所有人出西城。立刻走。"

毒不死就在距离玄老这边不远的空中飞行，突然看到史莱克学院众人改变方向，朝着西边飞去，忍不住大叫一声："玄子，你干什么去？难道你真以为西边没人布防就好走吗？"

玄老微微一愣，看来，这本体宗并不是没有打算啊！不过，他们有他们的计划。西边固然可能出现古怪的状况，但另外三个方向是他们不能去硬冲的。他必须要顾忌到史莱克学院战队和唐门战队的安危。这两支战队明天进行决赛之后才能走，不能现在就趁着夜色突围。否则，他们跟本体宗一起突围会是不错的选择。

"老毒物，我们有我们的打算。咱们青山不改，绿水长流，后会有期。给你点提示——立刻出城，不要停留。"丢下这句话，玄老带着众人再次加速，先跟已经突围而出的张乐萱等人会合，才朝着西边离去。

毒不死微微一愣，但他在这个时候十分明智地选择了相信玄老，大手一挥，带着己方的人和星罗帝国的强者们迅速朝着另一个方向离去。

在这次突袭日月帝国皇宫的行动中，他们安排得显然更加周密。本体宗强者、星罗帝国强者们很快冲入街道中，按照既定的路线跟许久久和维娜两位公主会合。

"干爷爷，成了吗？"维娜公主急切地问道。

毒不死有些无奈地道："没成。日月帝国皇宫的防御太过森严，龙逍遥果然在。赶快走，刚才我看到空中有史莱克学院发出的信号。玄子提示我，让我们赶快出城。他们应该还安排了什么东西。立刻出发，不要停留。"

许久久道："毒前辈，那史莱克学院的人不跟我们一起走吗？"

毒不死哼了一声，道："玄子那家伙把荣誉看得很重。他们的比赛还没结束呢，就这么走了，不是落人口实吗？史莱克学院一向自诩光明正大，他们是不会在这个时候离开的。走吧，反正我们那东西也装不了太多人。相信以史莱克那些人的能力，就算吃点亏，也不至于损伤太大。说起来，我倒是有些期待，玄子刚才那句话会带给我多少惊喜。立刻命令你们的人，全部出发。"

"好。"许久久不是拖泥带水的性格，立刻毫不犹豫地下达了命令。

另一边，玄老带着史莱克学院众人很快就出了城。

张乐萱追到玄老身边："玄老，我们是不是先回去？明面上我们跟日月帝国还没撕破脸皮，明天还有决赛。"

第345章
香饽饽

听了张乐萱的话，玄老毫不犹豫地道："不行。没看到那小家伙发出的信号吗？绿色代表得手，红色代表危险。你们先到城外躲避一阵再说，等天亮了，再回去。我们到西郊那边隐藏起来，准备接应雨浩。如果他那边的魂导师精英大赛出问题，我们也好把他接走。"霍雨浩在西郊进行比赛，这也是玄老不肯跟毒不死他们一同离去的重要原因。那可是史莱克的未来！

张乐萱也有些急了，道："那贝贝怎么办？他还在酒店那边。要不，我去找他？"

玄老轻叹一声，道："乐萱，你这是关心则乱。你认为，以雨浩那小子的缜密计划，他会不顾及到贝贝吗？他刚才释放的虽然是危险信号，但他还要继续参加明都魂导师精英大赛，就算城里会出现什么危险，也只会在他那边的比赛结束后，才会出现。在这段时间里，他足以让人去接走贝贝了。"

张乐萱的贝齿轻咬下唇。她可不就是关心则乱吗？尽管那个家伙……

她目光灼灼地看向玄老："玄老，我还是不放心，我……"

玄老有些无奈地道："好了。你去吧，小心一点。城内恐怕很快就要戒严，见到贝贝之后，带着他尽快出城，在西郊和我们会合。"

"是。"话音未落，张乐萱就已经飘飞而出，转瞬间消失不见。

对于她的安危，玄老倒并不怎么担心。以张乐萱的实力，她就算遭遇封号斗罗都有一战之力。而且，她现在是全大陆青年高级魂师精英大赛两支决赛队伍之一的领队，不用蒙面进城，有事也容易处理一些。

西郊。

叶雨霖先前紧皱的眉头终于舒展开了。明都上空那不断变幻的颜色，普通人看不出端倪，他这样的强者还能看不出吗？他的封号就是星空，对于星空上发生的事情自然也是最敏感的。

这会儿那边终于安静下来了，看样子，应该是帝国掌控了局势。

叶雨霖是徐天然的支持者，而且，那明都皇宫在设计的时候，他就是主要的参与者之一，自然对皇宫的防御力十分清楚。他有绝对的自信，就算极限斗罗到了明都皇宫的上空，面对全力爆发的防御力，也难以讨好。

而皇宫那边的防御工事并没有发动，就意味着敌人已经不值得用防御工事去攻击了。虽说对手是在空中，可一旦出现大量的八级、九级魂导炮轰击高空，动静就太大了，有可能引起民众的恐慌。此时安静下来，只能意味着事情已经解决。

明都那边的事情结束了，比赛这边却让叶雨霖有些闹心。

比赛进行到这个时候，赛程已经过半了，可那个名叫唐五的小子，竟然还没有开始制作核心法阵。他的动作甚至又慢下来几分，就像有些累了似的，依旧在制作各种精巧的零件。

叶雨霖仔细观察过他一会儿，那些零件让他着实有种耳目一新的感觉。弹簧装置、机械关节等等，都带给他不少灵感。从那年轻人的表现来看，他分明对这些东西是极为熟悉的。

只是，无论他制作的这些东西多么精巧，魂导器也是需要核心法阵来发动的啊！

叶雨霖身为九级魂导师，观察了这么久，自然也看出了霍雨浩一些目的。这个年轻人是要用一些特殊的机括类装置来代替一部分核心法阵的作用。肯定是这样，没错的。可是，就算如此，人形魂导器需要的核心法阵的数量也依旧十分庞大。赛程已经进行了一半，他还不开始制作，那还做得完吗？

单看这个年轻人在制作魂导器过程中的速度、稳定性和技巧，叶雨霖就着实有些喜欢他。而且他还是一个残疾的年轻人。身残志坚，让叶雨霖更加动心，想要收他为徒。

虽然他不知道霍雨浩师从何人，但在魂导师界，他本身就是泰山北斗一般的人物，自然不怕霍雨浩不愿做自己的徒弟。

时间飞逝，他已经开始为这个年轻人着急了。难道说，这个年轻人会因为无法制作完成自己的魂导器而被淘汰出局吗？

同时，叶雨霖在看出端倪之后，也有些后悔了。因为他一开始并没有太过注意霍雨浩这边。因此，霍雨浩制作的那些精巧机括，他也只是看到了一部分。

霍雨浩又狡猾得很。他只是在制作各种零件，而且这些零件都是散乱放置的。只有拥有那等精神力的他，才不会混乱。包括机括在内的所有拼接，他都会放在最后面进行。

真是个让人不省心的小子啊！究竟什么时候，他才能开始制作核心法阵？他做的那些机括太多了。这已经超过了两百个的零件，真的全都拼接在那人形魂导器上吗？

今天这一趟算来对了，希望这个年轻人能让老夫看到奇迹吧。

叶雨霖为了更好地观察霍雨浩制作魂导器，此时甚至已经站了起来。

关注霍雨浩的不只是他一个人。七名裁判中，包括叶雨霖在内，有三位注意到了这个在魂导器制作台和周围地面上都放满了各种稀有金属零件的残疾年轻人。

比赛台下，圣灵教副教主平静地坐在休息区中。对于明都城内发出的动静，她就像根本不知道似的，没有分毫动容。

听到那边的声音平息了，她鼻子里才发出一声轻哼，哼声之中，似乎充满了不屑。

南宫碗脸上则露出了一丝淡淡的微笑，看来，某些人已经铩羽而归了。如果他们选择西边，那就让他们过去好了。

眼前这场比赛确实十分重要，但还用不到副教主和他们四位长老压阵。他们在这里，就是为了继续给予那些有突围打算的魂师一些印象——在西边也是有防御的，只不过防御相对较弱而已。只要那些魂师从这里突破过去，他们圣灵教的基本任务就已经完成了。

霍雨浩的额头上已经开始出汗了。分离的精神体离开太久，副作用终于开始显现出来。

灵魂虽然和精神力剥离，但和本体必然是有着密切联系的。随着时间的推移，这份联系会变弱。一旦完全失去联系，那么，分离出去的那部分就再也回不来了，会直接溃散于天地之间。

尽管天梦冰蚕说过，这不足以动摇霍雨浩的根本，可真的出现了那种情况，霍雨浩必然是会受到重创的。眼前的比赛，他自然也就没有完成的可能了。

可是，有些事情急不得。很多事情，都必须做好足够的布置才行啊！

快快快！

零件制作已经接近尾声了。霍雨浩已经开始准备各种制作核心法阵的稀有金属。可是，他现在处于这种精神虚弱的状态中，是根本没办法开始雕刻核心法阵的。只能等！

在比赛中，如果他手上的动作停下来，必然会引起怀疑。台下，圣灵教副教主和四大长老都看着台上的情况。他们可都是封号斗罗级别的邪魂师，一旦发现自己这边有什么不对，他们还不知道会有怎样的反应。若自己与二师兄被攻击，那么，他们就只能遁入亡灵半位面去躲避了。可那样的话，精神之体无法回归，霍雨浩必受重创。之后的事情还如何安排？

快点，再快点啊！

制作核心法阵的材料已经全都准备好了。霍雨浩在适合制作自己这些核心法阵的材料中选了最好的。十八块各种颜色的稀有金属在他面前摆了一排，而之前已经完成的零件则都落到了地上。

是的，经过唐门机括类暗器原理进行简化后，目前霍雨浩和轩梓文的研究成果中，最简单的人形魂导器只需要这十八个核心法阵。

霍雨浩手上不敢停顿，此时只能先用刻刀将这些稀有金属的大体形状雕刻出来。精细活儿都要等。

很快，十八块稀有金属被他雕刻完成了。

不能停，现在绝对不能停下来。这是霍雨浩心中坚持着的意念。他一定不能让人看出破绽，否则的话，就算稍后精神之体回归，都会有问题。那些邪魂师最擅长的就是对付各种灵魂啊！

不能制作核心法阵，霍雨浩还能做什么？只能先进行人形魂导器的拼接了。

双手朝着地面方向一招，七八个零件就飞到了他的面前。他迅速地拼接，很快就完成了一个小巧的关节，然后再次吸上来一批零件，进行拼接。

拼接的过程比制作容易得多。那么多零件，在其他人眼中都有些眼花缭乱。但霍雨

浩甚至不需要用眼睛去看，就能凭借着控鹤擒龙，不断地吸过零件进行拼接。每完成一个较大的零件，他就会将其放在制作台上摆好。一会儿的工夫，一排拼接零件就已经完成了。

果然是这样啊！一直注意着霍雨浩的叶雨霖心中不禁赞叹一声。他这是准备最后制作核心法阵。虽然这种做法并不值得提倡，可是，他这些精巧的机括做得实在太漂亮了，只是不知道功能如何。等这次比赛结束后，一定要和这个小家伙好好讨教一下才行。

霍雨浩的脸上，终于露出了一丝笑容。手上的动作也变得更快了。桌面上的一个个机括，开始被他进行二次拼接。很多精细的地方，就算是身为裁判的几位九级魂导师都看得有种眼花缭乱的感觉。

但他们的眼力还是极高的，虽然不太明白这些机括的用法，却能看到，霍雨浩每拼接一个机括，这些机括都能严丝合缝地结合在一起。伴随着一个个整体的出现，流线型已经开始呈现出来。那种整体感在魂导师眼中，就是最美的事物。

"好家伙，这个唐五是个天才啊！"坐在叶雨霖身边的另一名老者终于忍不住赞叹出声。

要知道，他们七位裁判可是在比赛台上，如果声音过大，就有可能影响到正在进行比赛的选手们。但这位裁判依旧忍不住说了出来，可见霍雨浩带给他的震撼有多么大。

叶雨霖轻轻地点了点头，道："老王，你也看出来了吧？"

王姓老者没好气地道："老叶，我还没老眼昏花呢，怎么会看不出来啊？不过，你能看出这种复杂的机括是哪一家擅长的吗？"他这里所说的哪一家指的自然是魂导师宗门。

叶雨霖摇了摇头，道："以机括辅助魂导器的宗门并不是没有。但像他这样，如此大量地使用这种技能还是第一次见到。我隐隐有种感觉——这个年轻人很可能会开创魂导器一个新的时代。看来，我们以前都错了。"

王老苦笑道："别说得这么清楚好不好？老夫年纪大了，可经不起这种打击了。就算明知道我们走的路有偏差，我们也只能继续走下去。"

叶雨霖不屑地哼了一声，道："那是你这老东西的看法。老夫可不认为不能改变。老夫还年轻得很，再活一百年都不成问题。"

王老沉默了一下，轻叹道："不懈的追求。这就是你和我之间的差距啊！这也是我始终差你一筹的重要原因。等这次比赛结束之后，你和他讨论机括与魂导器结合的时候，一定要叫上我。"

"还有我们。"旁边，另外几名裁判也忍不住表态了。

叶雨霖右手一抬，一层隔音光罩将他们几个全都笼罩在内，以免他们的交谈影响到正在进行比赛的选手们。

"你们这几个老不要脸的，简直就跟蚊子见了血似的。观摩可以，旁听也罢，但谁也不能跟老夫抢！要知道，老夫这次可是下了血本的，连最新研制出来的日月神针都拿出来了。"叶雨霖恶狠狠地说道。

在场的其他六位裁判在魂导师界的地位还真不能和他相比，看他一副强势的模样，都有些无奈。

王老赶忙打圆场，道："行了，老叶，你那点小心思我们还看不出来吗？不跟你抢就是了。不过，这个事情是大家一起发现的。我们要一起观摩一番，而且，这个研究我们大家也可以一起做。说实话，那地下三大势力制定的比赛规则简直是狗屎啊！我们魂导师比拼高下凭的是什么？除了魂导器制作本身，就是设计和创意了。现今的魂导器，有多少是从创意中得来的啊！我看，这个唐五单是将机括与人形魂导器结合，大量节约核心法阵的创意，就足以获得这个冠军了。反正老夫已经决定偏帮这个小子了。稍后对战的时候，谁要是敢对这个小子下杀手，哼哼！"

叶雨霖瞥了他一眼，道："这还用得着你吗？看看天上，那是什么？你当老夫是吃素的。"

另外一名裁判忍不住道："这似乎不太好吧……这地下三大势力对我们的孝敬也不少。我们要是破坏比赛的话……"

叶雨霖瞪了他一眼，一副随时要爆发的模样，低吼道："狗屁。我问你，老张，和魂导器跨时代的进步相比，这大赛重要吗？重要吗？"

张老明显说不过他，气势一弱，道："好，好。叶老，都依你就是。不过，尽可能别做得太过分。而且，这个年轻人如果连魂导器都制作不完，后面的比赛恐怕也参加不了啊！"

叶雨霖冷哼一声："不参加也好。大不了老夫再做一套日月神针送他当见面礼。"

威逼利诱！王老暗暗腹诽。看到这个优秀的年轻人，叶雨霖这老东西真是连脸都不要了，明摆着就是一副要强取豪夺的模样。可惜，真是可惜啊！这么优秀的年轻人，怎

077

么不让我早一点遇到呢？

他们几位裁判在这边暗自商议。另一边，霍雨浩的背脊不禁有些发凉。他下意识地抬头看时，正好看到那几位被覆盖在单独隔音护罩中的裁判正在盯着他看。

坏了，显摆得有些大发了。唉！还是先做魂导器，拼接外壳之后，在外壳内直接拼接机括比较好啊！可惜。

算了，就陪他们玩玩好了。

一抹玩味的笑容出现在霍雨浩的嘴角处。他猛地一抬头，动作极大，目光直接投向了天空之中。面部表情瞬间变得呆滞了。

那些裁判，本来就在聚精会神地盯着他，看到他突然大变的表情都吓了一跳。无论是什么级别的魂导师，在这种时候的反应都是一样的——顺着霍雨浩的目光朝着天空中看去。

但是，他们立刻发现，霍雨浩盯着的方向根本就是一片漆黑的夜空，空无一物啊！

他们不知道的是，就在他们将目光挪移开来的时候，一抹扭曲的光芒已经悄无声息地穿过了外面那层隔音护罩，从霍雨浩后脑处钻入。

这一次，霍雨浩真的全身一震。

当那些老裁判将目光重新落在他脸上的时候，却看到，霍雨浩一副恍然大悟的模样。他快速低下头，又开始进行机括的拼接了。

王老赞叹道："这个小家伙还真吓人。我还以为他看到了什么，原来是想通了一个难题啊！以他这等天赋，突然想通或者领悟的东西，一定是相当不错的。看，他开始制作核心法阵了。咦，他手里的刻刀很漂亮啊！是列榜刻刀吗？"

可不是吗？另一边，霍雨浩终于开始制作核心法阵了。而他手中的刻刀，也变成了一柄通体碧绿，充满了生命气息的奇异存在。

没错，就在刚才那一瞬，霍雨浩分离的精神之体终于及时赶回。精神、灵魂瞬间回归，融为一体后，霍雨浩顿时感觉自己先前虚弱的精神状态立刻恢复了正常，并且还有一种升华的感觉。

这真是太美妙了。霍雨浩心中暗暗赞叹。同时回归的生灵守望之刃已经在他掌心之中跳动起来。

精神之体带着三女完成任务之后，又带着她们完成了一些善后工作，离开那边，出来和徐三石、江楠楠会合。他们返回明悦酒店，去带贝贝前往西郊这边后，霍雨浩才立刻和大家分开。精神之体用最快的速度赶了回来。

先前的两个信号，就是他们离开地下仓库之后，由王冬儿发射的。

一抹淡淡的微笑在霍雨浩面庞上荡漾。他实在是忍不住想笑啊！那是极为满足的笑容。

今天的收获，实在是太大了。这一次，日月帝国送了自己一份大礼，自己也留了一份大礼给他们。这两份大礼，可以极大程度地拖延他们发起侵略战争的时间。

想到这里，霍雨浩的精神更加饱满，手上的动作也不自觉地进入了全速状态。

七位裁判，此时已经完全进入了目瞪口呆的状态。

先前动作有些缓慢的霍雨浩，在那瞬间的"明悟"之后，就像打了鸡血一般，迅速地开始了核心法阵的制作。

他首先使用的，是一种名叫钻石精金的特殊稀有金属。这种钻石精金是从精金里提炼出来的。一般来说，一公斤精金只能提炼出三十克钻石精金。因为太过奢侈，这种稀有金属是很少使用的。但是，它本身的特性相当强大。

除了具备精金极佳的魂力传导性之外，钻石精金通过自己内部紧密的折射结构，还有放大魂力波动的特性。

在魂导器中，有一种极为罕见的特殊魂导器——魂力放大器。它最主要的制作核心，就是这种钻石精金，必须要用钻石精金来制作核心法阵。

魂力放大器本身并没有魂导器等级，但任何魂导器多了它，自身都能上升一级。九级魂导器除外。

钻石精金，在九名参赛者中，只有夕水盟这边的选手才有。而只有霍雨浩的桌子上，才有这么婴儿拳头大小的一块。

这就是南宫婉对霍雨浩的偏心了。想要收徒弟的，可不只有叶雨霖一个人。别忘了，还有那位夕水盟盟主啊！

霍雨浩在使用了几块稀有金属后，才在那一堆稀有金属的缝隙中看到这块钻石精金。这玩意儿的价值，同样是没办法用金钱衡量的。哪怕只是金属，这么一块钻石精金的价值都可以媲美八级魂导器。

魂力放大器本身有"不是九级的九级魂导器"之称，可以想见这钻石精金的价值了。

钻石精金虽好，但也有自己的一些特性。最主要的一个特性就是坚硬。

"钻石"这两个字可不只是形容它拥有众多内部折射能力，还有一个原因就是它的硬度。

钻石精金，就算是九级魂导师用刻刀去雕刻，都是极为困难的。没有强大的魂力支持，没有足够坚硬的刻刀，根本别想在它上面留下任何痕迹。

可是，此时就在众位裁判的注视下，霍雨浩手中的那柄碧绿色刻刀上下翻飞，竟然把钻石精金雕刻得粉末横飞。

"他用的刻刀不是列榜刻刀。"七位裁判中，一位八级魂导师肯定地说道。别看他不是九级魂导师，但要说对列榜刻刀的研究，其他人还真比不上他。他说不是，那就肯定不是了。

叶雨霖皱眉道："如果不是的话，那么，做榜单的人一定是瞎了眼睛。要不就是这柄刻刀从未出现过。单是从它能够轻松切割钻石精金这一点就能看出它的威力了。破坚，这应该是我看到的效果最好的一柄刀，比我的晨星还要好。"

王老由衷地点了点头，道："确实如此。我看这小子甚至没有用魂力催动。他这刻刀一定有古怪，不只是锋利那么简单。其自身估计附带着破坚特性吧。只是，这特性也太强烈了一些。"

叶雨霖道："会不会是夕水盟那边拿出来给他用的？我现在对这小子的信心越来越足了。"

张老笑道："可不是吗？夕水盟那么精明，却舍得把钻石精金拿出来给他用。他们对这个年轻人的重视程度可想而知。他们要是对他没信心才怪了。"

叶雨霖微笑道："那我们就好好期待着，这个年轻人将人形魂导器做出来吧。在我心中，他已经是今天的冠军了。"说到这里，他的瞳孔突然放大，惊讶地道，"好家伙，就这么一会儿，一个核心法阵就做完了！"

可不是吗？那块钻石精金的核心法阵在霍雨浩的雕刻过程中已经完成了。而且，霍雨浩不知道从什么地方摸出一个小瓶子，抬手一吸，就把之前雕刻下来的钻石精金粉末全都吸了起来，引入瓶子之中。这可是好东西啊！哪怕是一点粉末，也有特殊的作用。

紧接着，霍雨浩就已经开始雕刻第二个核心法阵。他不用任何辅助工具，只是用左手拿着稀有金属，右手用生灵守望之刃迅速雕刻。金属粉末再次四散纷飞。

他此时的速度，比先前制作任何零件时都要快，手上甚至已经开始带出残影了。

这个状态下的霍雨浩，确实已经进入制作魂导器的最强状态了。在之前的比赛中，他一直都在隐藏实力。而到了现在这个时候，在这最后一场决赛上，他已经没有任何隐藏的必要了。这场比赛结束之后，他和这些人恐怕再也不会平和地见面。或许，他们在未来的战场上才会相见。

生灵守望之刃在手中的金属上轻轻一点，迅速完成了一个三圆弧切割，精确得简直就像用尺子量过一般。去角、闪电切割、钻眼、透点，各种技巧不断地在他的五指之间变幻着。

霍雨浩成为魂导师，确实有着得天独厚的条件。精神力方面，他甚至比在场的九级魂导师们都强。双手的灵活程度就更别说了。有唐门玄玉手的功夫和对暗器的练习，再加上精神力的牵引，他是绝对不会出现任何错误的。只要是他脑海中想到的，精神力都会引导着他的双手极其准确地执行出来。

整个过程，想要出错都不容易。

精神之体返回，从虚弱到正常，对霍雨浩来说，就像升华一般。在这美妙的感受中，霍雨浩手中的刻刀上下翻飞，一道道精美的花纹不断出现在稀有金属之上。他自己已经完全进入魂导器制作的状态之中，再无任何外物的牵挂，全身心地投入到了制作之中。

轩梓文曾经感叹过——如果霍雨浩能够将全部精力都放在制作魂导器上，以他的天赋，很有可能会成为魂导师界史无前例的十级魂导师。

极致之冰，让他成为超级斗罗不算太困难。而他制作魂导器方面的天赋，更是那么得天独厚。轩梓文甚至认为，霍雨浩在魂导器制作方面的天分，比他在魂师修炼中的天分更高。

不过，轩梓文也告诉过霍雨浩，魂导师达到七级，天赋占据很大成分，但是，要想从七级继续向上升，那么，付出的努力就要是之前的十倍。如果不能全身心地投入，那么，几乎是不可能做到的。因此，等他到了七环魂圣修为之后，一定要有所选择。

霍雨浩当时就给了轩梓文答案。早在成为魂导师的那一天，他其实就已经选择了。他的选择很简单——魂师结合魂导器。这也是他一直认为的未来的发展主流。他是不可能放弃魂师修炼的，无论是出于自身想要攀升巅峰的目的，还是为了和他共享共荣的天梦、冰帝、雪帝，他都必须在自身的修为上刻苦努力。

霍雨浩将自己的想法告诉了轩梓文。他未来的目标很简单，那就是通过魂导器来增

强魂师自身的能力。什么时候，魂导器能够成为魂师的放大器，那么，他的目标就完成了。

第二个核心法阵也同样迅速完成。霍雨浩的速度丝毫不减。

七位裁判都是顶尖的魂导师，他们自然明白霍雨浩此时所处的这个状态。这本身也是他们平时在制作魂导器时梦寐以求的状态啊！

这种状态在魂导师界被称为身心合一，是没办法刻意追求的，只有在精气神处于最佳状态，自身修为、精神力都达到一定程度后，才能达到。

要制作九级魂导器，就必须进入身心合一的状态之中。一般魂导师哪有霍雨浩精神探测那种变态的能力辅助自己不出错？唯有在身心合一之下，他们才能如同行云流水般完成最复杂的制作。

星空斗罗、九级魂导师叶雨霖看着霍雨浩的目光甚至开始变得贪婪了。奇才，简直就是奇才啊！无论他的老师是谁，也一定要将他抢过来才行。这样的弟子，绝对是任何魂导师都梦寐以求的。

其他魂导师的制作进度和霍雨浩恰恰相反，核心法阵基本上都已经制作完成了，开始相对轻松地制作其他魂导器部件。

因为后面有技巧挑战赛，所以，在他们的计划之中，制作完成手头的魂导器之后，都给自己留了恢复精力的时间，好面对后面极为严苛的技巧考核。

在放松下来之后，他们不自觉地会注意一下对手的情况。很快，霍雨浩就成了他们关注的对象。

没法不关注啊！那家伙身边站立着一个身高两米五左右的人形魂导器啊！

代表奥都商会出赛的一位魂导师在看到那人形魂导器的时候，手中的冲压磨具直接偏了，浪费了一块稀有金属，还差点砸到自己的手。

其他魂导师看到这一幕后，也都险些瞪出了眼珠子……只有没看霍雨浩的和菜头，才能保持淡定从容。

人形魂导器？他竟然在比赛中制作人形魂导器！

"那个唐五，是个人才。他的来历查清楚了吗？"副教主刻意压抑着的女声淡淡地响起。

南宫婉赶忙恭敬地道："我让人去查了，不过并没有查到什么。他和唐四就像凭空冒出来的似的。之前他们带有随从，我们以为他们是出身于宗门的。但查遍了各个宗门，都没有结果。不过，他的身份来历我觉得不太重要。为了奖品前来参赛，就意味着他至少在经济上并不富裕。至于其他的，都不是问题。给他洗脑就是了。"

副教主冷哼一声："蠢货。"

南宫碗心中一凛，脸色微微一变，赶忙躬身道："请副教主教训。"

第346章
和时间赛跑

副教主冷冷地道："他是魂导师，不是魂师。他要做的都是有创造性的事。给他洗了脑，记忆力会大幅度降低，魂师能力好办，通过引导和锻炼可以很快恢复，但制作魂导器这么精细的能力可以恢复吗？这个年轻人，还是要以拉拢为主。"

南宫婉赶忙颔首道："是。这次我们拿出一枚九级定装魂导炮弹，就是为了拉拢他。属下的意思是，万一他不肯就范，逼不得已之下，再考虑给他洗脑。"

"嗯。这次比赛结束后，不要让他脱离我们的视线。"副教主冷冷地吩咐着。

如果让熟悉霍雨浩的人知道眼前发生的这一切，那么，一定会想——这香饽饽，走到哪里都是香饽饽啊！

明都城内。

一道道身影闪过，从天而降，落入日月皇家魂导师学院旁边的院落之中。

皇宫那边的事情解决了，那些负责守卫重要仓库的高阶魂导师都在第一时间赶了回来。毕竟，他们这边是重地，万一出现问题可就麻烦了。

负责驻守在这里的高阶魂导师一共有八位。为首的是一位老者，身材高大，却有些消瘦，眼窝深陷，皮肤黝黑，竟是有几分皇族血统的。当然，自从徐天然之父、当今的皇帝陛下篡夺了皇位之后，这黝黑的皇室肤色正在被当今的皇室这一脉逐渐淡化着。

眼前这位，虽然血统是前皇室的，却是当年的背叛者之一，深受当今日月帝国皇帝的宠信。不过，他并不是太子徐天然的支持者，是徐天然现在正在努力拉拢的对象。

此人名叫徐国忠，实际上却一点都不忠心，对利益看得极重。当年，他帮助当今的皇帝篡夺皇位成功，获得了大量的珍贵药物，才有了今天的修为。

别看他只是镇守这么一个仓库，待遇之高却令人咋舌，关键是有权力。想要调动这个仓库内储存的稀有金属和装备，是必须要有皇帝手谕的。别人谁也别想动，太子都不行。

这里面稀有金属的盘点、储存数量，都在他的一手控制之中。偶尔走私一些出去，带来的财富就是天文数字。徐国忠本身还是帝国亲王，绝对是个位高权重的实权派。在军方他也有不少关系，自己还是九级魂导师，是日月帝国真正的大人物。

最近徐天然一直在努力地拉拢他，但他一直没有明确表态。他还在期待更大的利益。毕竟，以他在帝国的权力，就算徐天然登基了，也必然是需要他的。

徐国忠是个典型的守财奴，以他的身份地位，本来是不需要天天来仓库这边的，在自己的王府就行了，可他最大的乐趣就是清点仓库内的宝贝，尤其是第二层和第三层的。

李冲身为管事，偶尔弄出去的一点稀有金属，只能是第一层的。后面两层，徐国忠可都心中有数。

此时，他去皇宫巡查一番，眼看那边没事，就立刻赶了回来。他还是第一次看到那么多封号斗罗级别的强者，心有戚戚啊！明都内的局面突然变得扑朔迷离，他之所以这么快赶回来，除了担心这边的安危之外，更重要的是担心自己的安危。还有什么地方比他这深入地下百米的仓库更安全呢？而且，连霍雨浩都没有发现的是，在这个地下仓库内，还有着徐国忠自己的一个地宫。那里面绝对是应有尽有，比他的王府都要豪华。

"李冲呢？"走进胡同，眼看外面的守卫一切正常，徐国忠也就放下心来，大步进了院子。

在这里，他是唯一一个拥有所有进门钥匙的人。第三层和第二层的钥匙，除了他之外，别人都没有，想要监守自盗是不可能的。

一进院子，徐国忠就呼唤起自己的亲信了。李冲偶尔弄点猫腻，往外走私一点，他其实是知道的。但李冲不但很有才干，对他也忠心得很，他也就睁一只眼闭一只眼了。在这里跟随他的，都是他的亲信。要是没有点利益可图，人家哪能一直为他卖命啊？

不说别的，单是这里有着天文数字价值的稀有金属，就是吸引那些高阶魂导师的重要因素了。

"李冲，死哪去了？快给本王出来。"徐国忠见李冲竟然没有在第一时间迎出来，心中顿时有些不爽。

依旧没有动静。

徐国忠也是年老成精之辈，心中立刻意识到了什么，眼神一凛，沉声喝道："戒备。"

他身边带着的七名魂导师都是高阶魂导师，其中有三位是八级魂导师。一时间，他们各自释放出了自己得意的魂导器。魂导护罩开启，那几名八级魂导师立刻向几个房间内进行搜索去了。

可是，李冲却像凭空消失了一般。几个房间都是空荡荡的，没有人影。这里也没有任何其他变化。

一名魂导师从房间中走出来，忍不住笑道："王爷，那小子不会出去喝酒了吧？"

徐国忠脸色连变，沉声喝道："不对。李冲一向尽忠职守，刚才外面有那么大的动静，他哪有那种胆子？快，进仓库。"

说着，他自己也开启了魂导护罩冲入中间的房间，打开柜子，按动密码，就要乘坐升降梯进入仓库。

很快，升降梯升起。一切似乎都很正常。徐国忠带着他这一批高阶下属进了升降梯。

一名七级魂导师在升降梯墙壁上有节奏地敲击着，正当他们准备乘坐着升降梯下行之时，升降梯动了。紧接着，一股强烈的失重感瞬间传来。

"笨蛋，你干了什么？"徐国忠大怒道。

这种失重的感觉他当然知道是怎么回事，这分明就是升降梯里机关发动的状态。

这个地下仓库的入口虽然不只一个，但这部升降梯是他们这边唯一的入口，自然有防盗措施。一旦敲击出现错误，那么，升降梯就会瞬间下滑，卡在下行通道的中央位置，并且向外发出警报。而这部升降梯本身是用厚达一尺的合金铸造而成的，极为坚韧。盗贼进入其中，只能是瓮中捉鳖的局面。

之前也不是没有过自己人失误被困在里面的情况，但跟随着徐国忠的都是仓库的老人，竟然还出现这种错误，而且是在这种关键时刻，怎能让他不怒呢？

　　果然，升降梯在下滑数十米之后，伴随着"咔"的一声轻响，卡住了。

　　那位敲击升降梯墙壁的七级魂导师看着同僚们鄙夷的目光和徐国忠愤怒的面庞，一脸尴尬。

　　"王爷，我好像没敲错啊！"

　　"还没敲错？等出去再收拾你。赶快重新启动。"说着，他从怀中摸出一片金色钥匙，从另一侧墙壁一个不起眼的小孔中插了进去。

　　怪异的事情发生了——钥匙是插进去了，可是，魂导升降梯却依旧没有任何动静，仿佛完全卡死在了这里，不动分毫。

　　这时候，一名八级魂导师仿佛突然想起了什么，道："王爷，您听。怎么没有警报声？"

　　徐国忠一愣。是啊！升降梯这边出问题的话，应该立刻就有警报响起，不但会惊动明德堂那边的人，甚至会有警报直接出现在皇宫那边。这也是他刚才认为属下犯错之后发怒的原因。自己人弄错了机关，这可是丢人的事。

　　徐国忠又用力地扳动了几下金色钥匙，确认没有任何反应之后，脸色顿时变得更加难看了。

　　"不对。被人动了手脚。快，强行破开。近战魂导师，动手，从下方突破。"徐国忠何等老辣，在第一时间就做出了判断。仓库恐怕真的被人入侵了。尽管他对仓库内的各种布置和魂导器陷阱很有信心，但作为一个守财奴，他最怕的就是自己最珍惜的东西出问题啊！更何况，那地宫之中，还有他最喜爱的几个小宝贝呢。

　　"第九个了吧？"数着霍雨浩制作出的核心法阵，叶雨霖暗暗感叹着。

　　就是这不到半个时辰的工夫，那叫唐五的小子已经做完了第九个核心法阵。按照他这个速度，十八个核心法阵确实来得及在三个时辰内完成。

　　半个时辰做九个核心法阵？还是六级以上的核心法阵？诸位裁判都有点自惭形秽了。他们并不是没有这个能力，但是，持续半个时辰保持身心合一的境界可不是那么容易的事啊！就算是他们，一年中也未必能碰到一次。可这小子做到了。

　　这些核心法阵，就像一个个精美的艺术品一般摆放在魂导器制作台上。霍雨浩则像一台没有任何误差的机器，快速运转着。

　　"唉——"叶雨霖叹了一口气，有些无奈地摇了摇头。

王老在一旁揶揄道："觉得没什么可教他的，是不是？这小子的基础，已经不比我们的水平差了。除了一些高阶的核心法阵以及经验之外，我们比他强的，恐怕就只有修为而已。我看，他差不多有七级魂导师的能力了。修为或许还不到，但在能力方面，丝毫没有问题。"

叶雨霖轻轻地点了点头："是啊！如果他真的像外表这么年轻的话，我们这些老头子就真要羞愧了。虽然他是个残疾人，但我很看好他。说不定，未来他能在我们魂导师界创造奇迹呢。"

王老也轻叹一声，道："你也不要对他看得太高。在这个世界上永远不缺乏天才，但是，天才最终能够成为大才，甚至是一代天骄的，却少之又少。还要看他未来的发展方向。我现在就想看看，他仅仅使用十八个核心法阵，能够把这人形魂导器做到什么程度。你发现没有？他已经做出来的这九个核心法阵，可没有一个是针对武器的。按照比赛规则，每个人只能制作一件魂导器，如果他另接武器，那是违反规则的。"

"嗯。等等看吧。他有如此高的天赋，应该不是个没谱的小子。在他没完成之前，我看我们也猜不到他究竟要做什么了。"

第十个、第十一个、第十二个……

一个个核心法阵在霍雨浩手中不断地完成着。

时间已经过去了两个半时辰。在这个时候，已经有人完成了自己的制作。

第一个完成魂导器制作的，正是和霍雨浩、和菜头一起代表夕水盟出战的黄征。

黄征制作的魂导器也很有特色，是一只巨大的机械手，长约一米二，前端是三根利爪。整个机械臂应该是套在手臂上使用的，看上去寒光森森。至于这件魂导器的作用究竟是什么，那就只有在之后的比赛中才能知道了。能够用来参赛的，显然不会是常规的魂导器，从外表是绝对看不出什么端倪的。

黄征制作完成自己的魂导器之后，并没有离开位子，而是盘膝坐在那里，似乎进入了冥想状态。整个人都显得很有条理，不紧不慢的。

台下休息区的三长老满意地点了点头。和那让人揪心的霍雨浩相比，自己这个弟子展现出的才是一名真正的优秀魂导师应该展现出的能力啊！他虽然对霍雨浩很感兴趣，但对自己的徒弟也是很有信心的。

和菜头是第二个完成魂导器制作的人。他制作出的这件魂导器，看上去就足够彪悍了。

那是一门巨炮。从表面看上去，那根本就不像是正常人类能够使用的家伙……

霍雨浩制作的魂导器用的稀有金属虽多，但在体积上，未必比和菜头这个大。

和菜头制作的这门巨炮，炮身长度足有三米五，最恐怖的是口径，直径竟然有足足两尺啊！

这玩意儿如果竖立起来，简直就是一根粗大的房柱，用来承重看上去倒是很不错的选择。

因为使用的稀有金属种类多，而单一种类使用的数量并不算太多，因此，和菜头这个巨炮简直就是一个花里胡哨的东西。上面闪烁着各种颜色的金属光芒。

浪费！让七位裁判来评价他这门巨炮的话，用"浪费"两个字再合适不过了。这么一门巨炮，先不说能不能直接使用，就算能够使用也是浪费啊！

这门巨炮确实是一件七级魂导器，而且能够看出，它是七级的速射炮。在七级魂导器之中，这种速射炮是十分实用的。因为它既能够发射魂力炮弹，也能够用来发射定装魂导炮弹。规格从四级到七级的炮弹都可以进行发射。

但是，这种速射炮是放在基座上，后面要带炮台，用马车拉，再由魂导师进行发射的啊！哪有他做的这样，根本没有基座，就是一个炮管，然后核心法阵都放在内部的？

难道他要肩扛速射炮吗？就算能发射，这么不灵活，能干什么用？这速射炮是没办法对对手进行锁定的，全要凭借自己的眼力来判断取准。

进入最后的半个时辰，其他人的速度也都开始明显加快了。大多数人都进入了最后的拼装阶段，保守估计，他们至少会提前一刻钟完成制作。只有霍雨浩这边，似乎还很没谱。他的核心法阵还差最后三个，而这三个似乎特别复杂，他需要很长的时间才能做好一个。

其他人的魂导器终于一一完成了。当第八个人完成的时候，果然还剩最后一刻钟。而这个时候的霍雨浩，依旧在制作着他的最后一个核心法阵。

这个核心法阵的个头很大，有人头大小。他使用的材料也不只是一种稀有金属。

"拼接式核心法阵？"叶雨霖不愧是裁判长，第一个看出了端倪。

所谓拼接式核心法阵，就是将几个核心法阵拼接在一起，形成一个多功能的全新核心法阵。

这可不是简单地将几个核心法阵连接起来就行了，而是要让它们互通有无，相辅相成。这已经是高阶魂导师的技巧。

难怪他制作最后这个核心法阵时会这么慢。那应该至少是由三个核心法阵拼接而成的。时间够不够？

叶雨霖抬头看了一眼沙漏，只剩下最后几分钟了。半个时辰在制作魂导器的时候，只不过是十分短暂的时间而已。

王老低声问："要不要延长一些时间？"

叶雨霖摇了摇头，道："他是否能获得冠军真的重要吗？就算沙漏走完，也让他完成最后的制作。在我们心中他是第一就足够了。你去告诉那些已经完成的小家伙，谁也不许出声打扰他，否则按照犯规处置。"

王老撇了撇嘴，道："你可真偏心啊！"

叶雨霖冷哼一声："老夫一向认为，护短是美德。"

王老哈哈一笑："好一个美德！好，我去。"

当下，其他八名参赛魂导师就接到了通知，让他们原地等待，就算时间到了，也不得打扰霍雨浩。

霍雨浩的额头上已经有细密的汗珠冒出来了。他自然知道时间紧迫，而在这种全身心的制作之中，他整个人的精气神都攀升到了巅峰。他甚至感觉自己已经集齐的庞大的精神力在这种状态下正在潜移默化地影响着自己的精神之海，让精神之海进一步升华。

此时此刻，在他脑海中蛰伏着的冰帝、天梦冰蚕和雪帝，全都极为安静，都怕略微一点声音就会打扰到他。

霍雨浩能够进入目前的状态之中，也可以说是幸运使然。他今天完成了精神分离，并且长时间地让精神之体游离在外。这个能力对于一般魂导师来说是绝对不敢用的。普通魂导师可没有天梦冰蚕这样的百万年魂兽在精神之海中护住自己的灵魂本体。一个不好，就会有自身灵魂破碎的危险啊！

霍雨浩的尝试是成功的，而且，他的精神之体在最后关头终于及时返回了。灵魂与精神力重新融合，使得霍雨浩对自己有形无质的精神境界有了进一步的理解。在这个时候，他很快地进入了身心合一的境界中，促使精神力开始快速运转，与先前的一些领悟完全融合，才有了眼前的升华过程。

霍雨浩的精神力，有很大一部分是凭借当初那株望穿秋水露仙草提升起来的。他虽然融合了仙草，可由仙草提升起来的精神力一直不能被他完全控制。毕竟，他的身体相对于自己的精神力来说，还是十分脆弱的。要不是有命运之眼的存在，他甚至都无法储存这么庞大的精神能量。

此时此刻，伴随着精神力的升华，精神力与他的身体进行着进一步的结合。这种结合的过程，增强着他大脑之中精神之海的承载能力，以及自身与这些精神力的契合程度。契合度越高，他使用精神力时自身的负荷就会越小。哪怕身体能力没有增强，他在施展精神力的时候也能释放得更多。

原本霍雨浩这最后一个核心法阵只需要一个就可以了，但是，沉浸在这种境界之中的他决定给自己增加难度，进一步地压迫自己进行更高层次的升华。这固然有可能导致他比赛失败，但是，和这场比赛相比，抓住这个机会进行精神力升华显然是更加重要的。

当然，霍雨浩肯定不会承认，他的精神力达到如此高度，与他刚刚做了一回大盗，盗取了无数珍稀材料有着直接的关系。

此时，在西郊比赛场地的不远处，唐门众人已经和史莱克学院众人会合了。

张乐萱几乎和徐三石他们同时到达酒店。见霍雨浩果然有所安排，张乐萱这才放下心来，和唐门其他人一起护着贝贝迅速出城。

正如玄老所说的那样，明都内部果然已经戒严了。大量的军队进驻城中。虽然谁都知道这些军队对于强大的魂导师是没有什么作用的，但是，有总比没有强，至少能够压缩他们的空间。

众人出城的过程并不算太过惊险。明都没有城墙的坏处也就显现了出来。在张乐萱的帮助下，他们很顺利地来到城外，与玄老等人会合在一起。

霍雨浩早就告诉了众人，比赛场地那边有大量的邪魂师强者，所以，玄老就安排众人在数公里之外的一片树林中休息着。玄老亲自前去探查，以他的修为，自然不怕被人发现。

"这小子现在果真有几分极限单兵的味道了。"在远处看着比赛台上正忙碌着的霍雨浩，玄老心中暗暗点头。这次霍雨浩立了大功，回去之后，可以把他上次的处分取消了。

可惜，老毒物那些人不靠谱。不然的话，把他们都引到这里来，肯定会有不小的收获。

想着，玄老眼中已经露出了几分杀机。

如果能将眼前这些地下三大势力的人、圣灵教的人、魂导师裁判们全部围歼，对于

日月帝国的打击恐怕比击杀徐天然小不了多少。

但玄老很清楚，这只是个美好的想法罢了。

此地封号斗罗级别的邪魂师就有五人，还有数名九级魂导师，可谓强者众多。史莱克学院这次来的人，就算能够战胜他们，也不会是完胜。更何况，大战是需要时间的。而日月帝国那边明知道他们会朝着西边来，显然早有准备。

空中悬浮着的日月神针，就连玄老都觉得很有威胁。

幸好雨浩带来的消息及时啊！把那条圣灵教副教主以及几名长老在此的消息让王冬儿他们带了过来。不然的话，玄老说不定真会率领众人发动一场突袭。而他们现在已经与本体宗分开，一旦被对手赶来的援军围住，那必然会损失惨重的。

权衡利弊之下，玄老还是选择了隐忍。他现在的目的很简单——只要将霍雨浩、和菜头接应出去，今天的计划就算完成了。接下来，就看霍雨浩先前发出的那个绿色信号能够带给他们多少惊喜了。

日月帝国皇宫建筑物中露出的一个个炮口，此时已经全部收回了。各种打扫、修复工作都在井井有条地进行着。

徐天然依旧站在书房废墟的前方。圣灵教教主和镜红尘分别站在他的两侧。此时，邪魂师们都已经消失不见了，不知道去了什么地方。那位龙皇斗罗更是早已不见了踪影。

一名身穿淡金色劲装的侍卫快速跑到镜红尘身边，低声说了几句什么。

镜红尘点了点头，走到徐天然身边，道："太子殿下。东、北、南三面的最高警戒已经完成。九级定装魂导炮准备完毕。只要他们敢从这三个方向突围，立刻就会遭受到我们最强的炮火攻击。根据我们的探子回报，目前，他们已经兵分两路。以史莱克学院那些人为首的一批，去了西边。而以本体宗、天魂帝国、星罗帝国为首的那些人则去了城东的一座子爵府。他们进入府邸之后就没动静了，似乎是蛰伏了起来。"

"蛰伏？"徐天然眉头微皱，双眼微眯，"命人加强监视，一定要争取逼迫他们也从西边走。他们恐怕不只是蛰伏那么简单。如果他们和史莱克学院是出现分歧才分兵两路的话，他们的突围方向就一定不在西边。国师，可否派一些您的人过去？"

"好。"圣灵教教主点了点头，转身没入黑暗之中，几次呼吸的时间之后，才返回。

"我已经命人过去了。我派去的人会和帝国的魂导师军团配合。没有史莱克那些人，他们想要强行突围的话，必定要付出惨痛的代价。其实，刚才在这里，殿下为何不让我们全力以赴？如果我们全力出手的话，那些人至少能留下一半以上。"

徐天然眼神微微一变，微笑道："这里是帝国首都，又是我明都皇宫的所在地。全力以赴和他们硬拼，固然能给他们造成极大的损失，但我们的伤亡也一定不会小。而且，他们有那么多封号斗罗级别的强者，一旦不顾及那不成文的规矩向城内发动攻击的话，明都就要生灵涂炭了。让我如何向臣民们交代？我们这次不但要给他们沉重的打击，还要尽可能地避免自身伤亡。贵教培养人才也不容易啊！"

徐天然自然很清楚圣灵教教主为什么会主张直接在这里动手。他才不会顾及生灵涂炭呢。大量的平民死亡，对于他们这些邪魂师来说反而是大有好处的。他自然唯恐天下不乱。可自己又如何能让他这么做？坦白说，徐天然其实并不怕史莱克学院、本体宗那些人违背封号斗罗战斗的规矩，反而更怕这些邪魂师趁势搞乱，大量杀伤平民。

圣灵教教主冷哼一声，道："唐门那些小东西，一定不能让他们逃掉。我要将他们都做成尸傀。"他恨极了唐门的人。数名优秀的青年邪魂师死亡，带给他的刺激是相当大的。痛彻心扉啊！

徐天然道："国师尽管放心。既然史莱克学院的人已经去了西边，自然就是要从西边走了。而且，他们是放不下那万年荣耀的。明天，史莱克和唐门还有一战。他们至少不会在这之前离开。他们目前撤出城，稍晚时候，恐怕还会回来。他们可舍不得那些年轻一代的佼佼者。只要他们去了西边，我就可以保证他们一个也跑不掉。我们还能以最小的代价将他们留下来。"

圣灵教主微微颔首，不再吭声。

最后几分钟了！

看着沙漏里仅存不多的沙砾，叶雨霖都有些紧张起来了。霍雨浩手上依旧在忙着。他那最后一个三位一体的核心法阵似乎就要完成了。

来得及吗？

此时的霍雨浩，可以说是万众瞩目，不知道多少人都在手心里为他捏着一把汗。

最关心这场比赛胜负的自然是下了重注的那些赌徒。他们此时一个个都口干舌燥。当然，绝大多数人没有押注在霍雨浩身上。他们都在心中暗暗唱衰。虽然他们不认识霍

雨浩制作出的人形魂导器，但这玩意儿酷似人类，怎么看都是威能不错的存在。

叶雨霖收回了身边的隔音魂导器，沉声道："沙漏计时即将结束。结束后，老夫将倒数十个数，为最终计时。"

他现在能做的，就是为霍雨浩尽可能地多争取一点时间了。

叶雨霖的声音令霍雨浩手上的动作略微停顿了一下，但很快就继续了。

"噌！"一刀划过，一个完美勾勒出的三折弧线完成，霍雨浩手中的生灵守望之刃光芒闪烁，无比动人。在他面前的核心法阵也亮起了一团柔和的光芒。

成了！

叶雨霖等七位裁判以及其他八名参赛选手的眼睛瞬间瞪大了。最后一个核心法阵，终于在这最关键的时刻完成了。

也就在这时，沙砾流光！

"倒计时开始，十——"叶雨霖高声说道。他故意将自己的声音拉长。

霍雨浩及时完成了最后一个核心法阵，长出一口气，差点忘了自己的双腿不能行走，竟下意识地就要站起身。双腿自然很不给力，身体一晃，险些摔倒。

看到这一幕，叶雨霖不禁心头一沉。是啊！连续高强度地制作出了这么多核心法阵，再加上之前的制作，他的精力一定透支了。叶雨霖哪知道霍雨浩这会儿是因为精神高度集中在犯二啊……

霍雨浩一把扶住桌子，才没让自己摔倒。他赶忙拿起两个核心法阵，就转向了身边已经完成的人形魂导器。

"九——"

"八——"

"七——"

无论叶雨霖多想偏帮霍雨浩，也不能在表面上做得太明显。这次大赛，可是事关三大地下势力重新洗牌的大事。

"六——"

"五——"

霍雨浩的动作很快。他用事实向叶雨霖证明了他这件人形魂导器设计的合理性。就是这几个倒计时数字念出的工夫，他已经将九个核心法阵都安装了进去。而剩余的九个，也正在迅速地安装。

"四——"

"三——"

"二——"

"一——"

"时间到。全部停手。"叶雨霖真的是尽力了。他就连最后一个数字喊出的时候，都略微拉长了音调。

"咔嚓！"霍雨浩也终于不负众望，在最后一个字喊出的同时，正好将最后一个核心法阵送入人形魂导器的胸腔。

停手，霍雨浩双手扶在面前的魂导器制作台上，明显有些喘气。他确实是有些累了，就算拥有最强的精神力，这会儿也有些倦了。

这三个时辰，他比别人付出了更多。分出精神之体，前往地下仓库，精神力一直都是消耗着的。回归之后，他又全神贯注地进入身心合一境界中制作魂导器。

第347章
比拼! 出线

　　这身心合一境界确实是好，对制作魂导器有极大的裨益，对他自己的修为也有很大好处。但相对地，精力消耗也是巨大的。

　　从最初开始制作魂导器到此时制作完毕，三个时辰，霍雨浩精神力的消耗相当大。就算他已经进入有形无质的境界，也有点扛不住了。

　　但是，付出总是有收获的。那种升华的感觉被他牢牢抓住，这次之后，精神力必然会有进一步的提升。而且，在刚才制作最为紧张的时候，他明显感觉到自己的魂力也有所提升，似乎冲破了一层壁垒，应该又提升了一级。

　　以他现在的情况，提升魂力等级是很困难的。因为下肢血脉不通，魂力无法完全流转，他几乎都是依靠吸收那些极致之冰天地元力来进行提升。

　　在这种情况下，凭借修炼来提升一级，绝对是惊喜的。修为的提升，对他吸收极致之冰天地元力也大有好处。

　　不过，这些都不能缓解他此时有些虚弱的感觉。但霍雨浩很快地调整了自己的状态，深吸一口气，在体内魂力运转的同时，精神之海也波动起来。浓郁的精神力波动之中，他大脑为之一清。

　　总算做完了。叶雨霖松了一口气。虽然他看得出，霍雨浩这件人形魂导器上面根本没有配备任何武器装备，但至少霍雨浩在规定时间内完成了魂导器制作，进入下一阶段是毫无问题了。

接下来要进行的是技巧考核。以霍雨浩先前制作魂导器时展现出的能力来看，他过关绝对不是什么难事。至于进入八强后能如何，那就看他的本事了。他既然敢制作这样的魂导器出来，一定是有想法的。

"好，所有人都完成了魂导器制作。制作时间结束。从现在开始，你们在接下来的比赛中，就只能使用自己制作的这件魂导器。除此之外，不得再借助任何其他的魂导器。"叶雨霖沉声说道。

看到霍雨浩在最后一刻完成魂导器，有赞叹声，也有惋惜声。他们是什么心情，作为当事人的霍雨浩可没工夫去琢磨。他现在正在集中精神，努力地恢复着自己的精神力。

叶雨霖环视众人一圈，道："下面，我们先进行魂导器检测，确认你们的魂导器是成品。非成品将直接被淘汰出局。"

此言一出，叶雨霖身边的其他六位裁判的嘴角几乎同时抽搐了一下。这偏帮得也太明显了！其他参赛者至少都已经休息了十五分钟，精神较为充沛，只有最后完成的霍雨浩看上去一脸疲惫。

在原本的赛制中，根本就没有这一项。毕竟，在后面的比赛中，如果魂导器自身有问题，那么，在比赛中就会体现出来。叶雨霖这么做，无非是要拖延一点时间给霍雨浩休息。

台下三大地下势力的首脑们，此时都不禁有些奇怪。但要说叶雨霖这个要求不合理吧，也说不上。而且，他们还真不愿意得罪这位九级魂导师。

无奈之下，他们只得看着叶雨霖一本正经地带着众位裁判上前，检查每一位参赛者制作的魂导器。

他们检查得那叫一个仔细，甚至让每一位魂导师都注入魂力，来确保魂导器能够使用。

叶雨霖带着众人最后来到霍雨浩面前，和言语色地道："唐五，你这魂导器制作完成了吗？"

霍雨浩的心思何等敏锐，从叶雨霖先前故意拖延时间的倒计十个数时，他就感觉到这位裁判长在帮自己了。刚开始的时候，他还以为这位裁判长收受了夕水盟的贿赂，但

这突然增加的检查项目一出来，他就觉得不对了。

如果是夕水盟收买了这位裁判长，他应该不会表现得这么明显才对。而且，他看着自己的眼神，和当初言少哲院长知道自己是双生武魂后的眼神一模一样啊！

这位不会是看上我的才能了吧？霍雨浩看看自己身边的人形魂导器，立刻就肯定了自己的猜测。

"您好，裁判长，我已经制作完毕了。我的魂导器制作正常，可以使用。"霍雨浩毕恭毕敬地说道。

虽然他不认为自己能和这位星空斗罗有什么交集，但人家对自己好，他总要表现得恭敬一些。

在叶雨霖眼中，霍雨浩现在是什么都好。这就是对上眼了。眼看他不骄不躁的恭敬模样，他心下更加满意，连连点头，道："好。我如果没看错的话，你刚才是把一些机括类的装置放在你这人形魂导器里面了，对吧？而且，还将它们作为了主要的装置。你认为这些机括能够代替核心法阵吗？你这人形魂导器已经到了能够直接对战的程度吗？"

按说正在比赛，并不是询问的时候，可这位星空斗罗忍不住了。

霍雨浩道："我认为机括在某种程度上是可以代替核心法阵的。毕竟，核心法阵对稀有金属的要求更高，而且制作起来也更繁杂。核心法阵有不稳定的因素在，远不如机括稳定。因此，我认为在一些简单的装置中，完全可以用机括代替核心法阵。这样，不但制作容易，而且也更加可靠。当然，前提是机括要足够精密，这是要经过不断试验的。"

"嗯，有点道理。那你试验一下你这件人形魂导器给我们看看。"

"是。"霍雨浩点头答应一声。

叶雨霖问："需要我们帮忙吗？"说着，指了指他的腿。

霍雨浩微笑着摇摇头，抬手在人形魂导器上按了几下。顿时，魂导器的胸口处开始向两侧裂开，腿部也如此。外壳完全开启，露出了内部。

近距离观察这件人形魂导器，叶雨霖发现，它本身确实是相当精密的，布局也十分合理。里面很多机括组件结合在一起后非常平整。人在其中，并不会难受。空间也比他想象中要大。

霍雨浩道："因为我这件人形魂导器是临时制作的，所以还没有配备一些缓冲的装置，譬如皮革之类的，不然舒适性会更高。"

说着，他双手在面前的制作台上一撑，腰部一甩，将自己的双腿甩到了人形魂导器的腿部空间之中。上身向后一仰，整个人就贴合在了魂导器中。

在他已经设置好的支撑点的作用下，虽然他的双腿没办法行走，但他整个人依旧被这件人形魂导器架在了金属壳内部。

"锵锵"声响起。首先是腿部合拢，将霍雨浩的双腿扣在其中；然后是上身的金属外壳一一扣好，把他整个人完全合拢在内。

这件人形魂导器通体呈现为亮银色。因为使用的外壳金属大部分是银色的，在一些关节的位置，颜色略有不同。整体看起来，它说不上精美，但也绝对不粗糙。

柔和的魂力波动缓缓释放，首先亮起来的是闭合后的双眼位置。那里是两层薄薄的金属，看上去如同水晶一般。淡金色的光芒一下就从那里释放出来。

这种金属叫做水晶钢，本身有很强的硬度和韧性，最大的特点是如同水晶一般透明，用来制作人形魂导器的眼睛部位显然是最合适的。

霍雨浩的灵眸光芒闪烁，释放出精神力。额头与前端的一个核心法阵接触在一起，通过这个核心法阵，把自己的精神力传导到全身的另外十七个核心法阵之上。

魂力传输则是通过小腹处的核心法阵完成的。这是他最后制作的那个最大的核心法阵。

一层柔和的白光开始从人形魂导器上释放开来。霍雨浩的意念微微一动，这件人形魂导器就向前迈出了一步，同时，双臂抬起，做出一个展示肌肉的动作。

"锵！"

真的成功了！叶雨霖眼中满是震撼和惊喜。别看他是九级魂导师，对眼前霍雨浩制作出的这件人形魂导器，他依旧难以置信。

人形魂导器一直是魂导师们难以攻克的难关。其中最麻烦的一点，就是整体控制。

明德堂曾经提出过，大型的人形魂导器一定要通过精神力来进行控制。他们已经成功研究出了密封奶瓶装置，魂力的问题可以通过奶瓶解决，可是，还需要用精神力去引导和控制，对精神力的要求极高，实施起来也是相当困难的。

霍雨浩额头接触的那个核心法阵并不是来自于他自己的研究，而是来自于明德堂的最新科技——精神导引魂导器。这个魂导器是由三位魂导师共同发明的，轩梓文就是其中之一。

在感受了霍雨浩的人形魂导器之后，轩梓文提出给它装上这种精神导引魂导器。霍雨浩通过精神意念来控制人形魂导器，才能达到最佳效果。

叶雨霖十分震撼，就是因为他看到霍雨浩是通过精神力来控制人形魂导器的。霍雨浩的双腿不能动，但可以向前走出这一步，就意味着他的精神力可以直接控制这件人形魂导器。而且，他使用的核心法阵只有十八个啊！

霍雨浩控制着人形魂导器又后退了一步，心中暗暗感慨：能够行走的感觉真是好啊！终于又可以站起来了。

他之前的那件人形魂导器留在了轩梓文那里，让轩梓文继续研究、改善。这次出来，他并没有携带它。因为就算带了，他也不可能在全大陆青年高级魂师精英大赛上使用。那样太容易暴露了。如果不小心被明德堂的人弄去，他的研究成果立刻就会被窃取。

但现在不一样了，他没有使用霍雨浩的身份，他现在是唐五。眼前的比赛结束后，他就会直接消失。制作出这件人形魂导器来辅助自己行动，他的战斗力将直线飙升，行动起来也方便多了。

"尊敬的裁判长，可以了吗？"霍雨浩透过水晶钢看着一脸炽热之色的叶雨霖，微笑着问道。

"哦。可以了！"叶雨霖此时大喜过望。他身边的其他六名裁判也都这样，看着霍雨浩的眼神，简直就像要吃人似的。

台下有那么多人看着呢。

"竟然是人形魂导器！"夕水盟这边，三长老早就坐不住了，站在休息区前方，一脸震撼。

"二哥，我的亲二哥，这个小子你说什么也要让给我。你看到没有？他竟然制作出了人形魂导器，而且能够通过精神传导来控制！你别看他就摆了几个简单的动作，他实际上使用的核心法阵只有十八个啊！就算是我亲自动手制作的话，想要完成他刚才这些简单的动作，并且用精神力进行控制，至少需要四十个核心法阵才行。这小子是个天才，绝对的天才！这样的人才对于我教的魂导器发展太重要了。"

南宫婉也被霍雨浩展现出的能力震撼了一把，但他怎么可能松口，微笑道："我看啊！他在魂师的才能上更胜一筹才对。你忘记上次他施展的魂技了吗？我不会反对他继续学习魂导器。你和他交流一下，也没问题。"

眼看南宫婉不肯松口，三长老立刻转向了副教主："副教主，您也看到了。您是懂魂导器的。这个怎么说？"

副教主淡淡地道："比赛结束后我们再讨论这些，看比赛吧。刚刚接到消息，史莱克学院的人很可能就在附近。他们现在不会突围，但不代表不会朝我们动手。你们都给我做好战斗准备，不要在这个时候内斗。"

听她这么一说，南宫婉和三长老都心头一凛，赶忙点头答应。

比赛台上，霍雨浩这边展示出了惊人的人形魂导器，除了和菜头之外，另外七个参赛者的脸色就不怎么好看了。

连人形魂导器都做出来了！不过，他这玩意儿真的能够战斗，并且足够灵活吗？没有攻击武器怎么战斗？

只有黄征心想：这家伙战斗时不会又用他那邪魂师手段吧？不过，他的能力应该已经被另外两大地下势力知道了，肯定有针对他的办法。这些人做的魂导器，可都不那么好对付。

"下面进行技巧考核。魂导器制作，尤其是核心法阵的制作中，专有技巧是十分重要的。只有拥有了这些技巧，魂导师才能在魂导器制作中攀上巅峰。接下来你们要做的，就是在规定的时间内完成一些技巧。最后一个完成的人，将被淘汰出局。"叶雨霖勉强压抑着内心的亢奋，按照比赛规则说道。

很快，每一位魂师面前都被送上了一个托盘。

这个托盘是方形的，上面有九个格子。每个格子里，有一块正方形的稀有金属。九块稀有金属的颜色各有不同。这些参赛的魂导师，自然都认得这些金属是什么。

霍雨浩自然也看到了。他没有从人形魂导器里出来，对于他来说，站着的感觉可比坐着舒服多了。他只是将黄金树轮椅收入了自己的储物魂导器之中。

他仔细扫了一遍面前的九块稀有金属，心中就有谱了。这九块稀有金属最大的特点是硬度不同。最后一块甚至有些柔软。

"为了确保技巧考核的公平性，你们都不能使用自己的刻刀，而要使用托盘侧面的那一把。你们要做的就是，在面前这九块金属上分别完成九种核心法阵的制作技巧。第一块，钻孔三十个；第二块，多曲折弧线，均匀排列五十道；第三块，风磨图形；第四块……"

伴随着叶雨霖提出要求，众位参赛的魂导师的脸色都开始变得有些难看了。

　　九种技巧，从易到难，但大家至少都会。可是，他们再看看面前的稀有金属，脸色就难看了。不同的稀有金属适合做不同的事情。他们面前的这些稀有金属，恰恰都是不适合完成这些技巧的。

　　譬如第一块极其坚硬的稀有金属，打孔三十个……这太困难了！他们还不能使用自己的刻刀，只能用那柄以普通精钢制作而成、普通得不能再普通的刻刀。这要消耗多少魂力才能完成啊？

　　后面的就更别说了。他们要用最柔软的那块稀有金属完成最复杂的技巧雕刻！难怪一开始这位裁判长就提醒他们，技巧考核不容易了。这可真的太难了啊！

　　叶雨霖可不管他们怎么想，在宣布完比赛规则之后，甚至都不重复一遍，直接大喝一声："技巧考核，开始。你们有一刻钟的时间来完成整个考核。如果最后没有人完成全部技巧的话，将以完成的数量来排位。开始。"

　　此时，经过之前三个时辰的魂导器制作，夜色已经深了。九位参赛的魂导师，一点困意都没有，同时行动起来。

　　他们的武魂各不相同，自然都有自己的办法。

　　和菜头的办法最简单粗暴——叼上一根魂力恢复的雪茄，直接通过魂力增强刻刀的威力，就那么硬干了。

　　和他相比，霍雨浩就显得有技巧多了。在第一块坚硬稀有金属上打孔，他用了只有他自己才能使用的特殊方式。

　　反正没有规定不能破坏这块金属。你不是硬吗？那我就让你更硬一点好了！

　　霍雨浩用左手按住金属，将极致之冰魂力急速注入其中，瞬间就让这块金属的温度下降到了零下二百度。极致低温立刻就对金属本身产生了相当大的破坏力。

　　然后霍雨浩的右手就拿着刻刀抬了起来。钻孔可不是钻透了就行，钻出的孔还要大小均匀、浑圆，不能有瑕疵。

　　刻刀放好了位置之后，霍雨浩的眼眸就变成了淡淡的灰色。紧接着，一道绿光在他手上亮了起来。

　　他的身体在人形魂导器之内，此时只是将双臂处的金属外壳打开，在外面完成制作，谁也看不到他眼睛的样子。

　　一个个绿色的小点，开始被他均匀地点在那块坚硬的金属之上。然后，他收回极致之冰的温度。这块金属上面就开始冒烟了。

亡灵魔法中的腐蚀之光有着极强的腐蚀性，对任何物体的破坏力都相当强悍。以霍雨浩现在的精神力，这个魔法完全可以瞬发。这个魔法唯一的缺点就是不能锁定，攻击范围很小，可用在金属上，效果是相当好的。

被速冻过的稀有金属再被腐蚀一下，金属结构遭受进一步破坏。霍雨浩在这个时候再催动魂力，用刻刀进行穿透、打眼，自然就容易多了。他的腐蚀之光控制得很好，完全不会外溢。他先钻出一个眼，再通过腐蚀之光持续扩大效果，比别人要节约魂力。

后面的考核基本上都是技巧方面的。霍雨浩的精神力虽然还没完全恢复，但他就算不凭借精神探测，也有极扎实的功底，完成这些技巧绝对不比别人慢。

更何况，他的精神力的恢复速度相当快，此时虚弱感已经消失了，状况也变得越来越好。

看着众人的进度，七位裁判都不禁暗暗点头。他们虽然未必看得上这些为了钱财前来参赛的魂导师，都不得不承认，参赛者的基础都很扎实。没有人有明显的失误。

霍雨浩的速度并不是最快的，大约排在前三位的样子。对于这一点，叶雨霖自己心中就替他解释了——累了呗。他刚才那么紧张地制作魂导器，这会儿能保持前三名就不错了。

不过，叶雨霖不知道，霍雨浩之所以没有脱离自己身上的人形魂导器，可不只是怕麻烦。魂力放大器这会儿正在起作用，很大程度地帮他节省魂力呢。

今天来参赛的，至少是六级魂导师。霍雨浩虽然有双生武魂，但他毕竟只有五环。魂力还是节约着点用比较好，后面还有其他事呢。

和菜头毫不吝惜魂力地完成着考核，似乎占据了上风。很快，他就第一个完成了全部的技巧考核。一刻钟的沙漏此时已经流失了超过百分之七十五的量。

霍雨浩一直注意着和菜头的动向，眼看他第一个完成技巧考核，自己也瞬间加速，第二个完成了制作。第三个完成的是平凡盟身穿黄色衣衫的少女。第四个则是黄征。

从技巧考核完成的程度就能看出，夕水盟这边的三个人确实是实力较强的。台下观战的奥都商会会长安立桐以及平凡盟盟主上官薇儿，脸色都有些难看。尤其是安立桐，他那三名参赛选手的速度明显比别人慢。

"时间到！"这一次叶大裁判长可没有任何拖延时间的意思了，在沙漏中最后一颗沙砾滚落的瞬间，就结束了技巧考核。

九个人参加技巧考核，五个人完成，四个人未完成。经过众位裁判上前判定之后，

未完成的四个人中，完成度最低的一个人淘汰。不出意料，淘汰的正是奥都商会的代表。

奥都商会出线的两个人分别排在了倒数第一和倒数第三的位置。倒数第一要对阵的，是正数第一的和菜头。而那倒数第三要对阵的，则是平凡盟的黄裙少女。

此时，台下休息区中的南宫婉脸上已经露出了满意的微笑。霍雨浩三人全部进入技巧考核的前四名，对他来说是意外之喜。和菜头这个第一名，更是他没有预料到的。他这才发现，在魂力修为上，这个始终戴着面具的大个子似乎很强，不愧是七级魂导师啊！

霍雨浩、和菜头和黄征全都进入了前四名，也就意味着他们在接下来淘汰赛的第一轮是肯定不会碰面的。如果三人能在对抗之中全部进入前四名的话，冠军就几乎拿定了。

南宫婉对霍雨浩和黄征都是很有把握的。别人不明白霍雨浩为什么要制作人形魂导器，他还是大概能够猜到的。目的不是很明显吗？就是为了增强自身的灵活性啊！那小子是邪魂师，不是一般的魂导师，在这个不算太大的比赛场地内没有攻击性武器难道就不能克敌制胜了？

南宫婉对黄征也是很把握的。这黄征是三长老最得意的弟子，有七级魂导师的能力，修为也有六环。虽然他邪魂师的能力不是很强，但在魂导器制作上是很有天赋的，而且还拥有列榜刻刀。和菜头意外地获得了技巧考核的第一名，意味着他面对的对手很可能是出线的八人中最弱的一个！一时间，夕水盟的形势一片大好。

"休息五分钟，五分钟后，淘汰赛开始。"叶雨霖沉声说道。

大量的工作人员立刻冲上比赛台，将那些魂导制作台以及各种散乱的材料收走。代表三大势力参赛的九个人也陆续下台，返回休息区暂时休息。

霍雨浩排名第二，他的对手是平凡盟的蓝裙少女。他们将在第二轮出场。

这出场顺序就没有什么讲究了，就是按照先前排名的顺序出场比赛。先出场的人之后也能先休息，并没有什么不公平的地方。他们另外还有五分钟的缓冲休息时间。

南宫婉亲自上前，将霍雨浩三人迎了下来。霍雨浩再一次用实际行动证明——他那件人形魂导器是毫无问题的。魂导器合拢，他就直接套着人形魂导器走下了比赛台。尽管他这件人形魂导器和当初明德堂的那件比，体积小了很多，但毕竟是人形魂导器啊！

叶雨霖的目光一直追随着他。眼看着霍雨浩随意地走下台去，他眼中的欲望变得更加炽热了。

"好，你们的表现都很好。赶快休息。你们只需要记得，本盟主承诺的奖励一定会在赛后第一时间兑现。奖励就在这里，只要你们能够获得好成绩，下来就领。"南宫婉没有做过多的叮嘱，只是再次强调了奖励。因为他清楚，对于霍雨浩三人来说，现在最需要的是休息。

三长老之前一直没坐下来，此时目光灼灼地看着霍雨浩，仔细打量着他这件人形魂导器。

人形魂导器的高度有两米五，通体是流线型设计。银白色的身躯上散发着淡淡的魂力波动，眼瞳处散发着淡淡的金色光芒。如果好好用颜料涂一下的话，它绝对会显得更加华丽。

霍雨浩没有坐下，只是控制着人形魂导器站在那里闭目凝神，恢复着自己的精神力。他坐的时间太久了，现在感受着站着的感觉，是那么美妙。

地下仓库。

"轰——"剧烈的轰鸣声中，亲王徐国忠身上的魂导护罩光芒大放，挡住了正面的冲击波。

这个地下仓库建造得实在太牢固了。升降梯在建造的时候，经过特别加固，专门防止有人凭借能力硬冲出去。因此，哪怕徐国忠是九级魂导师，也和属下们废了九牛二虎之力，才从升降梯底部钻了出去。

从升降梯中钻出去可不算完呢，还要从升降梯井中出去才行。

八人顺着升降梯井飘落，升降梯大门又一次成为了难题。这已经是第六次爆破了。在这么狭小的空间内，他们根本不能使用太强的魂导器，否则他们自己就会率先遭殃。因此，他们只能使用相对较弱的魂导器进行轰击，然后再用近战魂导器进行突破。在这种时候，近战魂导器就显得尤为重要了。

一个直径半尺的口子终于被弄开了。八名高级魂导师同时全力以赴地发力，又用了七八分钟，才弄开一个足够人钻出去的口子。

徐国忠此时的脸色已经难看得像锅底一般了。他心疼啊！他早就把这仓库当成了自己的。单是这升降梯和升降梯井的修复，就不知道要花多少钱。他现在只想将那些偷入者碎尸万段。

进了甬道，徐国忠一眼就看到了倒在地上的两名下属。他们的尸体早凉了。

其他人都感受到了徐国忠此时强行压抑着的怒火，立刻有两人上去搜身，果然，没有了钥匙。

众人快步向里走去，很快就来到了那通往仓库第一层的大门前。

徐国忠脸色阴沉地取出钥匙，试图开启大门。很显然，霍雨浩是绝对不会给他这个机会的。大门内部的机关早被他破坏了。任由钥匙怎么转动，这大门也毫无动静。

"浑蛋！"徐国忠的情绪终于如同火山爆发一般释放了，一拳猛然轰击在大门上，发出一声低沉的闷响。可是，这扇大门比升降梯那边更加坚固啊！厚度简直可以和千斤闸媲美。而且，门的材质是合金，足以媲美一些稀有金属的强度了。

"破门，给我破门！"徐国忠怒吼道。

"王爷，直接攻击大门，恐怕会引发防御魂导器体系向我们开火，这……"他身边的一名八级魂导师立刻提醒道。

徐国忠毕竟是日月帝国的高层人物，在短暂的脾气爆发之后，迅速冷静了下来。这甬道之中布置的防御魂导器的威力他清楚得很，就算是他这等修为的九级魂导师被集中攻击都不好受，七级魂导师更是有可能被直接杀死。而这些防御体系的控制系统都在仓库内部，从外部是不可能进行操控的。

用力地深呼吸，勉强压抑着胸中的怒火，徐国忠脸色阴沉地低吼道："先逐步破坏防御魂导器，然后再破门。动作要快！"

霍雨浩自然不知道那位素未谋面的王爷对他恨之入骨，他此时正在凝神静气，感受着精神之海的波动。精神力与魂力相结合，在全身流淌，非常舒服。精神力的再次升华，似乎让他消化极致之冰天地元力的速度又加快了。现在那天地元力剩余的部分，已经在胯部以下。

"休息时间到。先前技巧挑战赛第一名、第八名登场。"主持人的声音在台上响起。

星空斗罗叶雨霖站在比赛台中央。作为比赛的主裁判，本来，他是不需要如此的，但他实在太想近距离看看霍雨浩是如何操控他那人形魂导器的，所以才自己做了裁判长站在台上。

和菜头站起身，一弯腰，扛起面前那如同巨柱一般的速射炮，大踏步地朝着比赛台走去。别说，他彪悍的身形再加上速射炮的威猛气势，还真有几分气势逼人的感觉。

第八名，那位奥都商会的代表魂导师也已经上了台。他在之前三个时辰中制作出的魂导器是一把长柄战刀。他竟然走的是近战路线。

他这把战刀的长度倒是与和菜头的速射炮差不多。刀头有两尺左右，剩余的全是粗如小臂的长柄。他手持大刀登台之后，往那里一站，也有几分渊渟岳峙之势。

第348章
进入决赛

叶雨霖看向和菜头和奥都商会的代表，沉声道："双方通报姓名，准备战斗。我强调一下，比赛生死不论，直到一方认输或者失去战斗力为止。要是感觉无法战胜对手，你们就早点开口，以免受伤。"

"唐四！"和菜头的话简短有力。

"奥都商会，赵守泽。"

"开始。"叶雨霖身体骤然升空而起，宣布了本场比赛的开始。

这可不是全大陆青年高级魂师精英大赛那种切磋比拼，而是真正的生死搏斗。这是地下世界的比赛，可没有那么多规则和保护手段。

赵守泽脚尖在地面上一点，就朝着和菜头的方向冲了过去。他身上迅速升起三黄、三紫六个魂环，赫然是六环魂帝修为。手中的大刀一摆，刀身上亮起一层夺目的金红色火焰，一时间光焰滔天。

令人意外的是和菜头这边。不知道他是没能及时调整过来发射速射炮，还是根本就不想发射，他手中的重炮不但没有发射，反而放了下来。似乎是这个大家伙太沉重，他有点扛不住了。

但是，他身上的魂环也升了起来。

两黄、两紫、两黑。

看到他这最佳魂环配比的六个魂环时，台下顿时一片骚动。

最佳魂环配比哪怕出现在魂师身上，都是极其稀少的，更别说出现在一名魂导师身上了。

夕水盟这边自然是惊喜交加，而奥都商会和平凡盟那两边却都脸色大变。

台下的人都看到了和菜头的魂环，台上的赵守泽自然也看到了。看看人家，再看看自己这魂环的颜色，寒碜啊！原木一往无前的气势顿时泄了一半。

虽然气势被和菜头的魂环压制了，但赵守泽脚下的步伐丝毫不慢。他很快就冲过了半场，手中的大刀一摆，朝着和菜头一刀劈了下去。

顿时，只见那金红色的刀芒划出一道惊天长虹，竟横跨了四十多米的距离，朝着和菜头当头斩落。那恢宏的气势，仿佛要将整个比赛台劈成两半。

空气瞬间变得炽热了。赵守泽这把长刀可是很有讲究的，别看只是一件近战魂导器，里面却有九个核心法阵。各种增幅下，他这火焰刀的威能已经很接近七级近战魂导器了。攻击距离也比一般的近战魂导器长很多，算得上是魂力能量武器。

不过，和菜头却一点都不着急，脚下步伐一动，手上拉拽着自己的速射炮，一个横移，就避开了这一刀。

"噗——"火焰刀斩在地面上，顿时斩出一条长长的沟壑。沟壑两边，全都变成了一片通红，并且迅速熔化着。可见这火焰刀的高温有多么可怕了。

不过，在这个时候，观众们没工夫去注意火焰刀的威能。因为他们目瞪口呆地看到，和菜头竟然扛起了他那门速射炮，朝着赵守泽的方向大踏步地冲了过去。

远程攻击魂导师面对近战魂导师时主动送货上门，这是什么情况？

比赛台下，霍雨浩此时已经睁开双眼，看着台上的情况。隐藏于人形魂导器面罩后的面庞上露出一丝淡淡的微笑。谁要是把二师兄当成笨蛋，那就是最大的笨蛋了。在战术方面，二师兄绝对不会比别人差啊！他要的就是"出其不意"四个字。

赵守泽自然也万万想不到和菜头竟然会朝着他直接冲过来，而且速度相当惊人。别看他扛着巨大的速射炮，可脚下十分飘忽，奔行起来，居然给赵守泽一种虚幻模糊的感觉。

唐门绝学——鬼影迷踪步，可不只是贝贝、霍雨浩他们会啊！和菜头入门这么长时间，主要修炼的两项唐门绝学就是紫极魔瞳和鬼影迷踪步。此时他肩扛重炮，鬼影迷踪

步却依旧施展得精妙异常。不仅如此，他肩膀上那门重炮的炮口也终于开始有光芒闪现了。

赵守泽的愣神只是一瞬间。下一刻，他手中的大刀横扫，炽热的火焰刀刃已经朝着和菜头拦腰斩去。

这个时候，和菜头距离他还有大概十五米。他有信心在一系列快速的攻击中，将对手斩杀。赵守泽绝对不相信在这种情况下和菜头的速射炮能发射出来。

但是，就在他这一刀横扫而出的时候，他发现，和菜头嘴上多了一根雪茄，一根通体淡金色的雪茄。他正大口大口地吞云吐雾。一层金光也随之从他身上亮了起来。

高举速射炮，和菜头完全用自己的身体承受了这一刀。

"当！"脆鸣声中，和菜头依旧在奔行，而那刀芒只是从他身上掠过，就被金色光罩全部挡住了。

无敌护罩？

他犯规！这是赵守泽心中的第一个想法。可是，悬浮在空中的叶雨霖丝毫没有中断这场比赛的意思。就在这个时候，十五米的距离已经被拉近了。和菜头手中的速射魂导炮竟然横扫而出，如巨柱一般抽向了赵守泽。

赵守泽大吃一惊，赶忙用大刀去挡。他毕竟是近战魂导师，对自己的身体能力还是很有信心的。

可惜，他却不知道一件事情——在这个世界上，有一种人天赋异禀。

和菜头就是其中之一。虽然他的力量不可能和王秋儿那种极致的力量相比，但比起一般魂师来，还是要大得多。

"砰！"赵守泽连人带刀被抽击得一个趔趄。他只觉得大力传来，刀背直接反撞在自己的胸膛之上。他赶忙开启战刀的第二种状态，整个刀头立刻变成了刺目的金红色。这种状态下的战刀虽然不能再远程攻击，但近距离的破坏力会大幅度增强。

但是，他下一刻就看到和菜头的近战魂导炮直接朝着自己当胸撞来。

赵守泽毫不犹豫地竖起大刀，就要用炽热的刀刃斩开和菜头的近战魂导炮。

但是，在下一瞬，他就变得心冷如冰。因为他看到，先前在速射炮炮口处蕴含着的魂力光芒突然爆发了！

速射炮，顾名思义，以发射速度迅速而著称，在战场上，是用火力来压制对手的。在这种情况下，速射炮的单一攻击威力就不会太强。像和菜头这门七级速射炮，发出的炮弹和六级高爆弹的威力相差无几。

当然，和菜头这门速射炮的体积和别的速射炮有所不同。

体积过大，就十分笨重，但体积和威力是成正比的。他这速射炮的炮弹，至少是正常速射炮弹的三倍，威力自然更高。

重炮彷如巨柱横扫，震开对手。和菜头立刻用炮口对准对手撞了过去。

这是炮，不是近战魂导器啊。是炮就能发射。可很明显，赵守泽在被震开之后，已经忘记了这件事。

他那金红色的刀刃斩过去，正常情况下，只要斩中就能够如同切牛油一般切开速射炮炮口。

可是，现在和菜头做的事情，是用速射炮顶在他面前发射啊！无论怎么样，那也是炮！

于是，"轰——"

所有人都清楚地看到，在和菜头和赵守泽之间，一团强烈的光芒瞬间爆开。巨大的爆炸力和反冲力令和菜头抱着他的速射炮倒飞而出。

赵守泽的那把长刀确实很强，不愧是接近七级的近战魂导器。那金红色的刀刃依旧竖在原地，就连先前顶着它发射的速射魂导炮炮弹都被一分为二。可是，这一分为二的炮弹，却狠狠地轰击在了赵守泽身上啊！

千万别忘了，这场比赛和一般的魂导师比赛不一样。参赛者是只能使用自己先前制作出的魂导器的。也就是说，赵守泽身上并没有携带触发式魂导护罩。被切成两半的炮弹，也是炮弹，轰在身上，也会疼……

赵守泽也飞出去了。不过，他已经粉身碎骨。

他那把长刀，摇晃了几下，轰然倒向一旁，光芒也随之暗淡了下来。金红色的刀刃，直接斩在地面上，将地面熔化了一片。

全场鸦雀无声。

尽管所有人都知道，地下势力的比赛是没有规则的，可如此暴力的场面真的出现在他们面前，还是令绝大多数人接受不了。

一时间，干呕声此起彼伏地响起。

夕水盟休息区这边，除了那位副教主之外，其他人都已经站了起来。哪怕是十分痛恨霍雨浩、和菜头的那位九十八号，在这时候都忍不住喝起彩来。

远程魂导器竟然还能这么用！顶在人家身上发射，这也太彪悍了。

借助反震之力倒飞而出的和菜头，此时已经稳稳地落在了比赛台上。他没有看赵守泽一眼，就扛着他那巨大的速射炮，转身朝着夕水盟这边走来。

"第一场，结束。唐四，胜。"

听到这个声音，和菜头似乎想起了什么。他突然停下脚步，朝着赵守泽那边走了过去，捡起那把大刀，抬头向空中缓缓落下的叶雨霖问道："裁判，这战利品应该可以属于我吧？"

叶雨霖嘴角抽搐了一下。说实话，和菜头这种战斗方式，他也是第一次见到啊！那彪悍的战法，给他留下了深刻的印象。唐四、唐五……这个小子和唐五应该是一起来的，而且看起来，天赋也很不错的样子啊！

"可以。但在之后的比赛中，你依旧只能使用自己制作的魂导器。"

"好。"和菜头谨遵霍雨浩的叮嘱，尽量少说话。肩膀两边分别扛着重炮和大刀，就那么下台去了。

和菜头下台，比赛台经过了一番清理后，叶雨霖才再次说道："第二名、第七名登场。"

霍雨浩催动着人形魂导器大步向前。来到比赛台前的时候，人形魂导器双腿微屈，再猛然弹起，"轰"的一声，落在比赛台上。这件全金属外壳的人形魂导器，怎么看都略显笨重，但气势逼人。

另一边，上台的正是平凡盟的蓝裙少女。

奥都商会这边的局面已经很不利了。他们被淘汰一人，被杀死一人。相对来说，平凡盟在技巧挑战赛上的排位虽然不高，但三女总算全部晋级成功，比奥都商会的运气好得多。

"锵锵锵！"迈动着步伐，人形魂导器来到叶雨霖面前。叶雨霖朝着霍雨浩点了点头。

另一边的蓝裙少女却有些胆怯似的，缓步走了过来。一步三摇，真是我见犹怜。她看上去不过十八九岁，俏脸上露出几分惊恐之色。

叶雨霖道："双方通报姓名。"

"唐五。"霍雨浩冷淡的声音响起。

"我叫蓝若若。大哥，你不会也像唐四那样杀了我吧？我有点怕。"蓝若若的身体轻微地颤抖着，俏脸上多了几分苍白，似乎真的是怕到极点了。

霍雨浩却不吭声，直接转身朝着比赛台自己的那边走了过去。

用美色诱惑他？平凡盟这位姑娘还真是找错人了。霍雨浩曾经遇到的诱惑还少吗？橘子、王秋儿，哪位不是人间绝色？可他始终选择守护着心中至爱。蓝若若不过是平凡盟这个声色之地培养出来的人，在霍雨浩眼中，她的灵魂早就是污浊的。这番做作的行为，引不起他丝毫的同情。

蓝若若眼底闪过一丝羞恼之色。她一向自认魅力惊人，对方却一点都不动心，简直就是个……哼。

她一边想着，一边转身后退离去。

平凡盟这三名女性魂导师制作的魂导器都很有特点。与和菜头截然相反，她们的魂导器的特点是小巧。

平凡盟培养这些优秀的少女出来，自然是要让她们去完成各种任务的。笨重、巨大的魂导器显然不适合她们。小巧的近战魂导器反而效果最好。因此，这些少女走的都是同一个路线——敏攻。

“开始。”叶雨霖再次升空而起。这一次，他的目光牢牢地盯在霍雨浩身上。他非要看看这个年轻人能做到哪一步不可。

伴随着这一声“开始”，那蓝裙少女瞬间动了，脚尖在地面上轻巧地点着，就像一只蓝色的小鸟一般，朝着霍雨浩这边飘了过来。她的动作十分轻盈，看上去就像在翩翩起舞一般。当她这么一动起来，观众们才能看到，她那长裙也是很特殊的。

裙摆飞扬，裙下白皙的肌肤若隐若现。手臂扬起之时，水袖荡漾，一双宛如嫩藕般的手臂也随之晃动起来。

蓝若若的魂导器，是一把短剑。要知道，近战魂导器的体积越小，实际上就越难制作，尤其是高阶的近战魂导器更是如此。她这把短剑通体漆黑，看不出有任何魂力波动。它紧贴在她的手腕之上，在她翩翩起舞的动作之中，是丝毫看不到的。

“锵锵锵！”霍雨浩的动作依旧显得有些笨拙，大步朝着前方走来。同时他抬起双臂，做出一个准备要近战的姿势。

先前谁都看到了，他身上根本没有任何攻击型魂导器，只有眼前这一件人形魂导器。而且，他本身是个残疾人，双腿不能走，能控制人形魂导器走动，在很多人眼中看起来就很不容易了。

蓝若若并没有直接冲到霍雨浩面前，而是围绕着他缓慢接近。霍雨浩的人形魂导器只能笨拙地跟着她的动作不断转身。

叶雨霖的眉头已经皱起了。看来，这件人形魂导器果然还是半成品啊！虽然能够通过意念控制，但在灵敏度上，那些机括装置终究还是远远不能与核心法阵相比。不过，就算如此，他这件人形魂导器也已经很值得借鉴了，如果能做成大型装置，并且配备大量的攻击型魂导器，那么，在战场上横冲直撞，也是相当强悍的。

输了也好。对于年轻人来说，一时的打击反而可以促使他更加努力。

蓝若若距离霍雨浩已经越来越近了。她那舞蹈动作也开始变得越来越动人了，配上那一个个动人的表情，很容易令人心猿意马。

可惜，她看不到霍雨浩隐藏在面罩后的眼神。那是一双澄澈无比的眼眸，淡淡的金色在双瞳中流转，他根本没有半分被迷惑的意思。

突然间，蓝若若猛地一抬长腿，身体猛然一转，宛如穿花蝴蝶一般从霍雨浩身体的左侧钻了过去。

换了普通人，突然看到这种变化，至少会呆上一呆。而这也是蓝若若等待的时机。

先前所有的魅惑动作在她钻到霍雨浩背后的时候，已经完全化为了森然杀机。冰冷狠毒的目光闪烁着。她的身体腾起，双手握住那把短剑，两黄、三紫、一黑，六个魂环之中，有三个都亮了起来，全都是增强魂力输出的。那漆黑的短剑随之变成了阴暗的紫色。不到三寸的紫色剑芒就像毒蛇的利齿一般，直奔霍雨浩的后脑位置刺了下来。

这一击，蓄势已久。蓝若若对自己的攻击有绝对的信心。别说霍雨浩控制着的人形魂导器看上去那么笨拙，就算魂师面对自己的这一击，也绝对无从闪躲。

蓝若若最强的地方就是她这近战魂导器的攻击力。相比于远程魂导器，近战魂导器的攻击威能更强。她这把短剑牺牲了一切远程攻击的能力，蕴含着的能力是黑暗属性的，拥有破魂特效，对一切魂导护罩、无敌护罩，都有极强的破坏性。不仅如此，它对一切金属也有强烈的穿刺效果。只要被它直接刺中，破坏的效果甚至远超一般的七级魂导器，必死无疑。

但是，就在她发动的一瞬间，霍雨浩的眼眸突然变得如同繁星一般闪亮。

眼看着那把短剑就要刺中他的后脑勺了，突然间，蓝若若看见八道白光同时在霍雨浩背后一亮，一股冲击力随之而来。

这冲击力似乎并不是很强，以她六环魂帝的修为，只是被那冲击力顶得后退了一尺而已。霍雨浩的身体也随之前移了一尺。两尺距离，对于魂师和魂导师来说都不算什么，可对于蓝若若这必杀的一击来说，却意味着咫尺天涯。

紫光一闪，已经落在空处。就在这时，蓝若若只觉得眼前一花，先前还极为笨拙的身影竟然就那么在她面前消失了。

原本以为霍雨浩要吃大亏的观众们，在这一刻表情全部凝固。他们吃惊地看到，霍雨浩控制着的人形魂导器极其灵巧地做出了一个转身的动作。同时，背后和腰侧各有光芒喷出，整个身躯竟然在空中画出了一道诡异的弧线，硬是转到了蓝若若的后侧方，接着一拳直奔蓝若若的肩头轰去。

蓝若若的反应也是极快的。失去了霍雨浩的身影，她以自己的左脚脚尖为轴，整个人滴溜溜地旋转一周，上半身后仰，正好避开霍雨浩这一拳。同时，她手中的短剑上撩，划向霍雨浩的手臂。

霍雨浩哪会被她命中啊！手臂上抬，让开了她的短剑，同时右腿横扫而出，扫向她的支撑腿。

这时候的人形魂导器，哪还有半分笨拙的味道？灵巧得简直和魂师无异。

叶雨霖看得眼中异彩连连。这小子，竟然是在扮猪吃老虎啊！

蓝若若的近战能力确实很强。在不利的局面下，她依旧能够掌控自身。左臂做出一个支撑的动作，身体后弯，先前的支撑腿弹起，踢向霍雨浩的手臂，想要借势避开。

可惜，这一次霍雨浩没有闪避。

他抬起的拳头猛然落下，与她的长腿硬拼一记。

"砰！"闷响声中，蓝若若痛叫一声，左手在地面上一拍，整个人迅速后滑。

她是魂帝，霍雨浩却是双生武魂的魂王啊！这人形魂导器全都是用稀有金属制作而成的，在灌入了霍雨浩的魂力之后，坚硬度可想而知，岂是她的血肉之躯能直接抗衡的？

而且，蓝若若清晰地感觉到一股冰冷至极的气息顺着自己的左腿钻入。此时她左边的小腿已经完全麻木，失去知觉了。

霍雨浩可没有放过她的意思。

突然间，霍雨浩全身金光大放，一股难以形容的气势骤然从他的身上升起。那银白色的人形魂导器竟然完全变成了金色，恢宏的气势宛如泰山压顶一般朝着蓝若若扑过去。

这一刻，蓝若若只觉得自己仿佛面对的是老师那样封号斗罗级别的强者，不由得尖叫一声，单腿跳跃着就往后退。

霍雨浩冷哼一声，左腿向前跨出一步，右拳骤然轰出。顿时，一团灿金色的拳影在空中一闪而过，瞬间就到了蓝若若的面前。

蓝若若慌忙用自己的短剑去抵挡。那拳影被短剑刺破，但是，骤然扩散的金色光芒还是撞击在了她的身上。

蓝若若只觉得自己的身体像散架了一般，一股难以形容的精神震荡令她整个人迅速瘫软了下去。体内的魂力似乎被那无形的力量束缚住了。她的大脑已经与身体完全失去联系了一般。虽然面前的金光正在缓缓消退，但在她眼中还是那么强大。

伤到她的不是魂力和拳劲，而是精神力——属于君临天下的精神力。

还记得霍雨浩制作的魂力放大器吗？那个魂力放大器的核心法阵，就在他的右拳之上，是他这件人形魂导器的最强攻击一点。

君临天下通过魂力放大器释放，令这一击的威能极大程度地增强了。但霍雨浩心中也有遗憾——如果魂力放大器能够做得大一点，放在胸口处，作为自己全身魂力的放大器，那么，他的整体实力将更上一层楼。

但是，这一拳依旧令他大喜过望。因为他知道，自己已经渐渐摸索到了人形魂导器对魂师增幅的方法了。不只是魂力放大器，其他一些方式也可以作用在魂师身上。

全场一片寂静。霍雨浩就这么赢了，看上去赢得还很轻松。他那人形魂导器居然可以如此迅疾地行动！刚才那最后一击，分明是在魂师中也极其罕见的自创战技。六级魂导师、六环魂帝级别的蓝若若，竟然被那一拳打得失去了战斗力。

当然，他们并不知道，霍雨浩先前还用极致之冰攻击了蓝若若一下，让大意之下的蓝若若吃了大亏。不然的话，刚才君临天下的这一拳也没那么容易正面命中对手。

"唐五，胜。"叶雨霖从天而降，眼中异彩连连地看着霍雨浩，充满了欣赏之色。他成功了，他真的成功了！从刚才的灵活程度就能看出，他这件人形魂导器已经完成。机括与核心法阵的结合是完美的。魂力放大器反而不算什么，毕竟它制作起来的难度比较小。

这么一件人形魂导器，能够让一个双腿残疾的人以如此灵便的方式进行战斗，这不是成功是什么？殿下也一定会喜欢这样的人形魂导器。

夕水盟这边，众人已经心神大定。和菜头、霍雨浩先后出线，而且战斗起来，几乎没给对手什么机会。四强已占一半，着实是形势大好。

第三对比拼的双方是平凡盟的黄裙少女和奥都商会硕果仅存的最后一名魂导师。

双方显然都不打算放弃这次机会，比拼得十分激烈。最终，黄裙少女以较为明显的优势，凭借着一把长剑击败对手，成功晋级。

八进四的最后一场，自然是九十六号黄征对阵平凡盟的红裙少女。

平时看上去十分沉稳的黄征，这一次展现出了狠辣的一面。心志坚毅的他不被对手的美色所惑，手中的爪形魂导器可谓远近皆宜，最终硬是斩断了对手的一只手臂，逼迫其认输后出线。

最终的四强是和菜头、霍雨浩、黄裙少女叶骨衣以及黄征。

不过，接下来的抽签却令霍雨浩、和菜头这哥俩郁闷了一把。四进二，他们抽中了彼此，将在半决赛对战。

"这样也好。你有充足的时间休息。这一场，我放弃。"和菜头直接宣布放弃了晋级决赛的资格。霍雨浩不战而胜，进入最终的决赛阶段。

对于和菜头的放弃，南宫碗很高兴。这样一来，首先证明了唐四的实力不如唐五；其次，也能让唐五更好地保持战力，完成最终的决赛。当然，最好的结果是唐五和黄征在最终决赛上碰面，那样的话，夕水盟就必胜无疑了。

半决赛第二场，平凡盟叶骨衣对战夕水盟黄征。

双方上了比赛台。一身黄裙的叶骨衣相貌是平凡盟三女之中最美的，此时却一脸冰冷。蓝若若输给霍雨浩还好一些，并没有受什么伤。那红裙少女却重创在了黄征手上。断掉的手臂就算接上，也很难再像以前那么灵活了。

"是男人就战斗到底，不要认输。"叶骨衣冷冷地注视着黄征，一脸森然地说道。

黄征冷笑一声："当然。"

"比赛开始。"叶雨霖才懒得听他们的废话，直接宣布这场注定激烈的比拼正式开始。

叶骨衣脚尖在地面上轻轻一点，身体已经如同一片黄云般朝着黄征的方向掠去。黄征那巨爪魂导器就戴在右臂之上，略微一抬，前端的三根利爪已经弹出三尺余长的森然光刃。

先前，就是这些光刃切断了红裙少女的手臂。

巨爪抬起，三道光刃闪电般朝着叶骨衣飞射而来。他那光刃可不只是能够近战，远

程攻击的威力也极强。

锁定对手之后，三道光刃盘旋飞出，从不同的方向划出弧线朝着叶骨衣拦截过去。这种弧线是最难闪躲的。而且，他这魂力利爪极其锋利，并且有高爆效果，在没有魂导护罩的情况下想要抵挡，必然消耗极大。黄征给它起名叫作追魂爪。

三道利刃发出，利爪前端又弹出三道利爪光刃，黄征大踏步地朝着叶骨衣迎了上去。

面对那三道盘旋而来的光刃，叶骨衣却丝毫不惧。之前她已经看过黄征和自家姐妹对阵时的战斗方式了。那红裙少女就是在那爆破上吃了大亏。此时她自然不会重蹈覆辙。

手腕一翻，一把长剑出现在叶骨衣的手中。她这把长剑长约三尺三寸，剑刃宽度仅有一寸，通体散发着金灿灿的光芒。剑上有七星，核心法阵有三个，都在剑柄内。别看它只有三个核心法阵，却都是经过微雕制作而成。微雕核心法阵可是相当高端的技术。

手中长剑前指，剑刃在空中轻轻一摆，顿时幻化出一片剑影。

"叮叮叮。"三声轻响之中，她已接连三下准确无比地点中了飞向自己的三道利爪光刃。

三道利爪光刃在空中猛地一停，就在它们即将爆炸的一瞬间，叶骨衣的身体突然变得虚幻了。她的身体宛如一片黄蒙蒙的雾气一般瞬间前飘，速度已经十分接近瞬间转移的水准了。

"轰轰轰。"三声剧烈的爆炸声在身后响起，叶骨衣却已经脱离了爆炸的范围。因为黄征是直接朝着她迎上去的，因此，两人之间的距离迅速拉近。

黄征看到对方高超的剑法和瞬间加速的魂技，心中微微一惊。不过，他的实力也是非同一般。他眼中光芒一闪，依旧大踏步地朝着叶骨衣迎了过去。别忘了，他出身于圣灵教啊！

叶骨衣的身体看上去已经浑不受力了，全身都闪烁着一层虚幻的光影。黄征没有再让光刃飞出，两人很快就在比赛台中央碰面了。

叶骨衣显然恨透了黄征，手腕一抖，长剑已经幻化出万千光芒。长剑闪烁着璀璨的光彩，竟带有强光反射，而且全是向着黄征的眼睛去的。

黄征却不慌不忙，巨爪横起，小范围地律动起来。一层淡青色的光芒在巨爪手臂上亮起，竟化身为一面盾牌，高接低挡，将那些剑芒全挡了下来。

　　攻防一体，可不是随便说说的。他这件七级魂导器不只是攻击爆发力强，用来防御也相当不错，兼具六级防护罩的防护威力。

　　抵挡着剑芒的同时，黄征身上那两黄、两紫、两黑六个魂环中，排在第三位的紫色魂环随之亮了起来。

第349章
神圣天使

　　黄征第三魂环散发出的紫色光芒乍一看去似乎十分柔和，但是，一股阴森的气息紧接着弥漫出来。他的双眼随之变成了血红色，口中发出呢喃般的低沉声音。以他的身体为中心，周围直径三十米的范围内，都蒙上了一层淡淡的紫黑色光芒。

　　黑暗降临。

　　黄征的武魂在邪魂师中并不是最强的，名为邪侍，是一种诡异的人形武魂。根据圣灵教的说法，这种武魂来自于人类死去后形成的怨灵。当怨灵受到天地邪气沾染之后，会变成一种特殊的存在，能够与天地邪气共振而伤害生物。

　　邪侍武魂在邪魂师中并不算强大，甚至较为弱小，与霍雨浩曾经面对过的骨龙、憎恶、骷髅王等等相比，相差了不少。这也是黄征在圣灵教中走魂导师路线，而不是纯粹的邪魂师的原因。实在是因为他的武魂没有市场。

　　可邪侍就算不强，也毕竟是邪魂师武魂的一种。它主要的能力在于辅助，可以施展各种充满邪恶气息的魂技来削弱对手，以达到间接增强自身的目的。

　　此时，黄征施展出的就是邪侍的辅助性魂技之一，黑暗降临。在一定范围内，它会极大程度地影响对手的视觉，并且以阴冷邪气侵入对方的体内。在夜晚施展，效果会额外增强。

果然，叶骨衣突然感觉到周围的光线一暗，就看不清楚面前的黄征了。她有些发慌，下意识地后退几步，一把长剑在身前舞得密不透风，虽然挡下了黄征接踵而来的攻击，却也连连后退，落在了下风。

黄征嘴角流露出一丝冷笑，身上的第五魂环随之亮起。他性格沉稳，一旦占据优势，就绝对不会给对手翻盘的机会。

黑色的万年魂环令周围的阴冷气息骤然升腾。地面上，一层层紫黑色的雾气瞬间升起。黏稠的雾气开始朝着叶骨衣的身体席卷过去。

叶骨衣原本虚幻的身影顿时变得慢了下来。一股股强烈的气息不断钻入她的身体内，在她背后，出现了一个黄色光影，被那紫黑色光芒疯狂地撕扯着。

灵魂剥离！

哪怕它只是辅助魂技，也是万年级别的辅助魂技啊！可以极大程度地影响对手的灵魂。如果对手的修为跟自己相差太多，那么，灵魂就会被剥离、粉碎，成为邪侍的养分。平时黄征对普通人下手的次数最多，凡是被他用灵魂剥离覆盖过的平民，都会因为失去灵魂而变成白痴。

巨爪上的光芒瞬间变得强烈了，三尺刃芒悍然攻出，直奔叶骨衣斩去。你想要我的命？那就先死在我这追魂爪之上吧！没有了肉体，你的灵魂就只能被我剥离。一名魂帝级强者的灵魂，是十分美味的，肯定能让我的修为再上一层楼。

狰狞、得意混合的复杂表情出现在黄征的面庞之上。为了确保一击必杀，他那利爪上还染了一层浓重的紫黑色，这是他的第二魂技——黑暗之触，是一种黑暗元素的剧毒。

眼看着，叶骨衣就要香消玉殒了。这场比赛，仿佛注定了夕水盟要获得胜利，并且提前锁定最终冠军。

只有一个人不这么想，那就是平凡盟的盟主——上官薇儿。在她那看不出年纪的娇艳面庞上，浮现出了一抹不屑的冷笑。难道他们会不知道夕水盟背后的势力是什么？面对邪魂师，他们会一点准备都没有吗？

夕水盟给霍雨浩准备了珍贵稀有的钻石精金，而平凡盟也给自己的选手准备了一些东西……

灵魂被纠缠着的叶骨衣，本体已经显得有些呆滞了。但是，就在那巨爪即将降临之时，突然间，她手中的长剑剑尖向上，猛然一转。

顿时，剑身上的七颗金星突然闪亮，强烈的金光带着一层圣洁的白色光晕骤然扩散开来。

在她背后正在疯狂侵蚀她灵魂的紫黑色光影发出了一声凄厉的咆哮，瞬间烟消云散。周围的黑暗也迅速消融。

"叮！"长剑点在利爪掌心的位置，硬生生地将那已经拍到头顶上方的利爪挡住。灵魂归位，叶骨衣的俏脸上多了一抹冷笑。

灵魂剥离被破，黄征的邪侍武魂骤然一颤。邪侍直接关系到他的灵魂。他虽然没受伤，但身体停滞了一下。

紧接着，那圣洁的金白色光芒就撞击在了他的身上。黄征只觉得全身一暖，大量的紫黑色气流从身上冒起，在全身剧震之下，惨叫一声，踉跄后退。

这是蕴含着神圣气息的圣光？

这一次，在休息区中，就连圣灵教副教主都坐不住了。这圣光可是他们邪魂师的克星啊！难道说，这叶骨衣的武魂有古怪，竟然是世所罕见的神圣属性不成？

叶骨衣可不会为他们解答问题，身形向前一闪，手中的长剑就斩了出去。与此同时，她身上也是最佳魂环配比的六个魂环中，排在第五位的黑色魂环亮起——灵魂升华，恐怖的威能一瞬间就提升到了极致。

一抹神圣之意瞬间从叶骨衣的俏脸上流露出来。这一刻，她先前的所有掩饰都已荡然无存。是的，她的属性就是极为罕见的神圣，她本人也不是平凡盟的人。这次前来参赛，她是平凡盟用来针对夕水盟邪魂师的秘密武器。

邪魂师最擅长的是残害生灵来提升自己的修为，而叶骨衣这种身具神圣属性的魂师，最擅长的则是击杀这些邪魂师来增强自身。

叶骨衣圣洁的容颜令霍雨浩微微动容。她的灵魂在这一瞬间似乎达到了极其强烈的程度。全身散发着的金白色光芒照亮了整个比赛台，就连天空中的黑暗仿佛都要被破开了。

这是……神圣……

神圣不同于光明，完全是另一种存在，却比光明对于邪恶的杀伤性更大。

叶骨衣的右手现在已经完全变成了金白色。一层强烈的剑芒随之覆盖在了她手中的那柄七星长剑之上。

与此同时，两片洁白的羽翼出现在她的背后。手中长剑前指，巨大的剑芒瞬间就吞没了黄征的身体。

第五魂技——圣剑！

天使，她的武魂是天使！难怪她是神圣属性。

天使是上古时期宗教中膜拜的对象。早在万年前，武魂殿的前身就是教会。教会之所以强大，就是因为拥有神圣的力量。当时，斗罗大陆上有许多邪恶血脉的魂兽，教会就是凭借着净化它们而得到世人认可的。只不过，后来邪恶魂兽逐渐消失，教会的势力开始衰落，人才凋零之下，才被后来的武魂殿所取代。

巨大的金白色光剑闪过，叶骨衣傲然立于比赛台之上。黄征连带着他的魂导器却已经荡然无存。

霍雨浩看着台上的这一幕，心中久久不能平静。这果然是一个群雄并起的年代啊！在大陆上已经失传多年的神圣天使武魂竟然出现了。从某种意义上说，神圣武魂也算是一种极致武魂，只是，这个叶骨衣也太冒失了。难道她认为，平凡盟就护得住她吗？除非她也有一个和圣灵教一样强人的组织支持。而且，她小看了邪魂师对她这种武魂的忌惮，恐怕……

霍雨浩刚想到这里，身边的气息已经变得一片阴冷了。

以圣灵教副教主为首，四大长老全都跟着站了起来。对他们来说，这种神圣武魂是能够威胁到圣灵教根本的存在。

霍雨浩心中暗叹一声。他这个时候自顾不暇，就算想去帮这个叶骨衣也做不到啊！

怎么办才好呢？

正在这时，圣灵教副教主却抬起右手，道："比赛结束后再说。"

"是。"四大长老同时躬身答应一声。但是，在他们眼中，叶骨衣已经是个死人了。不只是叶骨衣，就连上官薇儿也感受到了来自夕水盟这边的森冷目光。

上官薇儿心头微微一紧，也预感到不妙。自己利用叶骨衣来对付夕水盟的做法是不是错了？不管了，自己身后有皇室照拂，这些邪魂师就算再嚣张，也不敢对付皇室吧？

可惜，上官薇儿没想到的是，任何人都有底线，邪魂师更是如此啊！

叶骨衣那带着一层圣洁光芒的俏脸上满是正能量。

她将长剑斜指夕水盟那边，一脸傲然与轻蔑。剑尖轻颤，对准了全身隐藏在人形魂导器之中的霍雨浩。

这丫头真是不知死活啊，竟然还敢挑衅！

霍雨浩着实有些无语了。这真是初生牛犊不怕虎啊。平凡盟怎么能和圣灵教比啊！

"我去杀了他，替黄兄报仇。"霍雨浩低喝一声，大踏步地朝着比赛台上走去。他在冲出去的同时，挡住了眼中厉光连闪，就要动手的三长老。

腾身而起，霍雨浩再次来到了比赛台之上，大踏步地朝着叶骨衣迎了过去。

叶骨衣冷哼一声："你等邪恶之辈，定会被我斩于剑下。"击杀了黄征后，她自身的修为猛增一截，先前消耗的魂力也已经恢复，现在正是信心爆棚之时。

霍雨浩心中暗叹一声，表面上却道："那就要看你有没有这个本事了。"

身为裁判长的叶雨霖此时的脸色也有些难看。当叶骨衣展现出天使武魂的时候，他心中是极为惊艳的。但他的想法和霍雨浩一样——这个傻丫头，怎么能在羽翼未丰之前，就在邪魂师面前展现出自己的神圣属性啊！这不是找死吗？如果自己能早点发现她的神圣属性，直接引荐给太子殿下，将她作为未来对抗圣灵教的一张底牌该多好！现在，恐怕是……

叶雨霖无奈地摇摇头。他已经想好了，圣灵教那些人在见到这个神圣属性的女孩后，一定是要有所作为的，既然如此，自己就卖他们个面子得了。一旦唐五坚持不住的时候，自己就趁势直接打断比赛。自己一定要把这个唐五救下来，不能让他伤在那强大的天使武魂之下。

想到这里，叶雨霖心中已有定计，再次飘身而起，高声道："比赛开始。"这一次，他甚至连让双方后退都没有。反正比赛已经这样剑拔弩张了，那就直接来吧。

叶骨衣手中的长剑微微一震，剑尖就朝着霍雨浩点了过去。就在这个时候，她耳中响起了一缕细微的声音。

"你怎么能在圣灵教的人面前显露出神圣属性，难道你认为平凡盟能保住你吗？"

这突如其来的声音令叶骨衣心中微微一愣，手上动作虽然不慢，但心中升起了一丝疑惑。谁在和我说话？为什么这声音仿佛直接响在我的脑海中似的？

"是我，你的对手。"

霍雨浩一边向叶骨衣说着，一边迅速后滑，避开了她那一剑。

叶骨衣冷笑一声，心想：这一定是邪魂师的阴谋。

"不是阴谋。那边有圣灵教的五大强者。这五个人至少是封号斗罗级别的邪魂师，其中还至少有一个是超级斗罗。你认为平凡盟的人能够保护你吗？"

在如此近距离的情况下，霍雨浩通过自己的精神力主动连线叶骨衣，十米范围内，几乎能达到读心术的程度。当然，这是在叶骨衣没有全力催动精神力与他抗衡的情况下。

叶骨衣脚尖点地，手中的长剑幻化出万千光芒，朝着霍雨浩笼罩过去，吃惊地想：你能感受到我的想法？

霍雨浩道："我的主武魂是精神属性的，只要你不是特别抗拒，我就能感受到你意念的波动，从而判断出你的想法。"

说着，他控制着自己的人形魂导器，脚踏鬼影迷踪，飞快地后退，闪避着叶骨衣的攻击。

"我凭什么相信你？"叶骨衣冷哼一声。

"说实话，我也不知道该如何说服你，但我只能告诉你，圣灵教是我们共同的敌人。我比你更想除掉他们。但敌人势力大，不是那么容易解决的。如果你非要我证明的话，那我就只能先击败你，再想办法救你。"霍雨浩有些无奈地说道。

叶骨衣眉毛一挑，不屑地道："就凭你，也想击败我？就算你是邪魂师也不可能。"

霍雨浩有些无奈地道："自大害死人啊！你就长长心吧。那我们就这样约定好了。我击败你，你就听我安排，我一定会尽量护你周全。你必须明白，你的神圣属性对于邪魂师来说威胁太大，他们一定会在你羽翼未丰之前除掉你啊！"

"好。你击败我，我就听你的。"叶骨衣的俏脸上满是高傲之色。她一点也不相信自己会输给这个残疾人。先前她可没少注意霍雨浩，对于霍雨浩能够制作出人形魂导器来也很吃惊，但是，她绝对不会认为这个人是自己的对手。

霍雨浩不再吭声，身形后退的同时，突然正面轰出一拳。

刹那间，叶骨衣只觉得自己面前仿佛不是一个人，而是一座巍峨耸立的高山。一只灿金色的拳头在她眼前瞬间放大。

强烈的金白色光芒从她身上骤然升起，手中长剑剑芒四射，剑尖前点，正好刺在霍雨浩的拳头之上。

"叮！"

论修为，两人都是极致武魂，霍雨浩就算有双生武魂的加持，也是弱于叶骨衣的。但他这件人形魂导器上的魂力放大器起到了极大的作用。双方碰撞，魂力是不相上下的。

叶骨衣只觉得一股强悍的精神波动扑面而来。那种君临天下的威严，仿佛要将她压垮一般。

霍雨浩现在的君临天下，经过了他自己的不断改良，和当初穆老传授给他的区别很大。因此他不怕圣灵教的人看出来。同时，他这君临天下在改良之后，即使不用光之女神来施展，威力也是巨大的。其中，精神力起到的效果要大大超过魂力。这是和原本的君临天下最大的差别。

叶骨衣可不是之前的蓝若若，背后洁白的羽翼猛然一展。霍雨浩顿时感觉自己的精神力仿佛遇到了一堵神圣的屏障一般，被完全阻挡在外。但是，他这一拳终究阻止住了叶骨衣的攻势，令这位天使武魂的拥有者向后跌退半步。

趁此机会，霍雨浩身上的气息骤然一变，一圈灰色光环瞬间浮现在他的脚下。他的双眸也随之变成了灰色。

灰色魂环？叶骨衣吃了一惊。她还从未见过这样的魂环。这种不正常而且充满了邪恶气息的存在，显然是邪魂师才可能拥有的啊！

"你这个骗子，你分明就是一个邪魂师。"叶骨衣在心中愤愤地道。

霍雨浩无奈地道："如果我没有这样的表现，你认为夕水盟和圣灵教的人会信任我吗？记得我们先前的约定，我击败你，你就听我的。小心了。"

很明显，因为霍雨浩释放出的亡灵法师气息，叶骨衣对他的信任骤降，手中长剑一抖，背后圣洁的双翼瞬间展开。那一根根羽毛，散发出一层柔和的金白色光雾。强烈的光芒使得她整个人似乎都变得透明了一般。浓郁的神圣气息中，长剑前指，顿时，无数剑芒朝着身上邪意弥漫的霍雨浩飞射而来。

看到这一幕，台下邪魂师们的脸色顿时变得更加难看了。如此纯粹的神圣之力，令台下的他们也感受到了一阵阵不舒服。

这叶骨衣只不过是两翼天使，就已经如此厉害，等她修为提升到七环，拥有武魂真身之时，很可能会再生出两翼，到了九环，便有可能变成六翼炽天使。那时候，对圣灵教来说，她就是强大的敌人了。

而且，叶骨衣的出现，完全打乱了圣灵教的部署。如果让她获得了最终的冠军，那

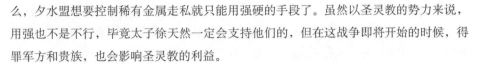

么，夕水盟想要控制稀有金属走私就只能用强硬的手段了。虽然以圣灵教的势力来说，用强也不是不行，毕竟太子徐天然一定会支持他们的，但在这战争即将开始的时候，得罪军方和贵族，也会影响圣灵教的利益。

现在就看霍雨浩能不能战而胜之了。那位副教主已经想好了，一旦霍雨浩陷入劣势，她就会想办法直接插手到比赛中。虽然这样依旧会得罪其他两方，但总比完全撕破脸要好一些。

好强的神圣之光啊！霍雨浩心中暗暗惊叹。叶骨衣身上散发出的神圣气息，令他整个人仿佛沐浴在了温暖之中。这股温暖的气息无孔不入地向他体内侵蚀。如果他真的是邪魂师，恐怕自身的实力直接就会被大幅度削弱。

身形迅速后退，霍雨浩的右手虚空一抬，依旧通过魂力放大器进行增幅。一根修长的法杖出现在了他的手中。

那从脚下升起的灰色魂环光芒闪烁，但紧接着，它竟然迅速变成了金色。

金色光晕氤氲而起，将霍雨浩的人形魂导器渲染成了同色。与先前的君临天下不同，这一次，金色变得更加深邃，充满了光明气息。

这一下，无论是台上的叶骨衣还是台下的邪魂师们，全都看得目瞪口呆。

前一刻还邪气凛然的他怎么会突然充斥着如此浓郁的光明气息了？这个戏法究竟是怎么变的？

正当邪魂师们大吃一惊的时候，副教主向前迈动一步，低沉的咒语声从台上传来。霍雨浩右手之中的法杖朝着空中一指，顿时，一团惨白色的火焰在空中荡漾起来，很快化为一道身影，出现在霍雨浩的身前。一层白色光幕向外顶出，挡住了那些附带有神圣之光的剑芒。

看见这道身影，圣灵教副教主的动作停住了。那分明是刚刚战死的黄征的模样啊！

只不过，此时的黄征，神色僵硬，唯有虚幻的光芒，分明是灵魂形态。可霍雨浩凭借他这灵魂形态，居然挡住了叶骨衣的剑芒。

控制灵魂，这一向是邪魂师擅长的手段。可是，为什么他的气息却充满光明？哪怕是副教主，在这一刻也变得迷惘了。

叶骨衣的感受自然最为深刻。她发现，当霍雨浩身上那唯一的魂环变成金色之后，自己的第一魂技——圣光普照就对他失去了作用。对邪魂师有立竿见影效果的神圣之光完全失去了效果，被他的魂力所抵挡。他瞬间召唤出的黄征灵魂虽然在自己的剑芒中逐

渐破碎，但也给他带来了足够的缓冲时间。

霍雨浩口中始终在吟唱着冗长的咒语，手中的法杖却毫不停顿，朝着地面上一指。顿时，一只只金色骨爪从地下探出，朝着正要前冲的叶骨衣抓去。

叶骨衣的七星长剑横扫，斩碎这些骨爪，背后双翼拍动，立刻升入空中。

霍雨浩控制着人形魂导器的右臂在身前横扫。一道金芒闪过，顿时，一个个淡金色的身影带着几分惨白的光芒出现在他的面前。

那是一个个面部僵硬，身材高大，却都有缺陷的尸巫。一共七个。每一个尸巫手中，都拿着一根骨杖。七个尸巫出现后，正好围绕在霍雨浩周围，口中都发出了怪异的声音，高举着法杖。

死灵圣法神、亡灵天灾伊莱克斯告诉过霍雨浩，死灵魔法和亡灵魔法其实是两个门类，能力各不相同。其中，亡灵魔法一般分为诅咒、病毒、召唤、黑暗、炼金等五大门类。伊莱克斯擅长的，就是其中的诅咒和召唤两大类。他对死灵魔法也有深刻的研究，所以才有了后来的成就。其中，伊莱克斯最擅长各种召唤以及灵魂仪式。

如果伊莱克斯还活着，那么，他至少是比龙皇斗罗龙逍遥这种极限斗罗更高一个层次的存在。他曾凭借着擅长的亡灵魔法领域，对抗过一个国家，并将其覆灭啊！这是何等的强大！只不过，后来伊莱克斯大彻大悟，在传授霍雨浩亡灵魔法之前，就对他进行了一系列的考验，并且把自己曾经出现过的问题都一一帮霍雨浩解决。他留给霍雨浩的，可以说是一种纯净的光明属性的亡灵魔法。这是伊莱克斯独创的一种魔法，也是他的"法神"称号前加了那个"圣"字的原因。

"去死吧！"就像圣灵教的一群人并没有因为霍雨浩身上散发出的光明气息就不认为他是邪魂师一样，看着那些亡灵生物，叶骨衣眼中寒光大盛。双手握住七星长剑，将它高举于头顶上方，身上的第二魂环随之亮起。

在她背后，一道六翼天使的光影闪过，剑芒瞬间暴涨。那璀璨的剑刃在这黑夜之中耀眼夺目，令人不敢直视。

一道长三丈、宽一丈的巨大剑芒从天而降，直奔霍雨浩当头斩下。

圣灵斩——神圣天使武魂的第二魂技！

当这一击出现的时候，霍雨浩只觉得自己的灵魂仿佛被锁定了似的。巨大的剑芒化为惊天长虹从天而降。

霍雨浩身边的七名尸巫随着他的咒语在这一刻完成了。在他的头顶上方，突然裂开了一道金色缝隙。紧接着，一只惨白的巨大头颅就从里面钻了出来。

准确地说，那不是头颅，而是一个巨大的头骨。如果有人看过唐门与圣灵宗在全大陆青年高级魂师精英大赛那一战的话，就会很容易认出，这分明就是一只骨龙的头骨。而且，不同于当初言风所化的骨龙，这个骨龙头骨的体积要大得多，至少是那个的五倍大。

成年骨龙！邪魂师们一眼就认出了这大家伙的来历。

这头成年骨龙的眼眶内，闪烁着的是亮金色的灵魂之火，竟然也诡异地充满了光明气息。那金色的眸光就像液体一般顺着面部的骨骼向下流淌。巨大的头颅向上一仰，发出无声的咆哮。

"锵！"清脆的爆鸣声响起，圣灵斩狠狠地斩在了那巨大的头颅之上。但是，圣光溃散，骨龙恐怖的巨大头颅并没有任何变化。灵魂之火跳动，巨口猛然张开，一团淡金色的龙焱直奔叶骨衣喷了出去。

在喷出这一口龙焱之后，骨龙庞大的头颅缩回了那裂开的缝隙之中。

叶骨衣万万没想到面前的对手竟然如此难以对付。圣灵斩失效，那巨大的龙焱出现的一瞬间，扑面而来的强大威势就令她身体周围的神圣之光剧烈震荡，像在面对狂风巨浪一般。

初生牛犊不怕虎的叶骨衣虽然有些冲动，但她是有真才实学的。面对这种情况，她丝毫不惧，身上的第五魂环又一次亮了起来。

宛如太阳般璀璨的圣剑再次莅临人间，悍然斩向那庞大的龙焱。

圣剑确实非同凡响，龙焱竟然被硬生生地从中剖开，顺着她的身体两侧划过。但是，叶骨衣也没占到什么便宜，踉跄着向后倒退了几步，俏脸也变得有些苍白了。

"好。"台下休息区，圣灵教副教主忍不住低喝一声，声音中充满了赞赏之意，"联合召唤，这等技巧真是罕见。刚才那头骨龙绝对不普通。南宫碗，这次你为本教发现人才，算你立下一大功。不过，这唐五恐怕不能做你的弟子了。我将亲自向教主禀告，我们之前的猜测很可能是正确的。他就是本教圣子！"

"是。"南宫碗虽然心中充满遗憾，但更多的是震惊。霍雨浩虽然看上去修为不高，但从他先前能够召唤出成年骨龙就能看出，这小子绝对前途无量啊！言风前几天战死之后，教主大怒。而这唐五虽然实力不如言风，但似乎潜力更大一些。如果他刚才的

召唤能够完成，是不是能让那头骨龙完全现身呢？如果是那样的话，一般的封号斗罗都无法抗衡吧。当然，想要完成那种程度的召唤，他自身恐怕也要达到封号斗罗级别的水准才行。

震退叶骨衣后，霍雨浩身边的七名尸巫也随之消失。他口中吟唱不断，一扇白色的大门在他面前徐徐升起。

"开启吧，亡灵之门。"霍雨浩终于喊出了一句观战者们能够听懂的话。

召唤出大门后，霍雨浩竟一步跨入其中，消失不见。紧接着，一只只骷髅兵成群结队地从里面涌出，朝着叶骨衣扑了过去。

这些骷髅兵的身上无一例外地闪烁着一层淡淡的金色。身为亡灵生物，它们最大的特点就是悍不畏死。

叶骨衣手中的长剑横扫，每斩出一剑，都有骷髅应声倒地。但是，她的脸色变得越来越难看了。

她的神圣天使武魂，天生就是邪恶生物的克星，也是邪魂师的克星。只要击杀了邪恶生物，将其净化，她就会因此得到纯正的净化之力来反馈自身，恢复魂力并且提升修为。这也是她最大的底牌。

但是，眼前的这些亡灵生物，竟然真的拥有光明属性一般，对她的神圣属性没有丝毫畏惧。她那骄傲的神圣之光作用在这些亡灵生物身上不但没有任何效果，就算杀死它们之后也得不到任何反馈。

属性是不会欺骗自己的。这些竟然真的是光明属性的亡灵生物吗？

骷髅只不过是那扇亡灵大门打开后的第一波攻势。在骷髅海之后，大量的尸巫开始出现，更强的骷髅骑兵也渐渐出现在比赛台上。它们的个体实力都不算太强，但胜在数量庞大、源源不绝！它们在比赛台上前赴后继地冲向叶骨衣。

叶骨衣手中的七星长剑高举，第四魂环闪耀。背后的双翼先是向上扬起，再用力下拍。顿时，层层叠叠的神圣之光宛如泉涌一般以她为中心向外扩散，将大量的亡灵生物震碎、震飞。

圣光灵阵！

如果围攻她的这些只是普通的亡灵生物，那么，她这个圣光灵阵定然能将其全灭。可是，这些光明属性的亡灵生物对她来说太难对付了，不但不需要休息，而且只要最前面的骷髅兵死掉一片，其他兵种立刻奔涌而上，没有任何溃散的意思。

叶骨衣连放大招，魂力却得不到有效的补充，脸色开始变得越来越难看了。

台下，南宫碗由衷地赞叹道："是的，这个唐五一定是圣子降临啊！连神圣属性都不能伤害的亡灵生物，简直是太美妙了！恭喜副教主！"

第350章
吞噬天使

　　副教主显然对霍雨浩的表现也很满意。这绝对是一份大大的惊喜。能正面击溃对手获得比赛的胜利，圣灵教自然就不用跟贵族和军方翻脸了，一切按照先前规定好的计划来就是了。更何况他们还有霍雨浩这个超级邪魂师天才存在。圣子降临，圣教必然大兴。

　　"现在你该相信了吧？"霍雨浩的声音又一次在叶骨衣耳中响起。

　　叶骨衣紧咬牙关："相信什么？相信你这个邪恶的邪魂师？"

　　霍雨浩轻叹一声："你怎么还不明白呢？如果我是真的邪魂师，那为什么我的召唤生物不怕你的神圣属性？如果我要害你，还用得着和你说这么多废话吗？你看。"

　　说着，那扇亡灵大门突然增大了几分。伴随着低沉的马蹄声，一个个骑着高头大马的骑士开始出现在比赛台上了。

　　这些骑士全都穿着死灰色的铠甲，头上戴着头盔，隐隐有金色的灵魂之火在头盔内跳动。他们胯下的战马只有骨骼，却奇大无比，都踏着淡金色的火焰。

　　出现的骑士只有三名，但每一个人身上散发出的气势都比先前的亡灵生物不知道强大了多少。

　　这三名骑士出现之后，立刻分散在三个方向。之前出现的低等亡灵生物就像找到了主人似的，自行向这三个方向聚集。它们的攻势在三名骑士的指挥下，顿时变得有序了。叶骨衣感觉到自身压力倍增。

身为神圣天使武魂的拥有者，她对邪恶武魂的研究比谁都多，自然认得出这种亡灵生物是什么。

这是一种天生就是魂帝级别的死亡骑士！

如果面对的是真的死亡骑士，叶骨衣并不惧怕。魂帝修为的她，有信心凭借自己的天使武魂将其净化。

可是，这死亡骑士一出现就是三个啊！它们不只是个人实力有魂帝修为，而且还能统驭其他亡灵生物，令这些从亡灵之门中钻出的家伙真正组成一支军队。

事实上，霍雨浩现在的能力之中，死灵圣法神、亡灵天灾伊莱克斯留给他的这个独有的武魂——亡灵魔法，在整体实力上比他另外两个武魂加起来都强。原因有两个：一是伊莱克斯给他留下了便于召唤的亡灵半位面；二是霍雨浩拥有强大的精神力。

在伊莱克斯的那个世界中，精神力是决定魔法威力的重要因素，也是魔法持续时间的有力保证。

霍雨浩在施展他这独有的亡灵法师武魂时，他的实际能力确实达到魂圣级别了，而且是相当于魂圣级别的邪魂师水准。这个在明面上不能用的能力，却可以用唐五这个身份来施展。

此时，别说场内的那些观众了，就连远处的玄老都看得目瞪口呆。他也无法理解，霍雨浩现在施展的这种充满了光明属性，却属于邪魂师的能力究竟是怎么回事。

叶骨衣的脸色变得越来越难看了。她能够清楚地感觉到，自己的魂力在不断击杀这些亡灵生物的过程中正在飞速地下降着。继续这样下去的话，她早晚会被对方数量众多的亡灵生物磨死。

而且，她的脑海中始终盘旋着一个问题——为什么这些亡灵生物不怕我的神圣武魂啊！

亡灵之门内，已经不再有亡灵生物涌出了，但只是台上的这些亡灵生物就已经令她应对得很困难了。那三名死亡骑士正在不远处冷冷地凝视着她，指挥着手下的小弟们，还不时发出一道道死亡之光，将被她击杀的亡灵生物复活。

这似乎已经进入了一个循环。

就在这时，充满奇异气息的冗长咒语又一次响了起来。这一次，咒语是直接从那扇

巨大的亡灵之门中响起的。庞大的亡灵之门剧烈地颤抖着。以它为中心，周围开始有大量的光芒涌动。这些光芒呈现为诡异的金绿色，而亡灵之门竟然在渐渐扩大。

不好！叶骨衣骇然色变——那家伙竟然还有更强的手段吗？

她知道，自己不能再等了。她第一次为自己今天贸然显露出神圣天使武魂而感到有些后悔。

但是，后悔的念头在她的脑海中一闪而逝。如果不是意志力极其坚定，她也不可能驾驭得了自己的神圣武魂。

猛然长啸一声，叶骨衣傲然举起了手中的长剑。那把七星长剑骤然燃烧了起来。能够看到，完全用稀有金属打造的剑身，竟然在那强盛的神圣魂力中熔化了。她身上散发出的神圣金光也渐渐变成了金红色。在她背后，亮起了一个巨大的炽热光团。第二双洁白的羽翼在她身后舒展开来。

能够看出的是，这新展开的双翼并没有原本那双的质感。它们是由光芒凝聚而成的。可尽管如此，那些光明属性的亡灵生物也充满恐惧地裹足不前，就算死亡骑士拼命地催促它们也没用。

第六魂环——漆黑如墨，在叶骨衣身上缓缓升腾。整个升腾的过程中，它那深沉的黑色渐渐变成了与她自身相同的金红色，然后悄然融入自身。

手中熔化的长剑和她自身散发出的光芒凝聚成一把长达一丈的巨剑。那金红色的剑芒仿佛要将天地刺穿一般。

骤然间，叶骨衣动了。她在空中一步跨出，身体旋转，手中巨大的光剑顿时舞动起来。背后四片天使之翼光芒闪烁，看上去是那么美丽动人。

第六魂技——天使之舞。

凭借着自身武魂的强大，她强行提升到接近七环武魂真身的状态。手中的圣剑化为太阳圣剑，所过之处，亡灵生物纷纷化为齑粉。

三大死亡骑士迅速聚集在一起，悍不畏死地朝着她发起了冲锋。但是，在那燃烧着神圣之火的太阳圣剑面前，他们每个人只坚持了不到三秒钟，就全部被恐怖的光能蒸发了。

台下，圣灵教那几位封号斗罗级别的长老，脸上都流露出了惊惧之色。他们自身的邪武魂竟然都因为台上那修为不过魂帝级别的少女而颤抖了。这神圣天使武魂不愧是他们最大的克星啊！太强了。

叶骨衣一剑斩杀最后一名死亡骑士，背后的四翼猛然一拍，大片圣光就从身上澎湃而出。她双手握剑，高高跃起，带起漫天金红色的光影，无比强悍地朝着那扇巨大的光门斩去。在她那娇艳的面容上，充满了一往无前的决然之色。

就在这个时候，以叶骨衣和亡灵之门为中心，直径五十米范围内的光芒突然都剧烈地扭曲起来。一切都变得不再清晰。外界已经无法看清场中究竟发生了什么。

只有叶骨衣震惊地看到，那巨大的亡灵之门中，出现了一只眼睛，一只充满了灿烂金光的眼睛。

下一刻，她只觉得自己那坚韧的精神世界被一股极其强大的力量猛然撞中，天使之舞的力量骤然溃散近半。

紧接着，一道金色的身影就迎了上来。她是那么清丽脱俗，又充满了无尽的光明，哪还有半点亡灵的气息？她那一头长发在身后飘扬，纯净的金色之躯仿佛带有无尽的生命力。而且，从她身上，叶骨衣竟然也感受到了一份神圣气息。

刹那间，这道金色身影就和她撞击在了一起。

叶骨衣的气势骤然一泄。在这一刻，她终于信了。

无论之前霍雨浩说过什么，都没有她自己的感受深刻。神圣气息，是绝对没有办法造假的，更不是任何邪魂师能够模拟出来的。哪怕只是很淡的一丝神圣气息，也只有内心极为光明的人才能产生。

霍雨浩的声音在她脑海中响起："感受到了吗？"

"嗯。"

"好。"

两人的交谈十分简短，下一刻，场中的局面已是大变。

扭曲的光影突然变得清晰了。所有人都看到，那剧烈震动中的亡灵之门内，无数条粗大的锁链带着锋利的镰刀从里面激射而出。

而前一瞬还无比强势的叶骨衣，此时悬浮在半空中，全身覆盖着一层死灰色，眼眸也失去了光彩，背后的四翼重新变成了两翼。

那一把把带着粗大锁链的镰刀，纷纷刺破她的身躯，将她穿透、缠绕，将她牢牢地锁定在内。这一刻的她，像完全失去了灵魂。只有鲜血在空中挥洒，又蒸发成无数灰黑色的气流。

所有粗大的锁链猛然回扯，就那么将她的身体拽进了极其恐怖的亡灵之门中。

亡灵之门终于闭合。在闭合的瞬间，它已经变成了一张利齿森森的狰狞大嘴，用力地咀嚼着。

全场一片寂静。绝大多数人都有种毛骨悚然的感觉，背脊上冒出了无数冷汗。

一道裂缝凭空出现，亡灵之门悄然消失。光芒闪烁中，那高达两米五的金属之躯重新出现在比赛台上。

此时，台上已经一片肃静。那钢铁之躯傲然站立，但在所有人眼中，他已经充满了阴森之气。每个人都不自觉地将看向他的目光压低，不敢去看他的面庞。而他那原本闪烁着淡淡金光的面罩处，眼眸的颜色也变成了血红色。

"还有谁？"森冷的声音从他那面罩内传出。声音森然、冰冷，更有着一种震慑灵魂的强势。

全场一片寂静，悬浮在半空中的裁判长叶雨霖此时面部肌肉抽搐。他突然发现，以他的实力，对这个深不可测的年轻人竟然都产生出了几分恐惧之心。

邪魂师！他竟然是如此强大的邪魂师！为什么一个拥有这样天赋的天才魂导师竟然是一名邪魂师啊？叶雨霖的心情挣扎而痛苦，但是，他肯定地知道，这样一名邪魂师，圣灵教是绝对不可能放出来的。而且，他也绝对不愿意收一名邪魂师为徒。

"啪啪啪……"突兀的鼓掌声响起。

霍雨浩顺着声音传来的方向看去。他看到的，是一双充满邪异感觉的灰蓝色眼眸。这双眼眸的主人，正是那位圣灵教的副教主。

紧随她之后，四位圣灵教长老的眼神中都充满了亢奋，狂热地鼓起掌来。

在全场这么多人中，只有他们几个人在鼓掌。局面显得非常怪异。可是，这也唤醒了很多人的记忆。

他赢了！代表夕水盟出战的唐五，赢得了这场明都魂导师精英大赛的最终胜利。

叶雨霖降落在比赛台上，眼神复杂地看着面前的霍雨浩。他突然有种冲动，想要降下天空中的日月神针，将这个家伙摧毁。

天才魂导师、天才邪魂师，未来的他真的是帝国能掌控的吗？而圣灵教有了这样的天才后辈，未来将会何等兴盛？

但是，叶雨霖终究不敢。在下面五位封号斗罗级别的邪魂师虎视眈眈的注视下，他终究不敢那么做啊！

霍雨浩对于这里的众多强者来说，展现出的是天分。可论实力，他和这些封号斗罗、九级魂导师，实力上有着天差地远的距离。可是，他凭借着自己对众人心态的把握，以及对邪魂师、三大地下势力心态变化的正确判断，以一己之力掌控了整个局面。邪魂师反而成为了他的保护伞。

金属面罩之下，一抹淡淡的微笑已经从他的面庞上浮现而出。今天的意外之喜，还真是很多呢。对于自己的表现，霍雨浩十分满意。自身的众多能力，终于有种融会贯通的感觉了。

他毕竟还是年轻人，内心深处悄然呐喊着：请叫我百变霍雨浩！

"夕水盟，唐五，胜。"叶雨霖复杂的眼神终于恢复正常，有些艰难地宣布了最终结果。

当这个结果宣布出来的时候，原本应该十分不爽的奥都商会和平凡盟，此时却噤若寒蝉，竟然没有人跳出来稍作反对。

第351章
恐怖大爆炸！

霍雨浩展现出来的能力，又怎能不让他们恐惧啊！他们恐惧的不是台上的唐五，而是台下，那森然站立，丝毫不再掩饰自身气息的五大邪魂师。

一名如此年轻的邪魂师都恐怖如斯，能够将那神圣天使武魂的拥有者斩杀、吞噬，那这些更强的邪魂师又会有怎样的力量啊？

霍雨浩向着叶雨霖点了点头，道："既然我赢了，就请裁判长给我颁发奖励吧。"

一道道身影悄然出现在霍雨浩身边，正是那位副教主带着圣灵教的四位长老来到了霍雨浩身边。

那位副教主目光邪异地盯着叶雨霖。她没有说什么，但是，那不断升腾着的气势令叶雨霖骇然色变。

超级斗罗，这人竟达到了超级斗罗的修为！超级斗罗的邪魂师啊！

南宫婉此时已是志得意满，高声说道："明都魂导师精英大赛的冠军，属于我夕水盟。从这一刻开始，我们的赌约已经完成。安立桐、上官薇儿，你们还有什么说的？"

两位地下势力的大佬此时已经站起身来。安立桐脸色极为难看，想要抗争几句，但看着台上的五大邪魂师，终究还是隐忍了下来，艰难地摇了摇头。

上官薇儿那精致的面庞上也有些呆滞，眼神中充满了沉痛之色。叶骨衣的死，对她的打击实在是太大了。

南宫婉傲然地道："好，既然你们没什么说的，一切就按照规定行事。明天你们到我夕水盟总部来，我们好好商量一下后续的事。"

安立桐冷哼一声，带着他的人转身就走。上官薇儿的目光则骤然变得怨毒起来，恶狠狠地盯了台上的霍雨浩一眼，也转身离去。

比赛以如此震撼的场面结束了。在场的贵族们、观众们，包括那些赢了钱的赌徒们，都慌不迭地起身，快速离去。他们实在不愿意再看到那个全身覆盖在人形魂导器下的恐怖魔王。是的，在他们眼中，此时的霍雨浩与魔王无异。

奖励，一一摆在了霍雨浩面前。

以吨来计算的稀有金属，还有那重中之重的九级魂导器日月神针。

日月神针，实际上是两个环形的魂导器，一大一小，大的直径大约有一米五，小的则是一米左右。大的为金色，小的为银色。上面铭刻着的复杂纹路，连霍雨浩这位实际上已经有七级的魂导师都看得头晕眼花。

叶雨霖叹息一声，将日月神针交给了霍雨浩，沉声道："想要使用它，你的修为必须要达到八环以上。否则，你根本无法控制它，也没有足够的魂力来支持它。不要试图破解我这件魂导器，否则，它会让你粉身碎骨。言尽于此。"

说到这里，叶雨霖停顿了一下。这位星空斗罗终究还是忍不住道："我对你的人形魂导器的结构很有兴趣，如果你愿意的话，可以将它的图纸卖给我。价钱好商量。这是我的联系方式。"说着，他将一张卡片递给了霍雨浩。

"好的。"霍雨浩没有多说，就将卡片收了过来。

和菜头此时已经来到了霍雨浩身边，用手臂略微碰触了霍雨浩一下。霍雨浩扭头看了他一眼，脸上露出一丝淡淡的微笑。此时，在他们身边，五大邪魂师封死了所有可能离开的线路。除了看不见面容的副教主之外，每一个脸上都浮现着满意的微笑。

霍雨浩也笑了，只不过他的笑容被隐藏在人形魂导器之内。时间，差不多了呢。

地下仓库。

"轰——"

无数金属碎屑四散纷飞，但那坚实的地宫并没有太大的颤动。只是距离仓库一层大门最近的一堆稀有金属散乱倒地，引来了一片魂导射线的乱射。

徐国忠脸色阴沉地驱散身前的烟雾。那些魂导射线只要到达他身前一米外，就全被一层无形的屏障阻挡在外。

地下仓库的防御体系建立得太完善了，以至于他们用了很长的时间，才破坏了外面的各种触发式魂导器陷阱，完成了对大门的爆破、破坏。

损失可想而知。想要重新修复，不只需要大量的金钱，更需要无数的时间。但徐国忠也没办法，他必须尽快进入地下仓库内，看看这次的损失有多少。而且这件事绝对不能对外宣扬，一定要尽可能地保密。否则，太子徐天然如果想要弹劾他，毫不困难。那时候，他可就要出大问题了。

一道道强横的魂导射线从徐国忠背后发射而出。他手下的众位高阶魂导师纷纷将第一层仓库被触发的魂导器破坏。

一名八级魂导师道："看来里面的机关问题不大，依旧能够被触发。亲王殿下，我先进去探路。"

属下的忠心，总算让徐国忠的脸色略微好看了几分，轻轻地点了点头："小心点。"

"是。"八级魂导师轻车熟路地进入仓库之中，开始快速查看着第一层的情况。很快，他的声音就远远地传了过来。

"殿下，第一层没有失窃，但通往第二层的大门已经损毁。所有魂导器陷阱正常，并没有被触发的痕迹，似乎是很熟悉我们这里的人干的。"

徐国忠带着其他人避开各个陷阱，很快来到第一层通往第二层的大门处。看着地面上散落的碎屑，他蹲下身体，捏起一点查看。

身为九级魂导师，徐国忠对金属的熟悉度可想而知。很快他的脸色就变了："竟然失去了一切金属的特性，就像灰尘一般。这怎么可能？大门可是用十多种合金制作而成的，本身还附带有防御魂导护罩，被破坏时一定会发出警报的。这入侵之人究竟是怎么做到的？李冲是内鬼。"

他现在心中已经有了明确的判断。李冲失踪了，而外面的所有机关都没有被触发，只有一些装置被人为破坏。不是极其熟悉这里的人是绝对做不到的。而这个人，只能是今天值守的李冲，只有他具备这样的条件。

狠辣之色在徐国忠眼底一闪而没，沉声道："进第二层。"第二层的稀有金属才是最珍贵的存在啊！

此时，徐国忠反而没有那么担心了。毕竟，稀有金属绝大多数都是密度极大、重量极大的东西。就算用储物魂导器搬运，也不可能带走太多才对。而这点损失，对于庞大的仓库来说，并不算什么。只要损失不太大，他就有把握把这件事压下来。

但是，进入第二层之后，徐国忠的脸色很快就变得难看起来。那原本摆放得十分整齐的一堆堆稀有金属，竟然大片大片地不见了。他只是走出不到十米，就发现损失的数量已是触目惊心。

"浑蛋！他一定是早有预谋的，把最珍贵的带走了！"徐国忠脸色难看得仿佛要滴出水来一般。

越向里面走，他的脸色就越难看。此次损失之大，已经远远超出了他的预估，根本已经无法用金钱来衡量了。尤其是那几种特别稀有的金属，更是被扫荡一空。譬如，在这仓库中储量不到一吨的钻石精金，一点渣子都没有留下啊！

"殿下，不好了。第三层大门也被打开了。"一名属下的声音远远地传来。徐国忠只觉得眼前一黑，险些晕过去。第三层的大门竟然也被打开了？一种不祥的预感迅速在他心中升起。

很快，徐国忠就带领着属下们来到了通往第三层的大门处。

破门的痕迹和第二层的情况一模一样。坚实的大门化为灰烬。唯一令徐国忠略微放心的是，一眼望去，第三层那一望无际的庞大储藏空间中，魂导器并没有太过明显的丢失痕迹。

"搬啊！浑蛋！我让你搬啊！有本事你怎么不都搬走？"徐国忠歇斯底里地大吼。储物魂导器能够搬走的数量毕竟是有限的，可是，那失窃的稀有金属令他此时心如刀绞。

"去查查，第三层有什么损失没有。"

很快，属下们有些颤抖的声音就传来了。

"殿下，所有密封奶瓶和五级以上的定装魂导炮弹，都失窃了……"

"哇——"徐国忠一口鲜血狂喷而出，脸色瞬间变得一片惨白。太狠了！李忠这王八蛋也太狠了！竟然……

正在这时，徐国忠的眼睛下意识地朝着一个方向看去。因为就在那个方向，一层淡淡的红光悄然弥漫。

红光扩散的速度很快，只是一会儿的工夫，那堆积如山的定装魂导炮弹下面，就已

经平铺上了一层红色。

徐国忠身为九级魂导师，很快就判断出了那是什么。一抹绝望之色在他眼底闪过，他呆呆地自言自语道："定时高爆魂导器……"

红色，升腾！

"唐五，感谢你为本盟作出的贡献。这些是你应得的。"包括那枚九级定装魂导炮弹在内，夕水盟的奖励全都摆在了霍雨浩面前。

霍雨浩毫不客气地将这些东西收好。这本来就是他本次参赛的重要目的之一。

"多谢南宫盟主，如果没什么事，我们就先走了。"此时的霍雨浩依旧在他的人形魂导器之中，并没有出来，抬脚就要离去。

"等一下。"副教主一抬手，拦住了霍雨浩、和菜头兄弟二人的去路。

霍雨浩淡淡地问："怎么？难道帮你们赢得了比赛，还不让我们走了吗？"

副教主微笑道："当然不是。只是我们有点事情想要和你商量商量。看你的能力，你本身是邪魂师吧？"

霍雨浩不耐烦地问："这和你们有什么关系？"

副教主一点都没有因为霍雨浩冷硬的态度而有什么情绪变化，依旧和缓地道："当然有关系。因为，我们是同类。"

说着，在她身上，一股令霍雨浩、和菜头震惊的气息瞬间升腾而起。

灰蓝色的光芒在她身后瞬间扩散，一声尖锐至极的尖啸声随之出现。那灰蓝色的光芒瞬间升天，凝结成一只凤凰的形态。冰冷至极的邪恶气息，以惊人的速度令比赛台上方的天空变成了一片灰蓝色。

好强大的邪气！哪怕以霍雨浩、和菜头这样的修为，面对这位副教主身上散发出的气势，都不禁全身冰冷、僵硬，仿佛灵魂都被锁死了一般。

邪凤凰，她竟然是邪凤凰武魂！这可是无限接近极致之邪的强大武魂。

这位副教主绝对是超级斗罗，而且修为不止九十五级。

在她身后的四位长老，此时都已经退开几步，脸上满是钦佩之色。

副教主的声音依然柔和："你看，我们是一类人。虽然我不太看得出你的邪武魂是什么，但加入我们，你将拥有一切。"她的声音中，仿佛有一种奇异的魅力，令霍雨浩有种怦然心动的感觉。

"你能以光明之力施展邪魂师的能力，那类似召唤的亡灵魂技我很喜欢。你就是本教寻找已久的圣子。圣子降临，本教大兴。加入本教，你就是未来这个世界的主宰。"

要知道，此时这边的观众们还没有走完，他们在天空中的灰蓝色光芒照耀下，仿佛变成了一尊尊灰蓝色的雕像一般，动弹不得。在他们头上，仿佛有扭曲的灵魂惊恐地挣扎着。

霍雨浩心头微沉。圣灵教如此肆无忌惮，这意味着什么？意味着他们对自身的实力有着极端的自信啊！

就在这个时候，突然间，副教主猛然朝着明都城内的方向看去，仿佛感受到了什么。

紧接着，所有人都明显感觉到脚下的大地开始轻微地震颤。

远处的玄老也感受到了。他吃惊地回身看去。他比那副教主早一步发现了情况不对。但是，和圣灵教副教主不同的是，他更敏锐地感觉到，这震动传来的方向正是霍雨浩先前发出绿色信号的那个位置。

怎么回事？发生了什么？

这几乎是所有人心中共同的疑惑。

副教主拔身而起，化为一道灰蓝色光影，瞬间就升上了高空。她的速度实在太快了，就连先前天空中的灰蓝色光芒也全都被她带走了。

千米高空之上，副教主朝着远方的明都俯瞰。她那原本平和的眼神，一下就变了。瞳孔瞬间收缩得只有针尖大小。她看到了毕生无法忘怀的一幕。

就在明都的一角，毫无预兆地，大片建筑瞬间下陷，无数土石、灰尘在那下陷的地方升腾而起。

紧接着，大地发出了愤怒的咆哮。那下陷的地面，以十倍百倍的速度奔涌而起。一团巨大的蘑菇云，伴随着无与伦比的爆炸力瞬间升腾。

哪怕是从千米高空向远处俯瞰，副教主也能感受到那极其恐怖的一幕。她几乎是如同倒栽葱一般落下，瞬间扑倒在地面上。

"轰隆隆……"

大地在呻吟，大地在咆哮，一切都在颤抖。刹那间，明都仿佛变成了地狱降临之地。无与伦比的恐怖爆炸力，几乎瞬间席卷了这座大陆第一城市超过三分之一的面积。强烈的冲击波，更是几乎席卷了整座城市。

　　无数的土石飞溅，无数的碎片升腾，无数的泥土飞扬，炽热、疯狂、恐怖的冲击波在全城肆虐。

　　这是任何已知的九级定装魂导炮弹无法达到的。在爆炸的一瞬间，整个明都都在呻吟，在颤抖。

　　而在这个时候，明都中住着一千多万前来参赛、观战的各地观众。尽管有很多人聚集在西郊这边等待明都魂导师精英大赛的结果，可是，那恐怖的冲击波将带走多少生命啊……

　　在斗罗大陆的历史上，这一天，日月无光，天地色变！

　　连这件事的始作俑者霍雨浩自己都没想到这一切会来得如此疯狂，如此恐怖。

　　此时的他，同样面无人色。在那仿佛灭世一般的恐怖大爆炸中，他根本不敢带着和菜头前往亡灵半位面。因为此时附近所有的异度空间似乎都已经被那爆炸撕碎。

　　一道黄色身影，在那疯狂的爆炸和飞沙走石之中，稳稳地出现在霍雨浩、和菜头身后，一手一个，抓起二人，几次闪烁之后，消失无踪。

　　"这件事，是你们做的？"玄老低沉的声音在霍雨浩耳边响起。

　　在人形魂导器内的霍雨浩，下意识地点了点头。

　　"生灵涂炭啊！生灵涂炭！"玄老苍老的声音中充满了悲怆与震惊。他沉声道："永远不要说出去，这件事是你做的。明白吗？"

　　"是。"霍雨浩的声音有些颤抖。一种难以形容的巨大痛苦在心中蔓延。他真的没想到竟然会这样，会引发一场如此恐怖、几乎席卷了整个明都的大爆炸啊！

　　玄老声音中的沉痛他当然明白。这样的一场大爆炸，将带走多少条生命啊！将有多少生命为此消失啊！

　　这是真正的生灵涂炭！明都的伤亡数字，必将是以万为单位的。

　　而他这个极限单兵，就是始作俑者和刽子手。

　　霍雨浩的嘴唇抿得紧紧的，如同行尸走肉一般被玄老带着飞速离开。

　　在这一刻，全大陆青年高级魂师精英大赛的决赛已经变得毫无意义。但有一点，霍雨浩做到了。这一场被后世称为"日月无光毁灭日"的大爆炸，彻底延缓了日月帝国向原属斗罗大陆侵略的脚步。霍雨浩这个极限单兵，也成就了人类历史上再无人能够超越的破坏力。

　　后来，他那修罗之瞳的称号中之所以有"修罗"二字，也就是因为这次恐怖的爆炸。

　　同样大为震惊的，还有和霍雨浩共同完成这项壮举的唐门众人。此时，他们一个个都面无人色地匍匐在地，感受着那飞沙走石的冲击，感受着大地的呻吟，完全不知道该如何是好。

　　另一个方向，大地被破开，一个个奇形怪状的巨大魂导器从地面下钻出。当以本体斗罗毒不死为首的星罗帝国、天魂帝国强者们目瞪口呆地看着明都方向升腾起的巨大蘑菇云时，他们也呆滞了。他们完全无法想象，究竟发生了什么。

　　也没有人知道，发生了什么。

　　"是史莱克学院吗？"许久久呆呆地看着那升腾而起的蘑菇云，感受到数十里外的大地依旧存在的剧烈颤抖。一时间，她那双美眸中，充斥着难以形容的恐惧。

　　维娜同样目瞪口呆，自言自语道："这究竟是什么东西爆炸了？竟然会造成如此景象。这要死多少人啊？！"

　　毒不死也目瞪口呆地道："如果这真的是史莱克学院做的，我就服了。原来，我们做的都是小儿科啊！"

　　在明都之中，日月帝国的敌人就只有他们三方。留有后手的星罗帝国和天魂帝国，通过秘密研究出的钻地魂导器从东面逃离明都，没有被日月帝国的大军拦截到。可他们万万没想到，竟然会看到如此恢宏壮丽，又充满着毁灭气息的一幕。

　　日月帝国的皇宫内，坚实的建筑被震得只剩不足十分之一。幸好皇宫是在市中心，并没有处于那彻底损毁的三分之一面积内。

　　橘子背着面无人色的徐天然从一堆瓦砾中钻了出来。看着那不远处的巨大蘑菇云，看着周围破败的一切，他们全都呆滞了。

　　就在这个时候，一道道身影迅速在空中会合。狂笑声随之响起。那位神秘国师不知道什么时候已经到了高空之中。圣灵教的邪魂师们，带着他们特有的阴森气息，纷纷升入空中。

　　对于普通人来说，毁灭是巨大的灾难。而对于他们来说，是梦寐以求的机会。

　　"好庞大的怨念与灵魂之力啊！哈哈哈！"

　　史莱克学院一行人终于在短暂的震惊后行动了起来。玄老阴沉着脸，带着所有人朝

着远方狂奔而去。

绝大多数史莱克学院的强者们都不知道发生了什么，不知道为什么会出现这样的一幕。

包括张乐萱在内，只有少数人才能隐隐猜到，刚才那毁天灭地的一幕是唐门造成的。

王冬儿、王秋儿、萧萧三女最清楚整个过程。那些定时高爆魂导器，就是她们安装的啊！

在离开地下仓库之前，霍雨浩故意毁坏了升降梯和第一层的大门，尽可能地拖延仓库内的情况被探查到的时间。一切都在他的计算之内，没有任何失误。甚至连定时高爆魂导器爆炸的时间，他都拿捏得极为准确。

他唯一没有预料到的一点就是最终爆炸的威力。

定时高爆魂导器都是被放置在定装魂导炮弹下方的。那些无法携带走的定装魂导炮弹足有上万枚，甚至更多。

当时霍雨浩的目的很简单——炸毁这个地下仓库，让带不走的稀有金属在强力爆炸中，全部消失。那大量的中低级魂导器也会被全部炸毁。这样一来，日月帝国经受此次巨大损失，想要发动侵略战争，时间上必然会被拖延。

霍雨浩对这些定装魂导炮弹的威力进行了计算。因为被埋藏在地下百米处，其爆炸力最多能够蔓延一公里，引起大地震荡。近在咫尺的明德堂显然是不能幸免于难的。

地下仓库、明德堂这两个日月帝国极为重要的地方同时被炸毁，这等损失足够了。

可霍雨浩不清楚的是，就在明德堂的地下仓库，在那个高度加密、防御森严的地方，沉眠着十六枚九级定装魂导炮弹。而他引发的这场大爆炸，唤醒了这些沉睡于地下的毁灭之王。

十六枚九级定装魂导炮弹，加上上万枚五级以下的各种定装魂导炮弹，造成了眼前这一场巨大的灾难。

日月无光毁灭日。

这将是日月帝国永远铭记的一天。

终于，史莱克学院众人逃入了西山之中。每个人都有种腿脚发软的感觉。他们无法想象，在那恐怖的爆炸核心，谁能够存活下来。

"大家休息一下。"玄老沉着脸下达了命令。

玄老拉着行尸走肉般的霍雨浩，快速到了一旁，沉声道："唐门的小家伙们，都过来。王秋儿、乐萱，你们也过来。"

听着玄老阴沉的声音，众人都低着头快速走了过去。学院的其他强者心中都不禁涌出一个念头——不会吧？难道明都之中的大爆炸竟然是……

当这个念头不可遏制地出现时，他们每个人的目光都不由得呆滞了。

将在人形魂导器内的霍雨浩放在地上，玄老沉声道："打开，出来。"

霍雨浩机械地开启了人形魂导器，露出了里面脸色苍白的自己。王冬儿赶忙上前，扶着他从里面出来。

玄老看看霍雨浩，再看看其他人，脸色沉凝地道："说吧。谁告诉我这是怎么回事？"

霍雨浩眼中的失神渐渐消失，目光重新变得清明起来。他毅然抬起头，沉声道："玄老，是我做的。这一切都是我布下的局。我们发现了日月帝国的一个地下仓库，里面有大量的稀有金属、大批魂导器和定装魂导炮弹。我在定装魂导炮弹那里，埋下了定时高爆魂导器。"

玄老倒吸一口凉气。尽管他已经猜到了，但是，听霍雨浩亲口说出来，冲击依旧是巨大的。他忍不住说道："雨浩啊，雨浩，你知不知道，这将造成多少平民伤亡？将造成何等的生灵涂炭啊？我们要做大陆的监察者，但绝对不是刽子手啊！你……你……"

霍雨浩低下了头，双拳紧握："玄老，这一切都是我造成的。我不会推卸责任。您要怎么处罚我都可以，但等我们先离开这西山境内再说好吗？我的精神探测，应该对大家还有用。"

"玄老，这不能全怪雨浩。"王冬儿紧紧地搂住霍雨浩，情绪有些激动地道，"我们也不知道会这样。那个地下仓库是雨浩通过精神探测跟踪发现的。今天，他冒着自己灵魂受损的风险，分裂出精神之体，在自己还身处险境的情况下，依旧带领我们前往那地下仓库之中。他这是为了获取足够多的稀有金属，推动唐门和学院未来的发展。同时，他也是为了给日月帝国造成足够大的损失，拖延他们未来发动战争的时间。

"我们到了地宫之后，在雨浩的带领下，果然找到了储存稀有金属的地方。那里的存量太可怕了，大到足以支持日月帝国制作大量的魂导器来用于战争。我们一直往里走，后来在最深的第三层看到了那些已经制作好的魂导器。我们带走了其中的高级定装魂导炮弹，只留下了一大批低阶的。这些东西能引发爆炸。

"当时，雨浩仔细计算过。那个地方深入地下百米，而且，建造得极为坚固。就算内部产生爆炸，破坏力也不会太强。雨浩仔细测算过，引爆之后，可能会产生小型地震，但最多只能让地面晃动得剧烈一点。他最重要的目的是毁掉这个仓库以及其中所有的魂导器，最好能对外面一层的稀有金属产生一定破坏。爆炸产生的声音，也将成为他在西郊比赛中脱身的信号。所以，我们就那么做了。我们也不知道为什么爆炸威力会突然变得如此恐怖，这完全超出了我们的判断。这是十分不正常的。雨浩只是为了让日月帝国侵略的脚步减缓一些。玄老，您想想，这次确实是出了意外，才造成了生灵涂炭。必然是引爆了不知道哪里的恐怖爆炸物，才产生了这种情况。如果，这些爆炸物以及被我们炸毁的那些魂导器、定装魂导炮弹被用在侵略战争中，又会带来多少人的伤亡？恐怕会比现在多十倍百倍啊！所以，我并不认为雨浩做错了什么。如果您要惩罚他的话，就连我一起惩罚吧。我支持他所做的一切。"

王冬儿的声音异常坚定，紧紧地握住霍雨浩的右手。

正所谓患难见真情，在最关键的时刻，冬儿站在自己这边，并没有被那恐怖的大爆炸吓到。她没有任何责备，只有支持。

霍雨浩彷徨、震惊、痛苦、自责等负面情绪，在她这份执着的支持中，明显消退了许多。他的心理素质本就比一般人好得多，此时身边又有最爱的人支持，顿时目光中充满了坚韧不拔的光芒。

王秋儿也走了出来，看着玄老道："如果您非要问谁是这件事的刽子手，那也不应该是霍雨浩。他当时只有精神之体，根本就什么也做不了。放置那些定时高爆魂导器，是我、冬儿和萧萧干的。我们才是刽子手。事情已经这样了，再多说也没有任何意义。"

相比于王冬儿的有理有据，王秋儿展现出的是她性格中的那份强硬。哪怕是在面对玄老，她的性格也依旧没有半分变化。

萧萧点了点头，道："对，秋儿姐说得好。这件事其实是我们三个做的，不关雨浩什么事。他只是帮我们测算而已。只有我们才能实际操作，最终的决定权在我们手中。"

霍雨浩苦笑道："你们就不用帮我揽责任了。错了就是错了。现在想想，我们引爆这个仓库，恐怕导致附近的另一个仓库也发生了爆炸。那很有可能是储存在明德堂之中的高阶魂导器。我本来应该算得到的。毕竟，我们引爆那里，距离明德堂太近了。毁掉明德堂本来也在我的计划之中。是我太急功近利，才造成了这样的灾难。这次必定有大量的平民伤亡。在全大陆青年高级魂师精英大赛的时间段，明都内的人口密度太大了。"

想到这里，他不禁抿紧嘴唇。就算他不喜欢日月帝国，但平民是无辜的。这次大灾难造成的后果，难以想象。他们现在根本不知道明都内的实际伤亡数字是多少。

玄老的情绪似乎平复了一点，刚要说什么时，一个温和却带着几分强势的声音响起，

"玄老，这件事和他们都没关系。整件事情的策划是我和雨浩共同完成的。而我这个唐门大师兄，才是最终决定要进行行动的人。没有我的决定，也就没有这么多事。我已经不配再继续待在内院了。我请求学院给我开除的处分。"

贝贝的声音平和中带着坚定。他的脸色还有些苍白，却已经能够行动了。此时他缓步来到霍雨浩面前，将其挡在自己身后。

玄老目光灼灼地看着他，等他说下去。

第352章
祭礼

贝贝看着玄老，道："这件事真要追究责任人的话，那么，我这个决定者才是最错的。玄老，我不是帮他们顶罪，也不会试图减轻他们的责任。但无论这件事的起因和过程是怎样的，我都是那个决定者。最终的结果远远超出我们的判断，造成了生灵涂炭的局面是没错的。我们都不愿意看到这一幕。尽管日月帝国是我们的敌人，但平民是无辜的。我们为这件事情负责。我们唐门除了雨浩之外，集体退出内院。这样一来，如果以后有谁翻出这件事，我们唐门会一力承担，绝对不会影响到学院的声誉。

"但是，雨浩不能脱离学院。您应该还记得，曾祖在临去之前还叮嘱过，雨浩将是隔代海神阁的阁主。这次失误，是我指挥不当导致的，他不应该承担主要责任。而且，他现在展现出的能力您也看到了，他是学院未来的希望啊！只要雨浩能够真正成长起来，那么，咱们史莱克就永远都是大陆第一学院。"

玄老摇摇头，道："好了，事情的来龙去脉我已经弄清楚了。我相信你们。休息吧，一刻钟后出发。"

说完，玄老目光平和地扫视了众人一圈，然后转身离去，什么都没有再多说。

徐三石来到贝贝身边。这两个伤势都不轻的难兄难弟对视一眼，徐三石忍不住道："这是什么节奏？没事了？"

和菜头摸摸自己的大光头，道："我觉得，本来就没什么事，是你们想太多了才对。能有什么事啊？事情已经发生了。而且，根本没人知道是我们做的。事实上，我觉得冬儿刚才的话最打动玄老。这么恐怖的武器，如果用在战场上，将会杀死多少人？这次大爆炸，是在密闭的地下，都对地面产生了如此巨大的影响，如果直接在地面上爆发呢？刚才我在心中计算了一下爆炸的威力。从威能上看，这至少是超过十枚九级定装魂导炮弹的威力，只多不少。九级定装魂导炮弹是什么玩意儿？一枚就能毁灭一个小城市，就能让一个军团被抹掉。这次的爆炸虽然剧烈，但我觉得伤亡人数应该没有想象那么高。"

萧萧疑惑地问："为什么？刚才那爆炸几乎横扫了整个城市啊！漫天灰尘，恐怖的震荡力，简直就像末日来临一般。"

和菜头道："要相信专业人士。小师弟因为身在局中，反而不如我能冷静地去计算。小师弟，我问你，那个地下仓库墙壁的厚度大约是多少，是什么材质？"

霍雨浩毫不犹豫地道："墙壁主要是由合金和岩石组成的。其中，合金的厚度超过了两米。后面的岩石厚度至少有十五米。他们在建造的时候，设计上应该利用了合金的韧性和岩石的厚度、硬度，来完美地进行地下支撑和防御。"

和菜头道："这就对了。既然如此，这么一个巨大的地下仓库发生大爆炸，在刚开始爆炸的一瞬间，确实是会产生大量的热能向外膨胀。但是，在膨胀的过程中，遭遇到了如此强横的阻击，威能还能渗出多少？我认为你的计算没有错。这场大爆炸，因为压缩在内的高温被散布出去，必然会将那些魂导器全部毁掉。稀有金属除了极少数之外，也会熔化，与土石混合在一起而失去效用。我们的目的一定能完美达到。你唯一没有考虑到的问题，就是这向外膨胀的高热导致了附近另一个储存了九级定装魂导炮弹的仓库爆炸。而既然那个仓库是保存九级定装魂导炮弹的，那么，它的防御强度就一定会比你们去的这个仓库更高。毕竟明德堂已经有前车之鉴，他们的地下仓库曾经被本体宗偷袭过，怎么会不小心呢？

"因此，地下的防御会非常给力。爆炸的力量实际上不会横向传播，而应该是被挤压着笔直向上爆发开来的。剧烈的震荡，就是雨浩先前所说的大爆炸引发的轻微地震。只不过因为九级魂导器的加入，这地震的威力变大了。至于刚才我们看到的飞沙走石，那是大爆炸带入高空的那部分土石，席卷全城。实际上，真正受灾严重的，就只有爆炸核心那部分区域，远远到不了明都的三分之一。

"有伤亡是必然的，而且数量不会小。但要说造成一座城市三分之一的人伤亡，那是不可能的。我们这次对日月帝国真正的打击，还是那地下仓库的损毁。"

听了和菜头的分析，霍雨浩不禁连连点头。有这位二师兄提醒，他不但心情好多了，而且思路也重新变得清晰起来。和菜头的话并不是纯粹的揣测，认真回忆起来，确实是这么个情况。

萧萧笑道："菜头，你什么时候变得这么聪明了？我以前怎么没觉得啊！"

"呃……"和菜头顿时觉得自己今天的话似乎有些多了，憨憨地一笑，"我这不是担心小师弟想太多嘛。我要将这个想法告诉玄老去，他老人家一定更容易原谅我们了。"说完，这厮立刻掉头就跑。

江楠楠轻叹一声，道："战争是最残酷的。希望我们这次的行为，能够让战争停下来，不再发生才好。"

霍雨浩摇了摇头，道："很难。圣灵教势力庞大，徐天然狼子野心。这次的损失对他来说确实是巨大的，却远不足以令他的野心磨灭。"

对不起了，明都。四师姐说得对。战争是最残酷的，而我作为一名极限单兵，要做的就是在战争中以一个人的力量去面对整个敌对势力。虽然这次肯定会有很多人死伤，可是，为了更多人能够不被战火洗礼，请给我更多的准备时间，我不后悔。

贝贝道："只要学院不提起，那么，这件事就与我们唐门无关了。反正日月帝国的怀疑对象绝对不只是唐门一个。擅长地下行动的，本体宗似乎比我们的嫌疑大得多。"

徐三石道："祸水东引，似乎有些不厚道吧？"略微停顿了一下，他又继续道，"但为什么我有点喜欢的感觉……"

江楠楠没好气地道："因为你们两个的脸皮一样厚。"

"是谁？！"徐天然仰天怒吼，愤怒的声音传遍整个皇宫。

此时，大量的人开始救死扶伤，而一个个数据也不断传来。

正如和菜头猜测的那样，这一次，人员的伤亡并不算太过严重，但经济上的损失是难以估量的。

皇宫内有大量建筑物坍塌，但因为是白天，侍从、宫女大多数都在忙碌中，被埋的人很少。可就算这样，想要重新修复皇宫建筑，需要的物资也是巨大的。那些魂导器，或多或少地都在先前剧烈的震荡中受到了损伤，更别说建筑了。

除此之外，以日月皇家魂导师学院为中心，大片大片的建筑物倒塌。平民的伤亡数字不断攀升，虽说没有看上去那么恐怖，但依旧死伤惨重啊！

死点人，不会让徐天然动容。令他痛不欲生的是，日月皇家魂导师学院和明德堂直接从明都消失了。同时消失的，还有那储存了大量物资的地下仓库啊！

这些，都是他发动侵略战争的根本所在。全部消失意味着什么？意味着他的计划将被无限期推后。而且，这份损失，就算是财大气粗的日月帝国也有些承受不住。

当确定爆炸核心是日月皇家魂导师学院那边的时候，明德堂堂主镜红尘直接一口鲜血喷出，昏迷了过去。明德堂是他的根基啊！这一场人爆炸，会令整个日月帝国的魂导器研究倒退数年，更别说明德堂那边的人员伤亡了。

没让镜红尘直接气死的唯一原因就是，他觉得最近局势不稳定，一直将孙女带在身边，重伤的笑红尘也因为太子徐天然的主动示好被带进了皇宫内治疗，都平安地活了下来。

如果自己这一对孙子、孙女再死了，那镜红尘这一口血恐怕就会吐尽自己的生命力了。

"殿下，不好了。"一个剧烈颤抖的声音远远传来。一名侍从连滚带爬地朝着这边跑过来，脸上满是悲戚之色。

徐天然怒道："什么不好了？都是你们这群浑蛋诅咒的！"

"殿下，陛下他……驾崩了……"

听到这句话，徐天然满脸的怒意瞬间凝固了，一抹奇异的光芒在他眼底一闪而过。这似乎对他来说，是今天唯一的一个好消息了。皇帝的死意味着，他这个太子终于可以被扶正了。而他现在掌控着的势力，足以辅助他登基。原本他登基的最大阻力来源于徐国忠那一系的贵族，可经过刚才那么恐怖的爆炸，徐国忠还能活下来吗？

一切，似乎又变得没有那么糟糕了……

抬头看向空中早已聚集在那里的大量邪魂师，徐天然用力地咬了咬牙，猛地哭嚎出声："父皇，您怎么就走了啊！"两行不知道是因为悲恸还是心疼而出现的泪水瞬间滑落。

群山环绕，日月无光。

这里是日月帝国西山的中心点，巨大的山谷占据了方圆十余里。这整个山谷，是极

为浑圆的。

山谷整体下陷，呈半圆状，充满了澄澈的湖水。湖水表面波光粼粼，清澈见底。

正在这时，几道身影打破了这里的平静。他们竟然是在御空飞行的，很快就来到了湖面的上空。

仔细看能够发现，那一共是四个人。其中两个人用黑纱蒙面，他们手中各自带着一人——一名少年和一名少女。

此时，这两个人正在吃惊地惊呼着，但他们根本无法动弹，就连挣扎都做不到。

很快，那两名黑衣人就带着他们飞到了湖中央的正上方，悬停在半空之中。

看着下面的湖水，两名黑衣人分别将自己携带的少年男女举了起来。

"你们要干什么？"那名青年凄厉地大喊着，声音中充满了颤抖。

一名黑衣人沙哑的声音响起："我们要举办一场盛大的祭礼，需要一个活人的生命来作为祭品。正好抓到你们夫妻二人。说吧，你们谁愿意做这个祭品？谁做了祭品，我们就放过另一个。"

"不要！求求你们，放了我们吧！"从年纪上看，他们好像新婚不久。此时少女的声音中充满了颤抖，看向丈夫的眼神带着一丝哀求。

丈夫有些呆滞地看着她，突然间，大声地嘶吼起来："我不要死，我不要死啊！用她做祭品，用她做祭品吧！"

妻子吃惊地看着曾经与自己海誓山盟的丈夫，眼中满是不可置信。

"你怎么能这样？你不是说过，要用生命来守护我的吗？你这个骗子！"

丈夫近乎歇斯底里地道："生命只有一次，死了就没有了。难道你不想活吗？你刚才看我的眼神是什么意思？不就是想让我为你牺牲吗！我对你这么好，你为什么不能为我牺牲，让我活下来？"

"你胡说！我想活下来，可是，我是想和你一起活下来。你去死吧！你才应该去死！二位，杀了他，杀了他！"妻子的情绪也变得歇斯底里起来。

两道寒光瞬间闪过。鲜血宛如喷泉一般从那巨大的伤口处奔涌而出，滴落在下面的湖面之上。

这对夫妻眼中充满了不可思议之色，似乎想要询问什么，却偏偏已经说不出话来。

一名黑衣人不屑地道："夫妻本是同林鸟，大难来时各自飞。这已经是第几次了？就从未失败过。这个地方倒也真奇怪，必须要用背叛爱情的男女的生命和鲜血来引动。"

另一名黑衣人沉声道："少说废话吧。赶快放干他们的血，我们好回去交差。这个地方一旦被引动，一个时辰之后就会开始发动。到了那时候，神仙难逃，凡是在其中的人类，都将……"

前一名黑衣人好像想起了什么，果然不再吭声了。

很快，那对夫妻的鲜血流尽，生命也走到了尽头。

两具尸体"扑通"落入湖中。那两名黑衣人逃也似的飞起，迅速离去，转瞬间不见了踪影。

就在他们消失的数分钟之后，湖水开始涌动起来。鲜血荡漾，渐渐淡化，但一种奇异的光芒随之出现了。

那是金色与银色混杂的颜色，金色闪烁，银色荡漾，并且以惊人的速度向周围渲染着……

"出发。"玄老沉声吩咐道。

史莱克学院众人在短暂的休息之后，立刻出发，继续向西行进。他们现在已经没有别的选择了。

明都的这场大爆炸，必然令本届大赛最终将以没有结局收尾。原属斗罗大陆三国与日月帝国本就紧张的关系必定会因为这场大爆炸瞬间引爆。

原本日月帝国的民众可能还不太支持发动战争，可这一次之后，民意的走向可想而知。

玄老听过和菜头的解释之后，脸色变得好看了一些。既然损伤没有想象中那么大，那么，这次的行动就只能用完美来形容了。

因为担心高空飞行会引来日月帝国的远程攻击魂导器，他们只能在西山内部行进。史莱克众人的实力都相当不俗，一路前行，翻山越岭，很快就深入到了西山内部。

就在这个时候，一种诡异的气氛出现了。

"这个地方看着很眼熟，好像我们一个时辰前经过了。"霍雨浩已经回到了他的人形魂导器中，并且在预留的两个插口中各自塞入了一个六级奶瓶。有这两个奶瓶的支持，他在行进时就能节约出更多的精力来恢复自己的精神和魂力了。

因为西山有可能出现未知的问题，霍雨浩的精神探测一直开启着，而且不时切换成

单方向远程模式进行扫描，寻找有可能出现的问题。

这一路行来，他什么都没有发现。可是，感觉越来越不对了。

霍雨浩自己也说不清楚为什么会产生这样的感觉，但他就是能够肯定，一定是有什么不对的事情发生了。直到此时，他心中的怪异感觉开始发酵了。

"都停下。"玄老飘身来到霍雨浩身边。对于霍雨浩的精神力，他还是很有信心的，"你是说，我们又绕回来了？难道这西山之中有迷宫？以我们对方向的判断能力，不应该出现这种问题啊！"

说着，玄老抬头看向夜空中的星星。在夜晚观星，一向是辨别方向的好方法。

霍雨浩沉声道："玄老，我可以肯定，这个地方我们一定是来过的。因为刚才在这里，我曾经做过单向扫描。周围的一些植物还残留有我的精神印记。这是肯定不会错的。"

玄老的脸色顿时变得沉凝起来。他是九十八级超级斗罗，是极其接近极限斗罗的强大存在。连他都没感觉有什么问题，大家却在绕圈子，那就有点严重了。

"那你觉得怎么办才好？"玄老向霍雨浩沉声问道。

霍雨浩道："现在天色太黑了，我尝试过探测，但越是远的地方，就越不清晰。我只能感觉到大概的地貌，却无法通过精神力直接做细微观察。我们是不是先休息，等天亮？现在距离天亮也不远了。"

玄老点了点头，道："好，那就等天亮再说。所有人，原地休息。大家都聚在一起，不要分开。乐萱，你安排一下守夜的顺序。休息的人就赶快进入冥想。"

张乐萱立刻去安排了。身为内院大师姐，她安排起这些事情来十分得力。一会儿工夫，一个小型的营地就已经在地势较高的地方建好了。包括武神斗罗仙琳儿在内，几位封号斗罗都坐在营地边缘休息，守护着众人。

这次随同玄老前来的，还有五位封号斗罗。算上玄老，有四位都有超级斗罗的实力，但他们要护着的人也不少。唐门这边人最多，有贝贝、和菜头、徐三石、江楠楠、萧萧、霍雨浩、王冬儿、剑痴季绝尘、荆紫烟、南秋秋、娜娜。另外一个人也在昨晚霍雨浩他们行动之前加入了团队，那就是拥有列榜刻刀的高大楼。霍雨浩只用了一些稀有金属，就彻底将这位自学成才的魂导师拉了过来。

除了唐门众人之外，还有史莱克学院参赛的众人——王秋儿、戴华斌、朱露、周思陈、曹瑾轩、蓝素素、蓝洛洛、巫风、宁天、邪幻月，再加上大师姐张乐萱，人数也不少。

六位封号斗罗最重要的任务就是护着他们这二十几个人平安返回。

看着唐门众人一个个神神秘秘的样子，史莱克学院这边的戴华斌等人都满脸疑惑。刚才那恐怖的大爆炸令他们一时间极为震撼。看玄老单独找唐门那些人去探讨的意思，难道说那大爆炸竟然和他们有关吗？

唐门众人自然是聚集在一起的。折腾了一夜，最疲倦的就要属霍雨浩了。他几乎立刻就进入到了冥想状态之中。疲倦令他的脸色在火堆照耀下显得有些难看。

王冬儿悄悄地走到了王秋儿身边，低声道："秋儿，我跟你商量件事情可以吗？"

"什么？"王秋儿冷冷地问。

王冬儿道："雨浩今天实在是太累了，而且，天亮之后还要担当探测的重任。他必须要尽快恢复精力才行。我们都可以和他进行武魂融合，如果我们三个人一起修炼，会不会让他恢复得更快一点？所以，我想请你……"

王秋儿的眼神略微波动了一下，深深地看了王冬儿一眼。王冬儿也正好在看着她。二女目光相对。看着王冬儿眼中的那份真诚，王秋儿终究还是点了点头。

王冬儿大喜，赶忙道："秋儿，谢谢你。"

二女来到霍雨浩身边。王冬儿坐在他的身前，王秋儿则坐在他的背后。王秋儿直接抬起双掌，印在霍雨浩背上。王冬儿则先小心地将自己的双手放在霍雨浩的双手之上，当浩冬之力开始运转之后，才牵引着他的手掌抬起，与自己四掌相对。

霍雨浩和王冬儿太熟悉了，虽然他已经进入冥想状态，但浩冬之力一运转，他立刻就感受到了，也很自然地开始配合。有王冬儿的帮助，他在身体、魂力上的恢复必定是事半功倍的。

但正在这个时候，一股强大的魂力突然从他背后注入进来。这股魂力刚开始进入的时候，大有几分横冲直撞之势，但与霍雨浩、王冬儿的浩冬之力接触后，顿时，令三种魂力同时轻微地一震，紧接着，就开始相互交融起来。

说是三种，实际上在交融之时，也可以算是两种。因为浩冬之力本来就是融为一体的。

王秋儿的魂力依旧充满了霸道之气，但是，这份霸道并没有带来任何的冲击，反而在接触到浩冬之力后，就缠绕着盘旋上来。魂力交融，颜色也开始渐渐出现了变化。

在霍雨浩的感受中，那曾经让他在比赛台上大展神威、击溃骨龙魂圣言风的紫金色

又一次出现了。

这一次不再是武魂融合技，而是魂力的直接融合。那紫金色的魂力开始在霍雨浩体内流淌，所过之处，霍雨浩只觉得全身经脉都有一种熨烫般的舒畅。就连自己的精神力都被那紫金色归拢、提升着。

全身通透、气血通畅，这种感觉实在是太美妙了。只是一会儿的工夫，霍雨浩体内的经脉就已经完全变成了一片紫金色，就连精神之海都被渲染上了一层淡淡的紫金色光芒。

感受到舒畅的不只是霍雨浩，王冬儿和王秋儿也有着同样的感受。

王冬儿惊讶地发现，当王秋儿的魂力结合进来之后，不只是产生升华那么简单，自己和霍雨浩之间的魂力结合似乎也变得更加紧密了。魂力流淌入她自己的体内之后，不但运行速度加快，而且还在不断拓宽她的经脉，提升着她的气血。

王冬儿的能力是光明，霍雨浩的主武魂是精神，王秋儿的则是力量。力量就代表着身体与血脉。三者相辅相成。在这紫金色的升腾之中，三人脸上渐渐有宝光闪现。

玄老很快注意到了他们这边的变化，第一时间走了过来。

从外表看，霍雨浩、王冬儿、王秋儿面庞上都荡漾着一层高贵神秘的淡紫色。这份紫色随着他们的修炼在逐渐加强，渐渐变成了紫金色。紫金色的光雾氤氲于他们的身体表面。三个人，宛如一体，从外界都能够感受到他们在修炼中的升华。

长出一口气，玄老心中暗暗称赞。三位一体武魂融合技，在魂师界完全是个奇迹啊！尽管他心中有诸多的疑问想要询问霍雨浩，尤其是他施展出的亡灵法师手段和与神圣天使叶骨衣的战斗，但现在显然不是询问的时候。一切等天亮了再说吧。

玄老先前之所以会因为明都内的大爆炸责问霍雨浩，其中很重要的一个原因就是他对霍雨浩的信心动摇了，因为霍雨浩施展出的邪魂师手段而动摇了。但此时感受着三人身上那浩然博大，又中正平和的魂力波动，玄老心中暗暗惭愧。这样的魂力，难道是心思不正之人能具备的吗？

玄老自嘲地摇了摇头，就在距离三人不远的地方盘膝坐了下来，亲自为他们护法。

另一边，坐镇在其他史莱克学院魂师之中的，是武神斗罗仙琳儿。这位魂导系院长也不时将目光投向霍雨浩他们这边。人形魂导器啊！如果不是因为现在不是做决定的时候，她早就和玄老据理力争了。

一切都显得那么安静，但是，在这西山之中，史莱克学院众位强者不知道的是，一层浓雾已经渐渐在山中荡漾开来。整个西山就像活过来一般，开始出现奇异的变化。

"局面如何？"披麻戴孝的日月帝国摄政王、太子徐天然脸色沉凝地问道。

单膝跪倒在他面前的帝国防务大臣沉声道："局面已经稳定了，但损失惨重，尤其是建筑方面的损失。日月皇家魂导师学院彻底被毁，明德堂的地下建筑恐怕也……"

徐天然大手一挥，道："我不想听损失的数据。我是问你，民众的情绪现在如何？"

防务大臣道："情绪很不稳定，尤其是出现伤亡的家庭，很多人无家可归。还有一部分前来观看比赛的外地人，伤亡也不小。"

徐天然点了点头，道："传我命令，调集附近城市的资源，立刻全力展开救死扶伤行动。调动军队进城维持秩序。凡是敢趁机闹事者，杀无赦；凡是蛊惑人心者，杀无赦；凡是奸淫掳掠者，杀无赦。一定要在最短时间内，稳住局面。同时，定今天为国丧日。严密封锁陛下阵亡的消息。同时，你亲自撰文，把这次大爆炸归责于星罗帝国和天魂帝国。"

"是。"防务大臣恭敬地答应着。对于这位摄政王殿下能够在第一时间稳定住情绪，他还是十分钦佩的。一下子发生这么多事情，他还能处理得有条不紊，确实有明君之相啊！

"殿下，史莱克学院那边呢？这件事也很可能与他们有关。我们在对外宣布的时候……"

徐天然摇了摇头，道："就不要提他们了。史莱克毕竟只是一个学院。而且，他们也是很多魂师的精神领袖。如果把他们也加进来，会对我们的策略有影响。对付他们，我自有办法。"

"是。那臣告退。"

"去吧。务必将救死扶伤摆在第一位，尽快稳定人心。"徐天然再次叮嘱道。

防务大臣走了。很快，一身黑衣的神秘国师未经通报就自己走了进来。他的情绪似乎很好，走路带风。

"国师，情况如何？"徐天然一脸关切地问道。

神秘国师道："对本教来说，这次的事情倒是有很大的裨益。本教很多强者都借机完成了突破。但是，有个情况不太好。天魂帝国、星罗帝国和本体宗的人，全都逃走

了。他们竟然准备了大量的钻地魂导器，把他们的主要人员全部送了出去。根据我们查到的钻孔，他们至少带出去了上百人。"

徐天然的面部表情有些扭曲起来，右拳猛地一击自己的左掌："浑蛋！我早就该想到的。他们曾经突袭过明德堂。这群可恶的地老鼠！等红尘堂主醒过来，一定要加强全城的地下监测。地下仓库那边的爆炸也一定是他们做的。除了钻地而入之外，根本没有进入仓库之中的办法。"

地下仓库究竟发生了什么，在那场大爆炸之后，已经完全成谜。根本没人能够知道当时的具体情况。徐天然只能根据利益最大化的原则将这件事归咎于星罗帝国、天魂帝国，从而让自己未来将要发动的战争变得更有理由。

神秘国师沉重地道："这次损失确实惨重。殿下，哦，不，现在应该是陛下了。陛下，你何时发兵？"

身为圣灵教教主和邪魂师的实际掌控者，没有谁比他更期待战争的到来了。战争来临，那就意味着有无数的灵魂之力将为他们所用。

徐天然略作思考后，道："这次的事情来得太突然了。稳定内部局面是当务之急。而且，地下仓库和明德堂被毁，我们的损失太大。大部分预备投入战争的魂导器被全部损毁。国师这边如果肯全力投入的话，我们发动的时间倒是可以早一些。但是……"

神秘国师断然摇头，道："我们可以暗中辅助，但全力投入是不可能的。魂师界一向容不得我们。虽然我们以现在的能力足够自保，但如果全面参与战争，必定会把那些隐世宗门都引出来。到了那个时候，你要想发起战争就难上加难了。我看，战争可以晚一点。我们可以趁着这次机会，加大国民对那两个国家的仇恨，持续增兵、练兵，全力制作魂导器，为战争做积极准备。既然已经撕破脸了，那就要提前开始军备竞赛。我军不出则已，一但发动，就要以雷霆万钧之势，一举成功。"

第353章
乾坤问情谷

徐天然满意地点了点头，道："我也正有此意。攘外必先安内。我要先稳定住国内的局面，趁着这次机会，先清除一批内奸。这件事就要麻烦国师了。"说到这里，徐天然眼底寒光闪烁，嘴角处流露出一丝森然杀机。

神秘国师淡淡地道："是的。有些人确实是应该为这次的事情负责。至于那些没有问题的，我们也可以说他们是在这场大爆炸中丧生的。名单就用你上次给我的？"

"嗯。"徐天然点了点头。

神秘国师道："那我就提前恭祝陛下登位了。"

徐天然一脸恳切地道："我们日月帝国统一大陆的那一天，圣灵教就是护国神教。到时候，我定尊教主为护国神，受万民敬仰，为您开启神位。"

"这都是后话，我们一步步来吧。"神秘国师似乎并没有太亢奋的表现，向徐天然点了点头之后，转身离去。

走到门口处，他停下脚步，又转了回来。

"西山那边，我们目前没办法全面投入，但已经将那神秘之地引发了。先困他们在里面，然后再收拾他们也不迟。到时候，史莱克学院精锐尽失，看他们还拿什么和我们作对。"

徐天然道："我也是这个意思。只是，那里一定能困住他们吗？"

神秘国师沉声道："那个地方，困了我祖父一百年。我祖父的修为比龙伯只强不弱。他最终带出的一些东西，也只是那神秘之所很小的一部分而已。那个地方，根本就不是人类能对抗的，一旦出错，就会被禁锢至少十年。在引动之后，连封号斗罗也无法飞行，必须要经历考验才有走出来的可能。我祖父在其中有三次出错，就被困百年。先前我们不是已经试过了吗？那些被丢进去的人，能够活着出来的，十不足一。我已经吩咐小凤绕过西山，带着我属下的四大长老守在出口了。哪怕有运气好的能够出来，也会在必杀之列。"

"好。"徐天然用力地点了下头，"就依靠国师了。"

天蒙蒙地亮了。

当霍雨浩重新睁开双眸时，眼底的紫金色光芒闪烁，精力旺盛！

奇异的三位一体修炼，对他和王冬儿、王秋儿帮助都极大。虽然仅过了两个时辰，但霍雨浩的极致武魂和魂力都有所提升。而且，他下肢中压制着的极致之冰天地元力，在那紫金色的融合魂力作用下，消融的速度至少是以前的两倍，几乎可以和他服用净馏酒液时相媲美了。

王冬儿和王秋儿也先后睁开了美眸。两双长得极像，但眼神各异的粉蓝色大眼睛中，同样荡漾起一层紫金色的光芒。

魂力提升最大的是王冬儿。因为她本身并不是极致武魂，因此，提升效果反而最强。

三人彼此对视一眼，一种有些怪异的气氛悄然弥漫。

就连王冬儿心中都产生出一种错觉——难道说，我们三个注定要在一起吗？可是……

霍雨浩摸摸鼻子，向王秋儿点了点头，道："谢谢。"

王秋儿眼神一凝，摇摇头，道："不用，互惠互利罢了。"说完这句话，她就转身走向了一旁。

王冬儿的眼神瞬间柔化了。霍雨浩去谢王秋儿，却没有对她说什么，这远近之分已经很明显了。她最喜欢霍雨浩的一点，就是他不会去玩暧昧，很明确地向王秋儿表示了不可能，让她少了遐想。乍一看，这或许有些伤人，但在感情方面，确实是长痛不如短痛啊!

霍雨浩抬头向天空中看去,顿时惊愕起来。因为他发现,天空已经被浓浓的雾气覆盖了。只有距离地面五米以上的地方,才没有太多的雾气。而且,天空中的雾气隐约中竟然有颜色变化。

"你们醒了的话,就都过来吧。"玄老的声音传来。霍雨浩赶忙在王冬儿的帮助下,进入他的人形魂导器之中。魂导器闭合,他朝着玄老那边走去。

其他人都已经聚集在这边了。玄老的脸色很凝重。

霍雨浩下意识地释放出自己的精神探测,但他顿时震惊了。精神探测释放,探测的距离竟然只有十米,再远,就如同泥牛入海一般,不但什么也探查不到,甚至还有被一股奇异力量吞噬掉的感觉。

怎么会这样?精神探测竟然还没有眼睛看得远?霍雨浩还是第一次遇到这种情况。当初就算是在落日森林那浓郁的瘴气之中,也没有出现如此状况啊!

玄老看向霍雨浩,道:"你也感觉到了吧?我们的感知力被极大程度地削弱了。头顶上的雾气如同囚笼一般,将我们压制在了这里。如果再走不出去的话,我们就陷入了绝境。"

王秋儿忍不住问道:"飞行也不行吗?"

玄老摇了摇头,道:"我试过了,没办法。飞起来之后,整个天空仿佛都在与我作对一般,一股巨大的压力会将我强行压制回来。那份压力之强,已经超越了人力所能抗衡的范围。就算龙逍遥那样的极限斗罗在这里,恐怕都没办法。"

听玄老这么一说,所有人都不禁倒吸一口凉气。

武神斗罗仙琳儿皱眉道:"这里果然有古怪。只是,为什么我们之前探查的时候什么都没有发现呢?"

她和玄老曾经亲自飞到西山这边,用了一天时间,几乎看遍了西山,也没有发现任何可疑的地方。

可现在这种变化,却将所有人困在了此地。她和玄老心中又怎能没有自责?

玄老沉声道:"这里似乎被一种神秘的力量覆盖了,就连大地都变得不一样了。我试图控制泥土,尝试着向下突破,也是无功而返。我们就像被禁锢在了一个牢不可破的囚笼之中。"

玄老的武魂——饕餮神牛,是土属性的,对大地的控制能力极强。他尝试过凭借自

已强大的实力来破坏周围的地形，达到破开阻隔的目的，但无疑失败了。

"大家有什么想法，都说说吧。"玄老心中虽然郁闷，表面上却不动声色。这个时候他肯定不能慌，否则，这些年轻的孩子岂不是更惶恐了？

"玄老，我们大家分开探查行不行？大家组成不同的小组。这里未必就是绝地，说不定只是一个迷宫，走出去就好了。"戴华斌说道。

他话音未落，贝贝的声音立刻响起："不行，在这种时候，我们绝对不能分开。假设你是对的，这里确实是一个迷宫，可是，这个迷宫是日月帝国留给我们的，如果圣灵教的邪魂师们也在这个迷宫之中呢？一旦分散，我们就只有被他们各个击破的命运。"

戴华斌脸色一凝，不过，对贝贝，他还真不敢多说什么。贝贝在内院中的地位虽然不能和张乐萱相比，但也是年轻一代的佼佼者。他在对阵圣灵宗战队时的强大表现，更是给人留下了极其深刻的印象。

玄老看向霍雨浩，道："雨浩，你说说。"

霍雨浩道："我刚刚尝试过了。精神力探查的范围不超过十米，还不如我们的眼睛看得远。您说得对，在这里，我们似乎被一股神秘的力量给压制了。这股力量明显不能以人力来抗衡。但我觉得，这里不应该是一个纯粹的囚笼才对，一定还有其他奥秘。既然不是人力能抗衡之地，那么，就一定不是日月帝国的人造的。魂导器的水平还远远达不到这个程度，就算从未出现过的十级魂导器也不可能覆盖这么大范围的山脉。既然如此，这个地方应该是天然形成的，日月帝国只是掌握了它的引动方法而已。既然这是大自然形成的，就未必是绝地，总会有生路的。我同意大师兄的说法，在这个时候，我们一定不能分散。大家集中力量朝着一个方向去寻找。就算总是走回原地，我们在寻觅的过程中仔细观察，总会有不一样的发现。通过发现的线索，再慢慢行动吧。这也是没办法的办法了。"

"嗯。"玄老轻轻地点了点头，"大家先吃些干粮，稍后我们就出发。雨浩，你跟我过来一下，我有事问你。"

"是。"霍雨浩赶忙控制着人形魂导器跟随玄老走到一旁。

"你的身体恢复得如何了？"玄老问道。

霍雨浩道："已经没什么问题了。"

玄老点了点头，道："那就好。虽然我信得过你，但对于昨天你在明都魂导师精英大赛上展现出的能力，你还是要给我一个解释。还有，那个神圣天使武魂的拥有者怎么样了？你不会真的将她杀了吧？"

霍雨浩骤然一惊。昨天晚上的大爆炸对他刺激太大，他还真把叶骨衣的事情给忘记了。

"玄老，昨天我施展的能力，您可以理解为是我的第三武魂。但是，我的这个能力并不是来自于我们这个世界的。"当下，他将伊莱克斯老师的来历，用玄老能够理解的方式，尽可能简单地讲述了一遍。到了这种时候，他显然不能再有任何隐瞒。

玄老纵然见识多，都听得目瞪口呆。

"魔法师？另一个世界的职业？这个……"玄老半晌才回过神来，有些无奈地拍拍他的肩膀，道，"雨浩，虽然你得到的这份力量也算是得天独厚，但你也应该知道，在我们斗罗大陆上，邪魂师意味着什么。日月帝国明目张胆地与邪魂师合作，必定会引起魂师界的公愤。而你这能力，太像邪魂师了。"

霍雨浩点了点头，道："玄老，我明白您的意思。这个能力，我绝对不会轻易使用，至少不会用自己的面貌使用。参加明都魂导师精英大赛的人是唐五，不是霍雨浩。"

玄老略微松了口气，道："你能明白就好。你的灵眸和冰碧帝皇蝎武魂已经足够强大了，好好修炼它们吧。那叶骨衣你现在能放出来吗？"

霍雨浩尝试了一下后，无奈地摇了摇头，道："那无形的神奇力量太强大了，我没办法连通伊莱克斯老师留给我的亡灵半位面。不过，在我那半位面之中，她暂时不会有危险。我已经设置了对她的保护屏障，以她的修为，十天半月也不至于饿死。"

玄老点了点头，道："这件事你做得很好。如果我们能离开这里，这个神圣天使武魂的孩子，一定要保护好。未来，她定能成为对抗圣灵教的主力之一。雨浩，昨天我的态度不好，看到那种规模的大爆炸，再加上你展现出的邪魂师能力，我对你产生了一丝怀疑。后来我想通了，你是穆老选定的人，怎么会有问题呢？但你要时刻记住，无论经历了什么，发生了什么，一定要谨守本心，明白吗？"

霍雨浩用力地点了点头："我会的，玄老。"

玄老微笑着点了点头，道："现在我们落入这绝境之中，一切小心。你也去吃点东西吧。"

原本就不大的心结说开了，玄老的心情也好了一些，和霍雨浩一同走回史莱克营地

之中。大家都吃喝完毕后，被重新组织起来。

经过玄老的安排，众人分为三组。其中，史莱克七怪为一组，由玄老亲自带队。史莱克战队那边，则分为两组。以王秋儿、张乐萱和史莱克战队主力为一组，由武神斗罗仙琳儿带队。替补队员以及高大楼、季绝尘、荆紫烟、南秋秋等人，为人数最多的一组，由另外四名史莱克学院的封号斗罗带队。这四位封号斗罗中，有两位是海神阁宿老，有超级斗罗的修为。最后一组的实力也是最强的。

玄老带着史莱克七怪，走在最前面。仙琳儿带着第二组走在中间。四大封号斗罗带着第三组走在后面。每一组之间，都要相互呼应，距离不能拉远。在所过之处，他们都尽可能在所有较为明显的植物上留下痕迹。

这也算是没有办法的笨办法了。当所有植物都被留下痕迹后，只要发现没有痕迹的植物，那就是新的方向。他们只能这样慢慢地向外摸索。

众人持续前行，因为要小心，行进的速度并不快。距离地面五米的空间中虽然没有浓雾，但也有淡淡的雾气，加上植被的阻隔，视线所及的范围只有几十米而已。

整个森林内都静得可怕，似乎没有任何动物存在。这种寂静是最阴森，最令人恐惧的。

戴华斌现在觉得自己先前的提议太傻了。如果不是这么多人在一起，一旦分散，单是这份寂静都能让人疯掉。

一路前行，很快，一个时辰过去了。

霍雨浩一直走在玄老身后。这是玄老要求的。突然，他向玄老道："玄老，您有没有感觉到，现在的情况似乎和昨晚有些不同了？我们好像并没有走回头路。"

玄老点了点头，道："我也有这种感觉。此时我们走的地形，和昨天晚上我们绕圈子的地形已经不太一样了。"

这可是一个好消息。不走回头路，他们只要朝着一个方向前进，总应该有走出去的机会才对。

继续向前行进，又过了一个时辰之后，玄老已经基本确定，他们确实是没有走回头路的。一路上，他们都没有看到任何重复的景物。

虽然不能飞，精神力也不能进行远距离探查，但只要一直这样走下去，史莱克众人也能满意了。

此时，似乎是正午了。浓雾令周围的视线变得十分模糊，空气也是阴沉沉的。

玄老下令原地休息。他们还是按照昨晚那样驻扎下营地。

人多在这个时候显现出了好处。起码树林中的那份孤寂不会带给他们太大的恐惧。

对于拥有储物魂导器的魂师们来说，干粮是绝对不会少带的。唯一没带干粮的，就只有唐门众人了。他们的储物魂导器里面，装的都是稀有金属……

从几位宿老那边匀来一些食物，他们才有吃的。

玄老跟史莱克七怪坐在一起，一边吃着他最喜欢的鸡腿，一边道："按照明都西山这边的面积以及我们的行进速度来计算，虽然我们现在走得不快，但只要不走回头路，最多再有一天，我们就能走出去了。"

贝贝道："希望如此吧。但是……"

他没有说出"但是"之后的话，但众人都明白他的意思。日月帝国既然将他们引到了这个地方，就一定是有所图谋的。这个地方又怎会简单啊！

玄老看了他一眼，道："没什么可担心的，我们现在也只能走一步看一步了。我们的干粮和水，维持十天问题不大。如果十天之后还找不到出路的话……"

说到这里，玄老脸上闪过一丝厉色，又抬头看了看天空。他的意思很明显——如果实在找不到出路，他就要不惜一切代价地从天空中寻求突破。或许，还有一线生机。

正在他们说话的工夫，突然间，警兆骤生。

众人都下意识地朝着一个方向看去。紧接着，一片金银双色的光晕如同潮汐一般从远处的暗影中奔涌而来，瞬间就覆盖了众人。

大家都不约而同地用出了自己最擅长的防御能力，但这铺天盖地的金银双色光芒并没有对他们产生什么冲击。可每个人心中，同时弥漫出了一股奇异的感觉。

这是什么？

看着彼此身上渲染上的一层淡淡的金银色，年轻的史莱克学院学员们，脸上的表情开始变了。

未知才是最可怕的。没有人知道发生了什么，也就没办法去对抗。

但是，他们就感觉不妙了。一股强烈的拉扯力开始从那金银双色光芒中涌出，修为较弱的几人一下就被拉扯得向一旁飞跌开来。

玄老大喝一声，双手抬起，一层浓烈的黄光奔涌而出，将所有人圈在内部。但是，那金银双色光芒的拉扯力似乎变得更强了。就连玄老释放出的这黄色光芒，都被整体拉

动了，朝着一个方向横移几分。

"这是什么玩意儿？"武神斗罗仙琳儿一向不是什么好脾气，右拳凭空击出，一团强横的魂力直奔那金银色光芒传来的方向轰击过去。

但是，她的魂力没入前方的雾气之后，就再没有任何声息了。

要知道，仙琳儿在封号斗罗之中，也算实力相当强大的存在，当初就算面对蝎虎斗罗张鹏的时候也不落下风。

人形魂导器内部的霍雨浩，此时却面露惊讶之色。在他脑海中，灵光闪现，似乎有什么东西被引动了。他似乎抓住了什么灵感。

金银双色、牵引……他似乎曾在什么地方看到过介绍……

不过，没等他多想，那股强大的吸扯力再次增强，这一次，连玄老都没办法对抗了。

"大家拉住彼此，一定不能分散！"玄老大喝一声。

他的力量虽然不能对抗那份吸扯之力，但将所有人聚拢在一起是没问题的。

黄色光芒汇聚成一个巨大的黄色光球，把众人全部包覆在内。紧接着，那金银双色的牵引之力就吸扯着他们组成的这个巨大光球腾空而起，竟直接朝着空中激射而去。那无法飞行的问题，在这金银双色光芒的牵引之下，似乎不存在了。

很快，众人就被吸扯得钻入了浓雾之中，周围都是伸手不见五指的雾气。

玄老脸色沉凝，全面催动魂力，护住所有人。其他几位封号斗罗也没闲着，各自用纯粹的魂力释放出一个护罩，在玄老布下的大护罩内形成几个小护罩，进一步地护住众人。

这些孩子都是新一代的代表人物，而且，史莱克学院是学院，不是宗门，无论什么时候，他们都要以学员的安全为重。将这些孩子平安地带回去，比任何事情都重要。

霍雨浩一直处于沉思状态，在不断地搜索着自己脑海中的记忆。此时出现的情况，似乎和他记忆中的一些东西有关。

不过，因为他身处人形魂导器之中，所以伙伴们看不到他现在的样子。每个人都很紧张，无暇关注他这边。

这牵引的力量似乎变得越来越强了，却并不具有什么破坏力。玄老释放出的魂导护罩隔绝开了外界的一切气流。每个人也都各自释放出了自己的武魂准备应变。

眼前这种情况对于他们来说，实在是太诡异了。连玄老这样接近极限斗罗修为的强者都没办法与它正面抗衡，这是何等恐怖的存在啊！超级斗罗虽不能说有移山填海之力，但全力发威的话，毁掉一座城市也不在话下啊，此时竟然无法和这无形的金银双色力量抗衡！

"大家做好应变准备。"玄老大喝一声，摇身一晃，身上的九个魂环几乎同时光芒大放。他的身体骤然变大，化为一头身长超过五十米的饕餮神牛，将所有人承载在自己背上。他释放出的光罩也顿时变得越发明亮起来，使得受牵引的速度骤然一慢。他们虽然依旧向前，但冲势明显没那么猛烈了。

牵引中的飞行持续着，因为无法探查周围的一切，又有浓雾遮蔽，此时每个人都有种云山雾罩的感觉。

大约一刻钟之后，突然间，眼前骤然一亮，他们已经从浓雾之中冲了出来。

"这是……"

所有人都在下一刻瞪大了眼睛，露出不可思议之色。

是的，呈现在他们眼前的一切，是多么不可思议啊！他们简直无法想像。

身在浓雾之中的时候，他们每个人都充满了危机感，可此时此刻，当他们被眼前的波澜壮阔震撼时，先前所有的负面情绪似乎都被洗刷得一干二净。

这是一片浩渺的湖泊，在群山环抱之间，湖水澄澈见底。最奇特的是，这湖水竟然是金银双色的。

在最核心的区域——湖中央，有一片圆形的金色湖面。浓烈的金光，从其上不断地向外散发着，就像散发着温暖的太阳一般。

在它周围，有一轮弯弯的银月。银色的月亮在金色太阳状湖面的一侧，与它相依相偎，散发着银色的光彩。

这一片浩渺的湖水，完全被金银双色统治。那双色光芒在不断地向外扩散着，顺着群山攀爬，向更远处蔓延开去。这是何等瑰丽，何等炫目啊！

所有人都呆呆地看着眼前这一幕，脸上流露出震撼与不可思议的神色。可这一切就是那么真实地呈现在了他们面前。而且，他们在那金银双色光芒的牵引下，距离湖面中央越来越近了。

"我知道了！"霍雨浩突然大叫一声。当他看到眼前如此震撼人心的景象时，脑海中模糊的记忆豁然贯通，终于想到了在什么地方看到过关于这奇异景象的记载。

他急切说道："待会如果有声音问你们问题，无论什么，大家一定要说真话，一旦

说假话，就有生命之忧。切记，切记。一定要说真话。尤其是感情方面的事情，千万不能说假话。"

霍雨浩声音未落，他们就已经被那神奇的力量牵引到了湖泊正中，那金阳银月的上方。

湖水中的金阳银月，瞬间变得璀璨起来。紧接着，那澄澈的金光和明亮的银光瞬间升腾而起，将他们所有人连带着玄老那庞大的饕餮神牛之身全部吞噬。

这股力量异常奇特。他们身上没有任何被冲击的感觉，只是感觉到自己的身体仿佛不受控制了一般。

玄老的武魂真身在这金银双色光芒的作用下，瞬间被打回原形。下一瞬，他们每个人都被一层金银双色光芒所覆盖。当众人重新看到伙伴们的身后时，却惊讶地发现，每个人身上都多了一个宛如气泡般的金银双色光罩。他们都悬浮在半空之中。

所有人都被分散开了，没有两个人在一起的情况。不少人脸上已经有了惊恐之色。在他们的脑海中，一直回荡着霍雨浩先前说的那句话。

霍雨浩喊出的那句话是灌注了精神力的，这才能够深深地烙印在他们的脑海之中。

不等他们有更多的观察，那一个个金银双色气泡就已经朝着湖中央的金阳方向坠落而去。

王冬儿看向霍雨浩的方向，霍雨浩也正在看着她。霍雨浩用力地向她点了下头，然后打了个手势。大概的意思是让她不要担心，按照自己所说的去做。

王冬儿点了下头，表示明白。

换了普通人，突然遭遇这种大变，恐怕情绪都会崩溃。但史莱克学院这些年轻学员毕竟都是同龄人中的佼佼者，相对来说，情况就要好多了。他们虽然有震撼、惊讶、恐惧等情绪波动出现，但总体还较为稳定。

"噗！"霍雨浩在他身体周围那层金银色光芒的包覆中落入了湖水之中。

进入湖水中，霍雨浩感受到的并不是湖面上的金色光芒，而是天旋地转。在这个时候，他脑海中不断盘旋着自己刚刚回忆起来的内容。

这个地方的记载，他是在唐门先祖唐三的那本《毒篇》上看到的。

《毒篇》中曾经说过：冰火两仪眼，乃天下三大聚宝盆之一，本身蕴含极致冰火之力，非常危险，但同时孕育着无数天材地宝。任何植物在其中都能以十倍速度成长起来。真正的有缘人进入其中，就能得到巨大的收获。

当霍雨浩真正进入其中的时候，也确实被那一株株仙草震撼了，并且从中取回了能够救冬儿的相思断肠红。但他被那里的炽热阳泉、寒极冰泉重创，差点丢掉性命。

按照先祖唐三的记载，这所谓的人间三大聚宝盆，都是机遇与危险并存的地方。不说别的，当初他进入冰火两仪眼的时候，曾经历过多少危机啊！若不是自身的能力能够勉强克制冰火两仪眼的环境，他根本连进去都不可能。

而眼前这个地方，也是那《毒篇》中记载的三大聚宝盆之一，而且排名还在冰火两仪眼之上，是三大聚宝盆之首。

这个地方，名叫乾坤问情谷。

就连那《毒篇》之中都说：人间的三大聚宝盆是否真实存在很难说，先祖唐三也只见过那冰火两仪眼而已。这乾坤问情谷是否真的存在，从未有人证实过。

乾坤问情谷之所以是三大聚宝盆之首，并不是因为它能够带来多少好处，而是因为它的危险系数太大。而且，在这里面有可能受到的伤害是不可预知的。想要获得好处更是难上加难。

这里传说是神界之中，爱神被自己的爱人背叛，悲恸欲绝，陨落人间而形成的。乾坤颠倒，日月为湖。

爱神因自己爱人的背叛，对背叛感情之人极为痛恨。一旦有这样的人落在这乾坤问情谷的日月湖之中，就会引发她的怒火，从而开始乾坤问情。

只有真正的有情人才能活着离开这里，甚至能得到好处。而一切撒谎欺骗之辈全都会得到严厉的惩罚。

霍雨浩之所以先前一直回忆不起来，是因为这内容在《毒篇》中记载得也很模糊。其中形容乾坤问情谷最重要的一句话是"日月为湖，乾坤问情，真心冒险，至情无敌"。

如此模糊的记载，如果不是看到那金阳银月，霍雨浩确实想不起来。就连唐门先祖唐三，对这乾坤问情谷是否存在都存有较大疑惑，而留下的指点也只有一句——说真话，用真情，方可过关。除此之外，就再没有别的了。因此，霍雨浩虽然比其他人知道的内容多一点，可也仅限于此。

周围的一切都如同天旋地转一般在不断变化。霍雨浩虽然闭着眼睛，却依旧感到阵阵眩晕。精神力越强的人，似乎受到的刺激就越大。

终于，当那眩晕的感觉渐渐消失时，霍雨浩重新睁开了眼睛。

他似乎来到了一个通透的世界。周围的一切都像用金银双色水晶做成的一般。他依旧在那个气泡之中，但落脚处是一个巨大的圆形平台。

这个平台通体呈现为淡金色，直径大约有二十米，边缘一共有十三个直径一米的圆圈，均匀排列。他此时的落脚处，就是其中一个圆台。

第354章
你有爱人吗？

往头顶上看，上面是金阳银月的光芒，周围则是一片迷离的光影。除了这平台，他们看不到任何东西。

此时，这圆台上的十三个位置上都已经站满了人。除了他之外，还有王冬儿、王秋儿、贝贝、和菜头、萧萧、江楠楠、徐三石、张乐萱、宁天、巫风、戴华斌和朱露。

他们每个人都在一个金银双色的气泡之中。霍雨浩尝试着呐喊了一声，却发现自己的声音根本传不出去。其他人都在仔细地观察着周围的情况，也有人在呼喊。可这里的一切都寂静得可怕。

冷静，一定要冷静。这里必然就是乾坤问情谷了。霍雨浩心里已经确定，当下，他立刻开启了自己上身的人形魂导器甲胄，露出了里面的自己。他这是为了能让其他人看到他的表情。

王冬儿的目光一直落在他的身上。霍雨浩赶忙将自己的双手举起来，向她打着招呼。

王冬儿也向他挥挥手，示意自己能看见。

霍雨浩略作思索之后，立刻开始打起了手势。很快，他的手势就吸引了大家的注意。霍雨浩的手势很简单，就是让大家按照他先前说过的话做。

就在这个时候，他们脚下的金色圆台散发出氤氲光雾。突然间，一道狭长的金光以圆台的圆心为起点射了出来，同时快速地围绕着圆台旋转。光束的末端，指向周围这十三个小圆台。

"乾坤问情，真心冒险。开始。"一个听起来十分平和，却无法辨别出男女的声音同时在他们十三个人的耳中响起。众人立刻安静了下来。因为他们都惊讶地发现，眼前变成了一片金银光幕，看不到之前的伙伴们了。

紧接着，圆台中央那道光束就开始快速地旋转起来，也不断地从每个人所处的气泡处掠过。光束掠过的一刹那，他们的气泡就会亮起，掠过之后则恢复原样。

突然，金光一定，停了下来。那道光束正好指在了一个小圆台上。这个小圆台上的人，赫然是巫风。

巫风被金光点中，微微一愣。她所在的气泡整体亮了起来。她的性格一向刚强桀骜，却没有半分的恐惧。此时她仿佛呐喊了一声。

紧接着，她身上的气泡就消失了。一道金光从她脚下的圆台处升起，覆盖了她的身体。在金光中，她的身体徐徐上升，到了离地三尺的地方才停了下来。

巫风惊讶地感受着自己的身体变化。她发现，自己没有任何不适，只是身体无法移动。

正在这时，先前那毫无情绪可言的声音突然响起，而这一次，只有她一个人能够听到。

"你有爱人吗？"

巫风心头一震，却并没有开口，不由得想起霍雨浩先前的叮嘱。

"你有爱人吗？如果问三遍你还不回答，惩罚为死亡。"

"有。"巫风咬了咬牙，大声说道。从其他人虽然关注，却有些茫然的表情中，她就能看出，现在应该只有自己才能听到这个声音。

"你的爱人是谁？"平和的声音问道。

"宁天。"巫风这一次没有任何犹豫和停顿。

"是她吗？"下面的金光一闪，立刻就落在了宁天身上。顿时，宁天身上的气泡也破开了。她在金光中悬浮了起来。

"宁天。"巫风赶忙大叫一声。但是，她身上的气泡瞬间升起，阻隔了她的声音。但她的气泡是透明的，不像其他十一人一样什么都看不到，她还能看到宁天。

"你有爱人吗？"那个声音又向宁天问道。

宁天眉头微皱，看了一眼似乎正在呼喊着什么的巫风，摇了摇头，道："没有。"

"她说你是她的爱人，是吗？"问话再现。

宁天一愣，道："我知道她喜欢我。但是，我无法接受。我只当她是好友。"

"如果你不爱她，她就要死。你会选择爱她吗？"平和的声音紧接着追问道。

宁天呆了呆。这个问题她真的很难回答。

"如果你不爱她，她就要死。你会选择爱她吗？连续三次不回答，惩罚为死亡。"平和的声音重复了一遍问题。

宁天一咬牙，道："不会。爱情不是说说就能有的，我可以替她去死，但我没办法爱上她。"

她在说出这句话的时候，并没有注意到，巫风身上的气泡突然消失了。她这句话，原原本本地被巫风听到了。

巫风的脸色一下子变得苍白了，而宁天的身体立刻就被气泡所覆盖，被隔绝了声音。

"她的话你都听到了。你现在还爱她吗？"神秘而平和的声音淡淡地问着巫风。

巫风的贝齿用力地咬着自己的下唇，双眸泛出火红色："你好残忍。"

"她的话你都听到了。你现在还爱她吗？连续三次不回答，惩罚为死亡。"平和的声音十分机械地重复着自己的问话。

"爱！她不爱我，并不代表我不能爱她。我单恋行不行？"巫风愤怒地大吼着。

"她刚才说，可以替你去死，却不能爱上你。你难过吗？"平和的声音似乎怎么折磨人怎么来。

"废话，浑蛋！"巫风大声怒骂着。

"啪！"一道金光不知道从什么地方闪过，狠狠地抽击在了巫风身上，顿时抽得她腰间的衣服裂了一片，浮现出一道触目惊心的血痕。

自身的魂力被完全锁死，武魂也无法释放，巫风不禁惨叫一声。

"辱骂，惩罚一鞭。回答问题。再重复，则死。"

"难过，行了吧？"巫风终于被折磨得流下了泪水。

"她说愿意为你去死，那我现在有两个选择——尝试让她替你去死，或者，你

死。如果她肯替你去死，那你就能活下来。如果你肯自己死，那她就能活下来。你们两个，只能有一个人活着。"平和的声音突然充满了肃杀之气，令巫风激灵灵地打了个寒战。

但是，下一刻，她就做出了决定，毫不犹豫地道："好，我死，让她活下去。你要让她离开这里，好好活着。杀了我吧。"

说着，巫风深深地看了宁天一眼，泪水滂沱而下，但她的眼神充满了坚定。

金光一闪，一把淡金色的利刃悄无声息地出现在巫风面前。同一时间，巫风的双手能动了。

"你自杀吧。"平和的声音就像说着一件再普通不过的事情。

巫风深吸一口气，凄厉地大叫一声："放了宁天！"说着，她猛然一把抓起面前的利刃，反手就向自己的胸膛刺去。

但就在这一瞬间，时间仿佛停止了一般，巫风被固定在了那个动作上。那利刃的尖端已经刺到了她胸口的位置，眼看就要刺穿了。

宁天身上的气泡破开。平和的声音响起："为了让你能够活下去，她愿意奉献出自己的生命。如果我不阻止，她已经为你而死。你刚才说愿意替她死，如果你愿意，可以自己死，让她活下来。这是最后的选择机会。"

说着，同样一把金色利刃出现在宁天面前。利刃悬浮着，散发着森森寒光。

生与死，一向是人类面对的最艰难的问题。宁天抬手抓住那把利刃，看向对面那悬浮在空中泪流满面的巫风，不禁深吸一口气，泪水顺着面颊滑落。

"阿风，我一直知道你喜欢我。可是，我们是不可能在一起的啊！我已经向你表示了很多次，可你就是听不进去。你为了我，竟然愿意奉献出自己宝贵的生命，这份情，还是你欠我吧。在这个地方，我们之间只有一个人能活下去……你要好好活着。"

说着，宁天一闭眼，抬起手中的金色利刃，直接朝着自己的脖子上划去。

两道金光几乎同时亮起。宁天只觉得手中一轻，另外一边，巫风也已经恢复了行动的能力。她们手中的利刃同时消失了。

两个不同的声音分别在她们耳中响起，她们的身体也同时被覆盖在气泡之中。

巫风这边的声音淡淡地道："爱得盲目，不可取，但至情至性，肯为爱奉献，其情可悯。第一轮，真心，过关。"

宁天那边的声音说的是："爱情，并不盲目。为了友情肯付出，发自真心肺腑。第一轮，真心，过关。"

宁天和巫风呆呆地隔着气泡看着彼此，都有种恍若隔世般的感觉。在她们心中，都出现了一些奇异的感觉，似乎抓住了一些什么。这个地方，似乎不是那么可怕了。她们所在的气泡上方，都多了一个金银双色的光环。

金银色光幕升起，隔绝了她们的目光。先前那道金光再次快速旋转了起来。

当圆台中央这道发散性的金光再次停顿下来的时候，落在了一个方向。这一次，金光停在了贝贝所在的位置。

气泡开启，贝贝浮在空中。

平和的声音问道："你有爱人吗？"

贝贝先前只能感受到外面光影闪烁，却不知道发生了什么，但以他对霍雨浩的绝对信任，再加上自身的理智，立刻就平稳了心态。

"有。"贝贝平静地说道。

"她是谁？"

"唐雅。"贝贝毫不犹豫地回答。

"她不在这里。对吗？"

"是的。"贝贝回答得很快。

平和的声音略微停顿了一下，问道："你最愿意为你所爱的人做的一件事是什么？"

贝贝依旧快速回答道："帮她恢复正常，让她回到我的身边。"

平和的声音问道；"让她回到你的身边，你认为她就能够幸福吗？"

贝贝道："我会不惜一切代价地给她幸福。"

平和的声音问道："口说无凭。如果现在让你付出身体的一部分，换取她的健康，你愿意吗？"

贝贝坚定地道："愿意。"

一把金色利刃凭空出现在贝贝面前。那平和的声音淡然地道："那你自宫吧。"

贝贝一呆。他万万没想到，这不知道来自于何方的声音，竟然让自己做这样的事情。

"你肯定能够让她恢复？"贝贝下意识地问道。

"你有选择的余地？"平和的声音反问道。突然，一个圆形光影在贝贝面前浮现了出来。

光影之中，一张他最熟悉的面庞浮现了出来。

唐雅静静地坐在床上，目光呆滞地看着窗外，脸色十分苍白。她的面颊上，还不时地浮现出暗蓝色的蓝银草光纹。

"你刚才说过，你愿意为她付出身体的一部分，现在后悔了吗？后悔也可以。"平和的声音淡淡地说道。

贝贝的身体有些颤抖，但他缓缓抬起手，摸向了面前的利刃。

"我愿意为她做任何事，但我希望提出一个要求。"贝贝用力地握住利刃的刀柄。

"说。"

"如果你真的能远程治好她，那么，你也一定有办法抹去她的记忆。让她忘了我，忘了和我在一起的一切。行吗？"

"可以考虑。"平淡的声音淡淡地说道。

"谢谢。"贝贝双眼泛红，双眸紧紧地盯着那光影中的唐雅。突然，他大叫一声："小雅，我爱你。"金光闪过，利刃直奔下体扫去。

"噗——"剧痛传来，贝贝只觉得眼前一片空白。

"为爱奉献，且不愿让爱人为你而伤心痛苦。真心第一轮，过关。"

光幕上升，贝贝呆呆地看到，那金银色光幕重新遮挡住了自己的视线。他重新回到了气泡之中，忍不住大喊道："我按你说的话做了，你治好小雅啊！"

没有声音回应。贝贝觉得有些不对，低头看去，这才知道剧痛的来源是自己的大腿。哪还有什么利刃？刚才他那握紧刀柄的手砸在了自己的大腿根部，不疼才怪……

金光再次开始了旋转。贝贝只觉得自己的所有力量像被抽空了一般，坐倒在地。全身冷汗涔涔。

他虽然愿意为了小雅奉献一切，可如果自己无恙的话，自然最好啊！

浑蛋，要是我以后有阴影怎么办？贝贝痛苦地在心中悲呼一声，再也没有了往日的从容。

金光继续旋转，这一次停得特别快，转了还不到一圈，就停顿了下来。它这一次停下的位置，是大师姐张乐萱。

气泡破开，张乐萱升空。

看着周围的变化，张乐萱表现得甚至比贝贝还要冷静。她一直在努力尝试着释放自己的武魂。虽然不成功，但她没有气馁。没有坚韧不拔的性格她怎能做内院最强者？就算穆老临死前让她进入海神阁有补偿她的意思，但实际上，张乐萱自己的实力过硬才是最重要的原因。

"你有爱人吗？"平淡的声音突然出现，令张乐萱眼神一凝。

"没有。"她毫不犹豫地回答道。

"你爱过人吗？"平淡的声音再次响起。

"爱过。"对于霍雨浩的话，张乐萱记得很清楚。

"他是谁？"平淡的声音再次问道。

张乐萱深吸一口气，道："贝贝。"

她并不知道，就在这个时候，贝贝虽然被身体周围的气泡隔绝了视线，却听到了张乐萱的声音。

刚才的惊吓还没过去，又突然听到张乐萱的声音，贝贝被刺激得直接从地上蹦了起来。

"他爱你吗？"平淡的声音继续对张乐萱发问。

"不爱。"对这个问题，张乐萱回答得十分肯定。

"你是怎么爱上他的？"平淡的声音静静地问道。

张乐萱呆了一下，俏脸上浮现出一抹淡淡的红晕，而更多的是眼眸深处的一丝丝痛苦。

"你是怎么爱上他的？三遍不回答，惩罚为死亡。"

张乐萱嘴角处流露出一抹苦笑。这个问题，无疑将她心底最深处的伤疤揭了开来。

"我到史莱克学院的时候，他还很小。那时候，穆老让我发誓，以后要成为他的妻子，要照顾他，爱护他，做他的童养媳。穆老救了我的命，我当时无家可归，就答应了。

"穆老对我很好，悉心教导我修炼，让我很快就成为了同龄人之中最优秀的魂

师。他老人家什么都没有要求过我，但我心中始终记着那份责任——我是贝贝的未婚妻。

"我看着他一天天长大。最初的时候，我只是为了尽自己身上的那份责任，每天陪伴着他，守护着他，无论他想要做什么，我都会尽可能地为他实现。因为那时候我早就做好了心理准备，等他长大以后，要嫁给他，做他的妻子。从那时候开始，在我心中，他就已经是我的小丈夫了。可他不同。他一直将我当成姐姐看待，也一直叫我姐姐。那时候我们都还太小，我也并没有在意什么。

"随着贝贝年龄的增长，他开始变高。当他终于比我高时，我才意识到，我的小未婚夫已经长大了，已经是一个大人了。他长得很英俊，脸上始终带着一抹充满阳光，又有几分坏坏的微笑，总是会不经意间吸引我。我越来越觉得，当初的那个约定似乎已经不只是责任了，一种莫名的东西已经出现在我心中。"

或许是因为这些话在心中隐藏了太久，在这奇异、未知，连玄老都无法抗衡的世界中，张乐萱的话匣子一下就打开了，将内心中隐藏已久的话都说了出来。此时沉浸在回忆中的她，嘴角处流露出一抹淡淡的微笑。

贝贝站在自己的气泡中静静地聆听着。张乐萱说的这一切，都是他曾经经历过的。他只觉得，自己似乎伴随着张乐萱的讲述回到了那个时候。

那个漂亮的大姐姐，始终在自己身边守护着自己，有求必应。自己小时候，对她是何等依恋啊！可是，后来……

"后来，他十二岁了，该正式进入学院学习了。而那时候，我已经是一名内院弟子。因为紧张的修炼，再加上史莱克内院和外院的不同，我们不得不暂时分开。那时候我只是想着，一定要努力修炼，变得更加强大，好在不久的将来更好地保护他，呵护他成长。

"但令我万万没想到的是，当他再次出现在我面前的时候，身边却带着一个漂漂亮亮，年龄和他相当的小女孩。那个小女孩很美，而且对他很好。我看得出，他看她的眼神和看我的时候是不一样的。那时候，我突然发现，自己似乎要失去他了。

"我去找穆老，将这件事告诉了他，问他该怎么办。穆老沉默良久才跟我说，当初他的决定太自私了，不应该让我就那样发下誓言。毕竟，我比贝贝的年龄要大上许多，尽管魂师不容易衰老，但还是容易和他产生代沟。穆老说，从那一刻开始，可以还我自由。反正这件事贝贝并不知道，我未来怎样选择都可以。

"从穆老的房间中出来后,我却像失去了灵魂一般。十年的付出,到头来,那个约定却不需要再遵从。可是,我发现,那个始终带着微笑的小男子汉已经深深地印在了我的心底。

"我试图忘记他,用最短的时间忘记他。于是我开始拼命地修炼,每天都在不停地努力,想要通过修炼来麻痹自己。可是,当我从闭关结束,无意中再次见到他的时候,却发现,自己根本就无法忘记他。我竟然真的喜欢上了这个比我小十岁的家伙。

"我找到穆老,跟穆老说,无论他和贝贝如何决定,我都会遵守自己的诺言,都会一直做他的未婚妻。我在说那番话的时候斩钉截铁,但只有我自己才知道,我并不是被那誓言所束缚,而是被自己心中那十几年付出的感情所束缚。十年时间,我看着一个男孩逐渐成长为男人,在我心中,除了他以外,根本就装不下其他人的影子了啊!"

张乐萱的声音哽咽了,一直压抑在内心深处的情绪难以抑制地奔涌而出。这么多年来,每当她看着贝贝和唐雅在一起的时候,心就会特别痛。而后来,更令她心痛的是唐雅的失踪。自那以后,她就感觉到贝贝变了。正是因为她太过了解贝贝,所以感受才更加深刻。

张乐萱没有尝试过去争夺,毕竟,她的年龄比贝贝大十岁啊!而唐雅和贝贝年龄相当。这又让她如何有争夺的机会呢?

所以,张乐萱选择的是沉默。她只是在默默地注视着他,从最初的不甘到后来的放弃,她有时候,或许会在贝贝面前流露出一些什么,可是,她从未真正向他要求过什么。她只是默默地将这份感情埋在自己心中,也将那份承诺当成了自己一生守护的孤岛。

她那么优秀,在史莱克学院中曾经吸引过无数男学员。可是,她拒绝了所有人的追求,只为了那份心底的爱恋。

贝贝呆呆地听着张乐萱敞开心扉的话语。他的心突然很疼,脑海中充满了自己和张乐萱小时候发生的一切。

……

"乐萱姐姐,树上的果子能吃吗?你摘给我吧。"

"好。"

"乐萱姐姐,你好漂亮,长大后嫁给我好不好?"

"好……"

"乐萱姐姐，我走累了。"

"姐姐背你。"

"乐萱姐姐，我饿了。"

"姐姐给你做好吃的。"

"乐萱姐姐……"

……

泪水，也同样顺着贝贝的面颊流淌而下。他直到此时此刻才真正明白张乐萱为自己付出的感情有多么深刻。这么多年以来，她一直将这份深刻的感情埋藏在心底深处啊！难怪有了唐雅之后，他觉得自己的乐萱姐姐在疏远自己。乐萱姐姐，是我对不起你啊！

正在这时，贝贝突然听到一个令他如坠冰窟的声音。

"既然你这么爱他，他又不爱你，那你还愿意为他付出吗？"平淡的声音又一次出现了，而且显得有些冷。

张乐萱略微沉默了一下，然后抬手擦掉脸上的泪痕，斩钉截铁地说道："我愿意。"

"为他而死你也愿意？"

"我说了，我愿意。"张乐萱的声音很平静，似乎没有任何的情绪波动。但在这一瞬，同样听到这平静声音的贝贝，却感觉到自己的头部如中巨锤一般，脸色一白，身体晃了晃，直接坐倒在地，嘴唇颤抖着，一个字也说不出来。

"你是个傻女孩，真情流露，无私的爱。真心第一轮，过关。无私奉献值得奖励，第二轮，免试。"平淡的声音中似乎多了一些情感。

张乐萱呆了呆，然后就看到自己面前的光罩徐徐升起，重新隔绝了周围的一切。只是，此时此刻的她，心情又怎能平静呢？

金光再闪，一圈圈地环绕着。柔和的金色光晕向四面八方扩散，似乎在这奇异的乾坤问情谷的深处，原本的冰冷与怨念都因为那一份份生死相依的爱情而变得柔化了几分。

这一次金光环绕的时间显得有点长，当它再次停止时，落在了戴华斌所在的位置。

悬浮，上升，金光湛然。

戴华斌的神经一下子紧绷了起来。就像其他还没有被金光选中的人一样，他对刚才发生过的事情一概不知。

不过，戴华斌能够成为年轻一代的佼佼者之一，绝对不是笨蛋。他虽然极其讨厌霍雨浩，但对霍雨浩的能力还是认可的。霍雨浩先前喊出的那句话，他也听进去了。没有谁会因为内心的仇恨就不遵从一个关系到自身生命的建议。

"你有爱人吗？"平淡的声音响起。

"有！"戴华斌毫不犹豫地回答道。同时，他在内心中也重复着霍雨浩的话——无论面对怎样的问话，都要回答真话。

"你的爱人是谁？"

"朱露。"戴华斌继续道。但他并不知道的是，在他回答出"朱露"两个字的时候，朱露已经能够听到他的声音了。

"她是你最爱的人吗？"

戴华斌呆了呆，眼底闪过一丝犹豫。

"她是你最爱的人吗？三次不回答，惩罚为死亡。"平淡的声音带着冷意。

"不是。"戴华斌在说出这两个字的时候，声音略微有些僵硬。

而当依旧被密封于光茧中的朱露听到他的回答时，整个人都呆滞了，眼中充满了不可思议之色。她的身体剧烈地颤抖着，拼命想要挣扎。可是，这里的力量连玄老都无法对抗，又岂是她能够挣脱的？

"那你最爱的人是谁？"平淡的声音继续问道。

戴华斌似乎已经想通了，沉声道："王秋儿。"

这一刻，王秋儿的听力也瞬间开启，能够听到他这边的声音了。

"你既然有爱人，却又爱着另外一个人，你对得起你的爱人吗？"平淡的声音似乎有些不屑。

戴华斌眼神一黯，道："是的，我对不起朱露，但我实际上也爱着她。只不过，在我心中，可能更爱王秋儿一些。"

平淡的声音道："我给你一个选择。她们两个，如果让你选择其中一个为她去死，那么，她就能活下来。你会选谁？"

这个问题对戴华斌的冲击似乎很大。他整个人都有些木然了，在脑海中，也同样在问着自己这个问题。这是他以前从来没想过的，也没想到有一天自己会面临这样的难

题。一时间脑中不禁有些混乱。

不过，这一次平淡的声音并没有催促他，似乎是想要让他想清楚。

半晌之后，戴华斌有些艰难地道："我想明白了。如果非要让我选一个人为她去死的话，那我会选朱露。"

"嗯？"平淡的声音似乎有些惊讶，"选择朱露？可她并不是你最爱的人。"

戴华斌道："但她是这个世界上最爱我的人。她一直跟随着我，为我默默付出。是我对不起她，被别的女人吸引。我很清楚，王秋儿并不爱我，也不会喜欢上我。我只是单纯地暗恋她而已。如果让我选一个人做我的妻子，那我一定会选朱露。同时，我也会用我的生命去守护她。如果我死能够让她活下来，那么，我愿意。"

平淡的声音似乎有些迷惘了："你的想法很怪异，爱情观更是让人难以理解，但总算你还有一份真诚。真心第一关，算你过关。"

戴华斌重新落回地面，但此时此刻，他脸上的表情显得有些狰狞。被拷问到了自己内心中最介意的问题，他此时心中一阵翻腾。

金光闪过，下一瞬就落在了朱露所在的位置。光芒散开，朱露的身体缓缓升起。此时的她，却早已泪流满面。

当她听到戴华斌最爱的人不是自己时，她心中充满了绝望，仿佛整个世界都变成了灰色。可是，当她听到戴华斌竟然愿意为了自己去死，而且说出了那番话之后，她的心情就变得无比复杂了。但她至少不再绝望，自己一直深爱着的男人总算还有几分真心。

"你有爱人吗？"同样的问题，落在了朱露身上。

"我有。"朱露的声音中还带着几分哽咽。而这个时候，陷入内心痛苦中的戴华斌直接听到了她的声音，全身剧震之下，立刻意识到自己先前的话朱露应该都听到了。王秋儿很可能也都听到了。一抹难以形容的味道在他的心中蔓延，他仿佛失去了灵魂一般，全身发软。如果不是那神秘的力量支撑着他，他此时很可能已经软倒在地了。

"他是谁？"

"戴华斌。"朱露几乎是咬着牙说出这三个字的。

"那么，刚才他的话你都听到了。你有什么感想？"那平淡的声音仿佛不触碰对方最难过的伤心处就不罢休似的追问着。

"他是个浑蛋！"朱露脱口而出。但紧接着，她就已经放声大哭起来。

"那你还爱他吗？"平淡的声音继续问着。

戴华斌瞪大了眼睛，支起耳朵，听着。他突然有些害怕，害怕这个答案，可是，又忍不住全身心地去聆听。

"爱……"朱露没有犹豫，哪怕是在痛哭之中，依旧回答了这个问题，而且回答得斩钉截铁。

"他最爱的人不是你，又是你口中的浑蛋，为什么你还爱他？"平淡的声音一点也没有要放过她的意思。

第355章
真心无敌

朱露深吸一口气，哭声勉强收歇："爱情需要理由吗？我爱上他，至少现在还爱着他，就算他抛弃我，难道这份爱就会消失吗？你问的都是什么破问题啊，你去死吧！"

曾经出现在巫风身上的惩罚又一次出现了。光芒一闪，朱露不禁惨叫出声。

戴华斌拼命地挣扎着。在这一刻，他突然觉得自己的心好疼。脑海深处原本最深刻的身影——那个绝美的粉蓝色女子，似乎淡化了许多。

正所谓患难见真情，在这一刻，他似乎看清了自己的本心。他在心中疯狂地呐喊着：不要伤害她，要打就打我吧！

"纯粹去爱，真情流露。怒骂本座，念在你感情真挚的分上，饶你一次。真心第一关，通过。"

光芒收敛，朱露重新落回自己的位置，可她依旧沉浸在震惊之中。

那旋转着的光芒再次出现，这一次，依旧只旋转了不到一周就停顿了下来。目标所指，正是王秋儿。

光芒散开，王秋儿的身体升腾而起。她的面容依旧冷峻。先前戴华斌和朱露的话她都听得很真切，但对她来说，心情并没有太大的波动。她也并没有完全明白，这个地方究竟是怎么回事。

"你有爱人吗？"同样的问题出现了。

王秋儿冷冷地道："我没有。"

"那你爱过人吗？"平淡的声音立刻追问。

王秋儿冷淡地道："爱过。"

"他是谁？"

"霍雨浩。"王秋儿淡然地回答道。她对自己的感情并不需要去掩饰什么。而在这一刻，霍雨浩也立刻听到了她的声音。

秋儿？霍雨浩心中一动。王秋儿和那平淡声音的对答以极快的速度在他耳边响起。

听到王秋儿说她爱过的人是自己时，霍雨浩的脸上不禁露出一丝苦笑，也有一丝怅然。

秋儿，我何德何能，我……

"他爱你吗？"平淡的声音继续问道。

王秋儿道："不爱。"

"那你还爱他？"

"爱。"王秋儿似乎懒得说话一般，回答得越来越简短。

"刚才戴华斌说他爱你，你有什么感想？"

"没有。"

"如果让你重新选择一次，你还会选择爱上霍雨浩吗？"平淡的声音继续问道。

"会。"王秋儿这一次的回答，声音中多了几分异样。

"为什么？"

王秋儿深吸一口气，道："虽然我很讨厌他不喜欢我的那种感觉，但我也很喜欢我喜欢上他的那种感觉。爱情，让我变得不同。"

"如果有一天，他面临生死危机，你会愿意为他付出生命吗？"

王秋儿淡淡地道："我已经试过了，所以，我肯定地回答你，我会。"

霍雨浩一直静静地聆听着。对于王秋儿的那些回答，他并不感到意外，直到这最后一句。她已经试过了？她试过了什么？试过了为我去死？什么时候？为什么我不知道？霍雨浩此时此刻内心的震撼可想而知。一时间，他整个人都呆滞了。

"如果现在你死，他就能活下去，你还愿意？"平淡的声音似乎有些不死心。

王秋儿脸上却露出一丝讥讽之色："来吧。"

她的回答痛快无比，决绝无比。但这简单的两个字，令霍雨浩有种无法呼吸的窒息感。

秋儿，她……

时间仿佛停顿了。片刻之后，那平淡的声音才重新响起："我不喜欢你的语气，却欣赏你的一往无前。真心第一关，过关。"

王秋儿落下，身体重新被封住。

金光一转，立刻就落在了霍雨浩身上。光茧开启，霍雨浩升空。

终于能再次看清外界的一切，霍雨浩心中却一点都不轻松。他的心依旧被王秋儿先前的话深深地震撼着。

"你有爱人吗？"平淡的声音冷冷地问道。

"我有。"霍雨浩毫不犹豫地回答道。

"她是谁？"

"王冬儿。"霍雨浩深吸一口气，让自己的心情平复几分。

顿时，王冬儿能够听到他的声音了。哪怕早已经知道答案，但听着霍雨浩说爱人是自己，王冬儿心中依旧无比甜蜜。

"她是你最爱的人吗？"平淡的声音问道。

"是。"霍雨浩的回答依旧毫不犹豫。

"刚才王秋儿说，她爱的人是你，你应该听到了。你有什么感想？"

"我……"霍雨浩脸上露出一丝苦笑，"我也不知道。秋儿是个好女孩，如果我不是先认识了冬儿，或许，我会爱上她。可是，我的心已经被冬儿装满。"

"那你就一点缝隙都没有留给王秋儿吗？你敢说，你对她没有心动过？"平淡的声音突然变得严厉起来。

霍雨浩呆了呆："我承认，我有过心动。那是因为，她的相貌和冬儿一模一样。我当时对她的心动，实际上还是因为我深爱着的冬儿。所以，我只能对秋儿说声抱歉。"

王秋儿虽然同样明白霍雨浩的决心，但当她真的听到这些话从霍雨浩口中说出来的时候，依旧感到自己的心很冷。

"如果重来一次，王秋儿和王冬儿同时出现在你面前，你会爱上谁？"平淡的声音似乎还不想放过他，持续追问着。

霍雨浩呆了呆："我不知道。因为没有重来的可能。"

"在这个世界上，没有什么是不可能发生的。"平淡的声音居然解释了一句，然后就继续问道，"你这么爱王冬儿，愿意为她而死吗？"

"当然愿意。我早就已经试过了。我有这个勇气。在我心中，冬儿的重要性远远超过我的生命。"霍雨浩的情绪恢复了几分。

"嗯，情感经历复杂，面对诱惑却能坚守本心。真心第一关，通过。"

金光收敛，将霍雨浩重新放回原本的位置。

金光轻轻一动，就扫到了距离霍雨浩不远处的王冬儿。光茧开启，冬儿升空。

"你有爱人吗？"

"有。"冬儿此时俏脸上带着淡淡的微笑。她突然觉得，来到这个地方也挺好的，至少对自己和雨浩来说，并没有什么压力。真心话算什么？既然是问情谷，那就让对方问好了。

"是谁？"

"霍雨浩。"

"他是你最爱的人吗？"

"是。"

"刚才他的话你应该都听到了，还有一个人也深爱着他，愿意为他而死，那个人叫王秋儿，你知道吗？"

"我知道。"王冬儿毫不犹豫地说道。

"那你有什么看法？"平淡的声音追问道。

王冬儿道："我没什么想法。其实，我曾经想过要撮合他们。"

"为什么？"这个问题，不只是平淡的声音想问，就连刚刚稳定心神的霍雨浩也同样想问。

王冬儿道："因为秋儿值得我这么做。爱情是有独占欲的，我当然不愿意与别人分享。可是，自从和秋儿接触以来，我能够感觉到她对雨浩的好。我虽然更愿意独占雨浩，可是，看到她那么痛苦，我有些于心不忍。"

"你就不怕引狼入室吗？"平淡的声音有些急切地问道。

王冬儿道："我不怕。我相信雨浩对我的感情不会变。事实上，无论是他还是秋儿，都拒绝了我的提议。因为，秋儿说她无法接受这份施舍，而雨浩心中也只有我。"说到最后的时候，她的语气中充满了骄傲。

然后她接着道："如果你接下来要问，我愿不愿意为雨浩付出生命，那我给你的回答是肯定的。但实际上，有的时候，活着的人比死了的更加痛苦。我死了，他会更加伤心。我愿意为他而死，但我不愿意看他那么痛苦。如果我们能够白头偕老，一直走向生命的尽头，那么，我愿意让他先死，我照顾他走到生命的最后一刻。当他离开这个世界后，我再随他而去。我愿独自面对冰冷的死亡，也不愿他去面对。"

平淡的声音竟然发出一声叹息："难得你看得通透。"

"你还有问题吗？"王冬儿微笑着问。

"你都会抢答了，我还能问什么？真心第一关，过关。"

不知道为什么，无论是霍雨浩、王冬儿还是王秋儿，此时听着那平淡的声音，都觉得那声音种多了一些狼狈。

霍雨浩此时心中充满了感动。冬儿，我挚爱的人啊！虽然我不知道重来一次，秋儿和你同时出现在我面前，我会如何选择，但我知道，如果来生来世，我依旧会选择你做我的妻子，生生世世，永不分离。

金光盘旋，这一次，却没有立刻停顿。它似乎受到了霍雨浩、王秋儿和王冬儿的影响，这次盘旋的过程显得尤为漫长。

良久之后，金光才终于停顿了。这一次，它停在了萧萧所在的位置。

萧萧升空，悬浮。

"你有爱人吗？"问题依旧。

"有。"萧萧俏脸上升起一抹红晕。

"是谁？"

"和菜头。"萧萧的声音变低了几分。在所有人中，她确实是最容易害羞的一个。

"他是你最爱的人吗？"

"是。"萧萧轻声说道。

"你们两个只能有一个活着离开这里，你死，还是他死？"平淡的声音冷冷地问道。

萧萧呆了呆："能不能都不死啊？我还年轻，我还没有嫁人，哇……"她竟然一下子哭了出来。

和菜头此时已经能够听到她的声音了。听着她的哭声，和菜头脸上的表情都有些扭曲了。

"必须死一个，你还是他？回答我。如果不回答，两个都要死。你有选择权。如果选择让他死，你就可以活下来。"平淡的声音淡淡地说道。

萧萧哽咽着，俏脸煞白。对她来说，死亡带来的恐惧，有些难以承受。

那平淡的声音似乎因为终于遇到一个正常点、会怕死的人了，所以没有催促她。

"那就让我死吧。我死了以后，你能不能让菜头别告诉我的爸爸妈妈，然后让他帮我照顾他们啊！菜头虽然丑了点，但他人很好。相信我的爸爸妈妈会喜欢他的。"似乎很艰难，但萧萧还是做出了选择。

"人的生命只有一次。你真的选择自己死吗？"平淡的声音再次确认道。

萧萧道："我不想死啊！可是，我也舍不得菜头死。我看到他死的话，可能会更害怕。那还不如我自己死。不是说，死了就什么都不知道了吗？你能不能让我死得快一点？我怕疼的。"

"真心话第一关，通过。"

似乎不愿意再和萧萧多说一句话，光芒收敛，萧萧的身体立刻落下，重新被光茧包覆。

金光一闪，和菜头升空。

"你有爱人吗？"

"有。"

"是谁？"

"萧萧。"和菜头斩钉截铁地说道。

"她是你最爱的人吗？"

"是。"

"如果你们两个人之中，只有一个人能活下去，让你来选择，你希望是谁？"问题都是大同小异的，但对于每个第一次接触到这个问题的人来说，都是生死选择。要知道，和菜头是听不到最后萧萧通过第一轮的话的，他只能听到萧萧说愿意替他死，让自己照顾她家人的话。

萧萧此时也在聆听着和菜头的声音。她对和菜头对自己的感情很有信心。自从两人在一起之后，和菜头就像呵护着一朵温室中的小花一般呵护着她。那份深深的爱恋，令萧萧原本对他容貌的不满逐渐消失。

"我选择自己活下来。"和菜头沉默半晌之后，给出了答案。当这个答案说出来的

瞬间，萧萧的眼睛立刻就瞪大了，转瞬间，美眸中已经满是水雾。

那么怕死的自己都可以为了他而选择死亡……

平时那么爱自己，那么憨厚的菜头，竟然……

菜头，你……

"为什么？"平淡的声音淡淡地追问着。

和菜头用力地深吸一口气："我家满门数百口人被杀的大仇未报，我不能死，所以我选择自己活下来。如果萧萧死了，我其实也已经死了，我的心死了。我会为她守节，直到大仇得报那一天，追随她而去。

"如果还有来生，我愿做她身边的一只宠物，默默地守护着她。如果还有来生，我不奢望能再得到她的爱，但我愿以未来生生世世的爱恋来偿还这一世的过错。但是，我不能不为家人复仇。我忘不了父亲临死前无力滑落的手，忘不了母亲那充满悲伤的血红色眼眸。死对我来说，只是解脱，可我还远远不能解脱。我本来就是为了复仇而活着的。我对萧萧的爱，本来就是奢侈的。我不知道你是谁，为什么会带我们来这里，但如果可以的话，请让萧萧和我一起活下去好吗？哪怕你要求我以后不能再去爱她，让她忘了我，我也心甘情愿。而且，我愿意用未来生生世世做牛做马，沦为畜生为代价，换取萧萧这一生的美好。我，请求你。"

和菜头的嘴唇抿得紧紧的，就连他的声音也似乎和往日有所不同了。那是一种充满磁性，又充满感情的声音。

萧萧眼中的水雾终于凝结成大滴大滴的泪珠，顺着面庞滚落而下。但这一刻，她再没有先前的冰冷、绝望，有的只是滚烫和炽热的情感波动。

和菜头的身体有些不能自已地抽搐着。他不知道这一刻萧萧能不能听到他的声音，也不知道萧萧会不会原谅他，但他依旧将自己心中的话全都说了出来，没有半分保留。

"真诚真挚，至情至性。真心第一关，过关。第二关，免试。萧萧第二关，免试。"

平缓地下落，和菜头重新回到了自己的位置上。这一刻，这个八尺之躯的男儿依旧忍不住热泪横流。他根本不在乎什么免试，他只是怕自己最心爱的萧萧会离开自己。

此时，站在这奇异轮盘周围的众人之中，已经有十一个人被选中。在霍雨浩提醒必须说真话的前提下，没有一个人被严重惩罚。只有巫风、朱露因为出言不逊被抽打，并不是太强的处罚。

最后剩下的两人，是徐三石和江楠楠。

金光流转，停留在了江楠楠所在的位置。

光茧开启，江楠楠升空。

因为在最后被选中，江楠楠此时的脸色有些不好看。被困了半天，感受不到外界的一切，这种孤寂其实是最可怕的。幸好周围还有光，那淡淡的金色看上去并不恐怖。

"你有爱人吗？"平淡的声音响起。

江楠楠吓了一跳，但还是立刻反应了过来："有。"

"是谁？"

"徐三石。"

"他是你最爱的人吗？"

"是。"

"如果你们两个人之中，只有一个能活下来，让你来选择，你希望是谁？"同样的问题落在了江楠楠身上。

她那绝美的娇颜顿时变得苍白起来。在霍雨浩的提醒下，她知道，自己是不能说谎的。可是，她不知道徐三石在这个时候是否能够听到自己的声音。

"我希望我能活下来。"江楠楠艰难地说道。

"理由。"

"我要照顾妈妈。如果我死了，妈妈就没人照顾了。没有人照顾她，她也会死的。我和妈妈一直相依为命，为了妈妈，我怎样都可以。我爱三石，但是，我更爱妈妈。如果非要让我选一个，我只能选择自己活下来，为了妈妈活下来。我会为三石守节，等妈妈去了，我就去找他。"

江楠楠在说出这番话的时候，并没有犹豫，甚至没有过多的感情波动，就像在陈述着一件再普通不过的事情似的。很明显，妈妈的地位已经在她心中根深蒂固了。

"爱情和亲情，这么说，你更看重亲情了？那你对得起徐三石吗？"

江楠楠苦笑道："没有妈妈，这个世界上就没有我。我对不起三石，我会用后半生来偿还。反倒是你，为什么要拆散我们？为什么你要让我们相爱的人只能有一个人活下来？我不知道你是谁，但你这么做，除了让我们痛苦之外，根本没有别的可能。要不，你把我们都杀了好了。我们都死了，我妈妈也会死去，我在另一个世界会继续和他们在一起。"

"真心第一关，通过。"平淡的声音没有再问任何问题，似乎有些羞恼，直接宣布了江楠楠过关。

江楠楠归位。金光几乎是以瞬移的方式在下一刻落在了徐三石身上。

金光流转，徐三石升空。

"你是变态吧？"徐三石刚能够开口就忍不住破口大骂。

"啪！"一道金色光芒凝结而成的长鞭，狠狠地抽击在了徐三石身上。

徐三石惨叫一声，只觉得被抽中的地方传来一阵剧痛，甚至连灵魂深处都忍不住痛起来。

"出言不逊，罚你三鞭。"

"啪啪啪！"不知道是不是因为江楠楠的态度激怒了这奇异的存在，这三鞭子直接抽在了徐三石身上，疼得徐三石惨叫连连。那种痛苦是根本没办法忍受的，他想控制着不叫出来都做不到。

江楠楠独自着急，却一点办法都没有，只能在心中暗骂：这个笨蛋，你跟这个根本没法抗衡的家伙较劲有什么用啊？

"你有爱人吗？"平淡的声音冷冷地问道。

"有。"或许是因为刚吃了大亏，徐三石在回答问题的时候老实多了，只不过有些有气无力的。

"是谁？"

"江楠楠。"

"她是你最爱的人吗？"

"是的。"

"如果你们两个人只能活一个，你来决定，愿意是谁？"

"是她，我死。"徐三石有气无力地说道。那三鞭子抽得真不轻啊，疼得他全身都在抽搐。

"刚才江楠楠也选择了你死。难道你就不用赡养父母吗？"

徐三石没好气地道："我和她的情况不一样。她和妈妈相依为命，我虽然也有父母，但还有兄弟姐妹可以照顾他们。我是对不起他们。但他们本来也不太待见我，相信我死了，他们也不会有太多感觉。"

"对爱情还算敢于付出，但对父母是不孝。惩罚你再挨十鞭子，方能通过第一关。"

"我……"

"啪啪啪……"

"啊啊啊……"

"啪啪啪……"

"啊啊啊……"

惨叫声此起彼伏地响起。徐三石在空中被抽得痛不欲生，惨叫连连，却一点反抗的能力都没有。

就在这个时候，所有的金色光茧全部变得透明起来。每个人的视线都为之一清，正好看到空中被狠狠抽打着的徐三石。

他们彼此间依旧听不到声音，但能够清晰地看见徐三石那痛不欲生的模样啊！此时的永恒之御徐三石凄惨得一塌糊涂，哪还有什么防御能力。

十鞭子抽完，当徐三石重新落回地面时，整个人直接瘫倒在那里了，连一根手指都动不了。但诡异的是，如此狠辣的抽击却没在他身上留下半点伤痕。

"真心第一轮，结束。冒险第二轮，开始。免试者，率先进入第三轮。"

三道金光同时亮起，张乐萱、和菜头和萧萧瞬间消失。全场的十三个人随之变成了十个。周围的环境也随之改变。

一股浓浓的肃杀气息，出现在了每个人的感知之中。地面上的轮盘发生了极大的变化。轮盘一共有十个格子，但这一次，每个格子中都多了一个标记。十个标记各不相同，却并不太难认。譬如，其中有剑形标记的，应该是和战斗有关。

另外，还有一些其他的标记，比如说人类的嘴唇。在全部十个标记中，也有一些是不太好认的。

十个人的耳中，同时响起那平淡的声音："冒险第二关，开始。你们将逐一进行第二关。每次一个人。开始后，他脚下的光芒会亮起。轮盘旋转，停下的那一刻，在他身前的是什么，都有相应的规则。做到，算过关；做不到，进入深度冒险。那可有生命危险的深度冒险。如果依旧不能通过，死。在轮盘选中的项目出现后，你们也可以直接选择进行深度冒险。现在，开始，第一个，徐三石。"

谁也没想到，刚刚承受了最大痛苦的徐三石，在这第二轮居然会是第一个。他站立处的圆形地面上金光亮起，那个巨大的轮盘开始自行旋转起来。上面的各种符号，都因

为其快速的旋转变得模糊了。

此时，所有人都没有办法交流，只能眼睁睁地看着轮盘旋转。

渐渐地，轮盘旋转的速度逐渐变慢，那一个个符号不断地从徐三石面前掠过。

身上的疼痛刚刚减轻了几分，徐三石还没喘过气来，竟然就要面对这第二关了。他不知道这第二关会带来什么，正所谓无知者无畏，现在的他，反而没有什么担心。

终于，轮盘在快速旋转之后，渐渐停了下来，停留在徐三石面前的那十分之一的狭小扇形随之亮起，上面附带的符号也亮了起来。

那是一个唇形符号。

"冒险内容，舌吻。接下来，转盘将重新选择，无论选中谁，你必须说服他，或者强迫他与你舌吻三分钟。全部时间为十分钟。如果无法做到，进入深度冒险。再次强调，深度冒险将会极其危险，你们甚至有可能面对自己根本无法抗衡的强大对手。死亡几率超过五成。选择开始。"

轮盘立刻开始转动起来。

徐三石目瞪口呆地听完这一切，其他人也都清楚地听到了这个平淡的声音。一时间，女孩子们除了江楠楠之外，都立刻花容失色。

徐三石先是呆了呆，紧接着，一抹喜色不由得在他眼底闪过。这简直是御赐接吻啊！

看看吧，除了自己之外，剩余的这九个人之中，大部分是女性，只有霍雨浩、贝贝、戴华斌这三个是男的。也就是说，自己有三分之二的几率选中女孩子。

嗯，都是美女，无论哪一个，咳咳！强迫倒是不用，大家都是为了活下去，对吧！

似乎是受到了心态的影响，徐三石勉强站了起来，直愣愣地看着旋转着的转盘。

这一次，转盘又恢复了第一轮时那种金光旋转的模样。那迅速移动的金光不断地闪烁着，渐渐慢了下来。

徐三石瞪大了眼睛，心中暗叫：女的就行，谁都行！虽然说朋友妻不可欺，但在这生死关头，他们会理解我的！

金光终于停了。当它定住的一瞬间，徐三石两个眼珠子险些从眼眶中跳出来。

"你玩死我吧！"徐三石惨叫一声。

金光停顿之处，恰好就是他认为最不可能的那三分之一。它停顿的位置，正好是贝贝脚下。

"选中，倒计时开始。"

两道金光同时亮起，徐三石和贝贝立刻出现在了中央圆台的位置上。一个金色沙漏在空中悬浮出现，细密的淡金色沙砾已经开始向下流动。

贝贝对于自己被选中，也同样目瞪口呆。这两个好兄弟相互对视着，一时间，不知道该说什么才好了。

徐三石仰天痛叫一声："你真的是要玩死我才甘心吗？怎么会是贝贝？怎么会是他啊！"

他很想立刻高喊一句，选择深度冒险，可是，刚才那十鞭子的巨人痛苦还深深地烙印在他心中。徐三石很清楚，那神秘存在是绝对不会客气的。一旦自己选择，面临的可能真的是死局，人家明显不待见自己啊！

只要舌吻三分钟就能过关，总比死好啊！只是，当着这么多人的面，还要面对江楠楠，徐三石顿时感到痛不欲生。

"贝贝……"徐三石艰难地叫道。

贝贝像被踩中了尾巴的猫一般猛然跳起，怒道："你想都别想！"

徐三石怒道："你以为我想吗？我也不想啊！可是，为了生存，你要理解我啊！难道你真想我们大家都死在这里吗？"

贝贝怒哼一声："被你亲了，我还不如去死！不亲是死，亲了也不一定能活，我干吗让你亲？天知道这鬼地方还有多少折磨人的手段。"

"一共三关，全部通过者可以离开，并且会根据通关情况获得不同程度的奖励。"平淡的声音适时响起。

徐三石艰难地咽了一口唾液，道："贝贝，听到了吧？一共就三关。这个地方虽然诡异，但那家伙说话应该还是算数的。而且，他之前的问题虽然刁钻，但也只是从我们的感情方面出发。为了我们未来的幸福，你就忍耐一下吧。难道你不打算去救小雅了吗？"

"我……"一听到"小雅"这两个字，原本如同斗鸡一般的贝贝顿时软化了下来。是啊！他能够不顾自己的生命，可是小雅呢？没有他去营救，或许小雅就要永远做一个失去灵魂的邪魂师。

心念电转之下，贝贝长叹一声，闭上双眼，面对徐三石的方向，道："来吧。"

徐三石看了一眼空中的沙漏，猛一咬牙，大踏步地走向贝贝。他心中不断地念着咒

语——那只是两片香肠、两片香肠、两片香肠……

贝贝心中也同样默念着咒语——就当被猪亲了、被猪亲了、被猪亲了……

终于，徐三石来到了贝贝面前。哥俩差不多高，不需要谁将就谁。可是，虽然近在咫尺，徐三石却硬生生地停住了。那毕竟不是真的香肠啊！

"我来了！"徐三石忍不住说了一句。

贝贝闭着眼睛怒道："快来吧，你这头猪。"

徐三石一咬牙，一闭眼，直接就凑了过去。

"呕……"当贝贝感觉到有什么东西碰到自己嘴的一刹那，终究还是忍不住了。早上吃的东西瞬间伴随着胃里翻涌的酸水奔涌而出。

"呕——"徐三石先前因为心情的关系，是略微低着头的，因此，撞在贝贝唇上的是他的鼻子。此时被贝贝吐了一脸，他本来坚强的心态瞬间土崩瓦解。他同样开始狂吐，也吐了贝贝一身。

这看上去似乎很容易完成的冒险，此时却变成了贝贝和徐三石的梦魔。两人吐得那叫一个淋漓尽致。

"污染本谷。直接进入深度冒险。"

金光一闪，就像扫把一般，将徐三石、贝贝，连同他们吐出来的东西全都一扫而光。两人消失不见了。

这……

眼前这一幕，看得每个人的心脏都在抽搐。这都什么乱七八糟的啊？最目瞪口呆的自然是江楠楠了，她又心急又觉得有点好笑，不过心里也在暗暗庆幸，要是那坏家伙真的和贝贝……哼！可是，他们能过得了深度冒险吗？那可有百分之五十的死亡率啊！不过她想到贝贝和徐三石在一起修炼多年，彼此配合极为默契，更是一擅攻、一擅守，应该有机会博取那百分之五十的存活率。

第356章
冒险、冒险

正在江楠楠胡思乱想的时候，轮盘已经再次开始了转动。看着轮盘上那一个个怪异的符号，众人的脸色顿时变得难看起来，祈祷着轮到自己的时候，冒险这一关不要那么变态才好。

每个人的呼吸都不由得紧张起来，牢牢地盯着那急速旋转的轮盘。他们很清楚，无论早晚，自己都会有被轮盘选中的那一刻。

一道金光骤然亮起，这一次，亮在了江楠楠脚下。这意味着，这一轮轮盘是为她而旋转的。

江楠楠的心情还没从先前贝贝和徐三石的情况中调整过来，顿时脸色一变，有些骇然地看着面前的轮盘。

轮盘缓缓地停顿下来，呈现在江楠楠面前的是另一个符号。

这个符号看上去有些怪异，是三个拳头，其中一个较大，另外两个较小。

"击败被选中的两个对手。获胜，过关。失败，进入深度冒险。对手获胜，轮盘继续，在之后的选择中降低冒险难度。对手失败，轮盘继续，增加冒险难度。"

轮盘转化为金色，但这次是两道金光迅速地扫动起来。

一对二？虽然这次冒险的内容不像徐三石面对的那样变态，但也极难啊！在场的众

人之中，哪一个的实力会弱？尤其是唐门众人，彼此之间的关系那么好，又怎么下得去手。

两道金光先后停下。看到它们停住的位置，江楠楠却松了一口气。这应该已经是最好的结果了。

两道金光分别停顿在宁天和巫风的身上。金光闪烁，二女入场。场内三女呈犄角之势相对站立。

巫风和宁天对视一眼，两人都看到了彼此眼中那一抹怪异之色。

江楠楠可不知道她们第一关的时候发生了什么，更不清楚她们之间的感情，但对手是她们俩，江楠楠自然就没有任何心理负担了。

这个地方相当于一个圆形平台，面积对于轮盘来说已经非常大，可对于魂师们的战斗来说，却一点都不大。

五个魂环瞬间从江楠楠脚下升起。与此同时，江楠楠身上的第二、第三两个魂环几乎同时亮了起来。

巫风和宁天只觉得身体同时一沉，这才意识到不对，马上从尴尬中反应过来。然后她们就看到，江楠楠下一瞬出现在了宁天背后，双手一探，就抓向了宁天的肩头。

这就是江楠楠的第二魂技——重力控制，第三魂技——瞬间转移。

宁天虽然是辅助系战魂师，但正因为她自身没有直接战斗的能力，因此，对于自己的保护也更为重视。

一层光罩直接从她身上弹了出来，正是五级魂导护罩。身体前探的同时，一个梭形魂导器出现在她的脚下，带着她就要向前冲。

可是，她有防御的准备，难道江楠楠就没有进攻的准备了吗？

身为近战魂导师，江楠楠的所有战斗方式和战术都要贴近对手才能发挥出来。而随着魂导器的发展，越来越多的魂导器对她这种近战方式产生了克制。针对这一点，身为史莱克七怪之一的江楠楠，专门请学院为她打造了一套适合她的近战魂导器。

先前在大赛中，她出场的机会不多，在团战中面对的对手又太过强大，所以一直没有发挥她这套近战魂导器的机会，此时她立刻用了出来。

江楠楠双手的中指上，各有一枚银白色的戒指亮起了光芒。紧接着，她那双修长的玉手之上就多了一副银白色的手套。

手套掌心处有吸盘状的银白色花纹，此时光芒大放，竟硬生生地吸住了面前宁天的魂导护罩，让她想要立刻脱离的想法为之破灭。

不仅如此，江楠楠那手套上各自弹出五道利刃，如同热刀入牛油一般瞬间切入魂导护罩，继续抓向宁天的肩膀。

不过，大家毕竟不是生死仇敌，都出自于史莱克学院，江楠楠的双手接触到宁天肩膀的前一刻，迅速将利刃收回，只是用手抓捏而已。

江楠楠的所有魂技都是为了近战而存在的。如果有人认为她的战斗力弱，那就错了。一旦被她近身，又没有远超过她的实力，那么，几乎就意味着战斗结束。

被江楠楠用双手抓住肩膀，宁天感觉到自己肩头一麻，全身酥软下来，血脉仿佛被封住一般，体内魂力的流转也变得艰难起来。被破开的魂导护罩一下子消失了。然后她就感觉到一阵天旋地转，身体已经被江楠楠抡了起来。

这一切都是在电光石火间发生的，巫风冲向这边的时候，也正是宁天被江楠楠抡起的时候。

愤怒的龙吟声中，巫风全身火光大炽，火红色的龙鳞透体而出。宁天的身体被江楠楠抡起，江楠楠自己自然也就暴露在了巫风面前。巫风的战斗经验也不差，一双龙爪前探，第四魂环瞬间亮起。为了救宁天，她一上来就用出了自己最强大的魂技。

巫风的身体消失，火红色的光芒汇聚成巨龙光影，在空中一闪而没，直奔江楠楠撞来。第四魂技——龙飞翔。

但是，江楠楠身上同样亮起了第四魂环，一层金光闪过，竟硬扛了巫风这一击。

"砰——"

"轰——"

宁天被江楠楠狠狠地砸在地上，顿时摔了个七荤八素。在她身体接触地面的一瞬间，宁天才真正感觉到江楠楠的可怕。她只觉得自己的身体仿佛突然重了十倍一般，而且在江楠楠松手的一瞬间，感受到一股令人窒息的力量，令自己催动的魂力瞬间溃散，就那么实打实地被砸在了地面上。

尽管宁天里面穿着护体的软甲，但被这么重重地一砸，还是令她直接进入了半昏迷状态。整个人都像被摔得散架了一般。

后面的一声轰鸣，自然就来自于巫风对江楠楠的冲撞了。在第四魂技——无敌金身的保护下，江楠楠安然无恙，巫风也被反弹而回。

江楠楠微微一笑。解决了宁天，她的把握就更大了。没有七宝琉璃塔的增幅，巫风

一个人，还真对她构不成威胁。

身体一闪，江楠楠就朝着落地后重新化为人形的巫风冲了过去。

在外人看来，江楠楠本该是史莱克七怪中最弱的一个人，可真正面对她，无论是巫风还是宁天，才真正感觉到这位绝色美女的可怕之处。

一双修长的玉腿骤然发力，一瞬间，江楠楠达到的速度竟然已经接近了王秋儿的水准，只不过她的身躯看上去充满了弹性，没有王秋儿那么暴力而已。

短距离之内，江楠楠这一爆发，巫风甚至都没看清楚她的动作，就已经被欺近到了身前。低吼一声，巫风身上的第二、第三两个魂环同时亮起——龙之怒，龙之爆。

强烈的红光从巫风身上爆发开来，令周围直径三米内的空气仿佛发生了大爆炸一般。

江楠楠的身体，就在巫风身前三米外的地方突然停顿了下来。那完全违背自然规律的停顿，使江楠楠正好避开了与巫风硬碰。

不仅如此，江楠楠的一双手也随之变得莹白如玉，正是唐门绝学——玄玉手。

紫极魔瞳方面，霍雨浩的造诣最高，但要说玄玉手，最擅长近战的江楠楠可是在上面下了不少苦工啊！

玉色流转，江楠楠双手向前推出的同时又向两边分开。

此时，龙之爆的威能刚刚从巅峰状态衰退，龙之怒燃烧起来的威势还在，但在江楠楠这一推一分之下，那滚滚热流竟迅速地向两侧消散。

唐门绝学——控鹤擒龙。

江楠楠一侧身，整个人就那么怪异地侧向朝着巫风倒了下去，同时脚尖在地面上轻轻一点，就以这样怪异的姿势朝着巫风冲去。

巫风丝毫不惧，第一魂环闪耀，龙之火升起，一双龙爪直奔江楠楠拍去。她就不信，以自己的火龙武魂，在正面碰撞下会不如这个江楠楠。大家都是五环魂王，就算你的魂力能够强过我，但又能强多少呢？

确实，论武魂的强度，江楠楠并不比巫风强太多。她的战斗方式，却正好可以克制巫风。

巫风作为火龙武魂的拥有者，她的战斗方式主要体现在中近程。如果这是一个足够开阔的场地，让她能够在中距离将自己的战斗力完全发挥出来的话，江楠楠想要战胜她确实不太容易。可是，眼前的场地太小了。这进一步提升了近战魂导师的实力。到了近距离，那就是江楠楠的天下。

面对巫风拍来的一双龙爪，江楠楠的应对远远超出了巫风的意料。

身体突然加速向下倒去，这是正常人无法做到的，但江楠楠就是凭借自己对重力的控制做到了。

预判出现错误，巫风这一双龙爪自然也就落在了空处，刚好从江楠楠身体上方掠过。

"不好。"巫风立刻意识到了不妙，但她没有后退，而是右脚闪电般飞起，踢向江楠楠倒下的身体。

横滚，双手轻搭。江楠楠就以一个侧向的姿势抓住了巫风踢出的右腿。

换了别人，或许直接就会被巫风右腿上覆盖的龙之火灼伤，但江楠楠不会。凭借着玄玉手，她根本就不需要有这样的担心。反倒是巫风，她只觉得江楠楠的双手分别在自己的膝盖下方以及脚踝处一捏，她的右小腿就已经完全失去了知觉。

巫风的性格一向强悍，面对这样的情况，她没有半分怯懦，反而将左腿也踢了出去，直奔抓住自己右腿的江楠楠踢去。与此同时，她身上的第五魂环随之亮起，就要再次化身红龙，施展自己最强的魂技——龙穿云。她不只要凭借这个魂技摆脱江楠楠的纠缠，同时也要依靠这个魂技来力挽狂澜。

但就在这时，江楠楠身上的第五魂环也亮了起来。

就算两人的实力一模一样，但在如此近距离的情况下，江楠楠若是还给对手机会，那她又凭什么成为史莱克七怪之一呢？

金光一闪，巫风踢出的左腿也被江楠楠抓住。紧接着，就在巫风的第五魂技接近完成之前，一层金光沿着她的双腿向上蔓延。所过之处，巫风只觉得从下肢开始，自己的身体迅速失去了知觉。当那金光蔓延过她的小腹时，她只觉得魂力一泄，正在施展着的魂技被硬生生地打断了。下一刻，她整个人就已经摔倒在地。

金光中重新显现出江楠楠的身影，正是她那第五魂技——柔骨锁。巫风的魂力和身体已经被完全锁定，彻底失去了战斗的能力。当然，在这种情况下，江楠楠自己也没办法继续攻击。可对于她这样的魂师来说，已经足够了。只要她解除柔骨锁，那么，她自身恢复战斗力的速度一定会比巫风快得多。

"江楠楠获胜。第二关，冒险，通过。"几道金光同时闪过，巫风、宁天纷纷归位，先前在与江楠楠战斗中身体产生的不适也立刻消失了。江楠楠则在原地消失，不知

去向。

毫无疑问的是，在这第二轮免试的三人之外，江楠楠已经成为了第一个凭借自身能力过关的人。她也让巫风、宁天、朱露、戴华斌等人看到了他们之间巨大的差距。这根本就是实力上的差距啊。她只是七怪中被认为最弱的一个人，就凭借一己之力在一对二的情况下击败了最强辅助武魂七宝琉璃塔魂王宁天和红龙魂王巫风的组合。

尽管这里狭小的场地更利于江楠楠发挥，但毋庸置疑，她在整体实力上是必然强过巫风和宁天任何一人的。

十三去六，轮盘周围，现在只剩下了七个人——霍雨浩、王冬儿、王秋儿、巫风、朱露、宁天、戴华斌。

轮盘恢复转动，一道金光亮起，吸引了所有人的目光。这一次，要接受轮盘冒险选择的人，变成了戴华斌。

轮盘旋转，这一次停顿得相当快。戴华斌抽中的，是一个由两把长剑组成的符号。

"击败对手，即通过考验。这是双向通关考核，对手击败你，也一样可以通过考核。失败者进入深度冒险。"

话音一落，轮盘又化为金色。一道金光放射而出，这一次甚至连旋转都没有，就直接照耀在了朱露身上。

果然是冒险啊！不只是实力上的冒险，更是心灵的冒险。

哪怕戴华斌性格刚硬，在看到那金光选中的是朱露时，他脸上的表情也不由得变得极其苦涩。

金光闪过，朱露出现在戴华斌面前。两人就那么彼此对视着，眼中都充满了复杂的光彩。

朱露看着面前的戴华斌，泪水一下子流了下来。她嘴唇颤抖着，却连一个字也说不出来。

戴华斌轻叹一声："露露，对不起。是我不好，是我没有真正感受到自己内心的想法。我错了。别的什么都不说了，如果能够活着离开这里，我一定一心一意地爱你，从此心中再无他人。我认输，我选择深度冒险。"

说完这句话，戴华斌竟然也流出了泪水。

"不——"朱露嘶声大叫，但是，这一切都晚了。金光闪烁，戴华斌消失。

"戴华斌认输，朱露冒险通关。"

"等一下，我不要通关，我要陪他去深度冒险。让我去，让我去……"朱露大叫着，哽咽得已经不似人声。在戴华斌选择认输，不顾自身安危去深度冒险时，她心中的一切怨念就都已经消失了。

"你确定要选择深度冒险？如果你和戴华斌共同进行深度冒险的话，难度还要增加。"

"我选择深度冒险，就算是死，我也要和他死在一起。"

"好，成全你，朱露进入深度冒险。"金光一闪，朱露也消失了。

寂静，轮盘内突然陷入了一片寂静之中。那莫名的存在就像消失了似的，半晌没有吭声。

场内的一切，每个人都看在眼中，霍雨浩自然也是如此。他虽然不知道在戴华斌和朱露身上发生过什么，但是，当他看着戴华斌毅然决然地选择了以深度冒险为代价换取朱露的平安时，他的心被狠狠地揪动了。

在他心中，戴华斌一直都是敌人，是仇人，是害死妈妈的凶手。可是，当他亲眼看到戴华斌流露出的真性情时，心中其实更加痛苦。

如果戴华斌只是一个心狠手辣的家伙，那么，他也能毫无顾忌地在未来报仇。可他越来越发现，在和伙伴们相处、与王冬儿交往，以及感受到世事变化之后，他自己内心中的仇恨已经逐渐淡化了许多。

不！仇一定要报！是他和他的母亲害死了妈妈。如果不是他们的迫害，妈妈怎么会死？

内心之中最脆弱的痛处被触及，霍雨浩几乎下意识地就在心中产生了强烈的反弹，双拳不自觉地握紧。

可是，在他坚定报仇之心的同时，戴华斌先前的表现依旧烙印在了他的心中。

金光终于又一次出现了。这次它落在了王秋儿身上。轮盘旋转，内心激荡的霍雨浩立刻被金光吸引了过去。他隐隐感觉到，无论王秋儿抽中的是什么，恐怕都会和自己有关。

金光停顿，停在王秋儿脚下的，是曾经出现在江楠楠面前的三个拳头的符号。

"击败被选中的两个对手。获胜，过关。失败，进入深度冒险。对手获胜，轮盘继续，在之后的选择中降低冒险难度。对手失败，轮盘继续，增加冒险难度。"

两道金光没有经过任何旋转就落在了霍雨浩和王冬儿的身上。光芒一闪，霍雨浩、

王冬儿、王秋儿，三人就已经在场内重逢。

三人面对面，都不自觉地有种奇异的感觉。

王秋儿目光灼灼地看着霍雨浩，道："来吧，你们两个一起上，不许认输。那是对我的蔑视。我等这一天已经很久了。在赛场上未能分出胜负，我们就在这里实现吧。"

霍雨浩叹息一声："秋儿，你这又是何苦呢？"

王秋儿只是道："我一定会击败你的。"

看着她那执着的眼神，霍雨浩仿佛看到了自己内心中对于仇恨的执着，心中不禁一软："好。既然你想与我一战，那就来吧。但这是我们之间的战斗，为了公平，也为了维护我的荣耀，不要让冬儿参加。就是你对我，如何？"

看着霍雨浩身上的人形魂导器，王秋儿冷声道："你就那么自信？"

霍雨浩微微一笑，道："你忘了言风是怎么死在我手中的吗？冬儿。"说着，他扭头看向王冬儿。

两人目光相对，王冬儿微微一笑，向他点了点头。虽然她不知道霍雨浩为什么要这么做，但在这个时候，她必须要支持自己的男人。她也能够感受到王秋儿心中的那份执念。她的执念从何而来？还不是来自于心中那份感情吗？

无论是输是赢，就让她发泄一下吧。至少，无论怎样她都不会真正伤害到雨浩。对于这一点，王冬儿很有自信。她转身后退，走到了一旁观战。

王秋儿看着霍雨浩，眼中的光芒渐渐变得森寒起来，淡淡地道："没想到会在这样的情况下和你再次对战。我会全力以赴，毫不留情的。你知道我的性格，说出的话就绝对不会改变。我希望你能同样全力以赴，这是对我的尊重。"

霍雨浩的眼神渐渐变得凝重了，向她点了点头。人形魂导器随之闭合，将他完全保护在其中。

即使有人形魂导器的帮助，也不会有人觉得这场比赛霍雨浩占了什么便宜。行动不便的他，腿上的能力无法发挥，在灵活性上肯定不能和正常的时候相比。以目前人形魂导器发展的情况来看，想要让霍雨浩比完好状态时更强，暂时还很难。更别说这只是霍雨浩为了参赛临时制作出来的，本身并没有附加任何装备。

王秋儿一抬手，金光亮起，把自己那黄金龙枪持在手中。

看到那灿金色的黄金龙枪，不远处观战的王冬儿俏脸上顿时露出一丝忧色。刀枪无眼，这和纯粹的肉搏战有很大的区别。秋儿怎么如此认真啊！

"准备好了吗？"王秋儿抬起黄金龙枪，顿时，一层金色光雾从她身上徐徐冒出，令空气中多了一层金蒙蒙的光华。极其强盛的魂力波动从她身上传出，威压针对霍雨浩，犹如山呼海啸般奔涌而去。

面对威压，霍雨浩以精神力控制着自己这人形魂导器，左脚跨出半步，身体略微下蹲，双手提起在胸前，做出一个防御的动作。同时，一层金光从他身上绽放而出，正是君临天下的波动气息。紧接着，一道淡金色的光影也徐徐悬浮在他的背后，赫然是他独创的战技——光之女神。

面对王秋儿这样的对手，霍雨浩不敢有半点保留。他很清楚，这一届人赛之中，王秋儿的进步是相当大的，实力比之当初更胜几分。而自己现在行动不便，只能凭借人形魂导器的辅助行动，一对一，想要赢她的难度极大。

不过，谨慎归谨慎，霍雨浩对于输赢倒是真不怎么在意。输给王秋儿，又不是什么丢人的事。他只想，不要输得太惨就行了。

"来吧。"霍雨浩低喝一声。

王秋儿双眼微眯，眼神瞬间变得凛冽起来，身体向前一压，转瞬间就到了霍雨浩面前。手中的黄金龙枪前刺，直指霍雨浩的胸口正中。

碧光涌动，以霍雨浩胸腹处为喷射面积，一道粗大的碧绿色光柱被瞬间激发，直接迎上了王秋儿的攻击。

霍雨浩对王秋儿实在是太了解了。这个强悍霸气的姑娘，在战斗的时候一向是喜欢正面攻击的。这么近的距离下，就算他有精神探测，都不如直接的预判快。

因此，在喊出"来吧"这两个字的时候，霍雨浩就已经激发了自己的冰皇之怒。

极致之冰凝结而成的碧绿色光柱，正好撞上了正面攻来的王秋儿。那感觉，反而有些像王秋儿在飞蛾扑火一般。

强烈的金光从王秋儿身上迸发而出。金色光雾化为光罩将她保护在内，竟然就那么硬生生地顶住了冰皇之怒的冲击。不仅如此，她手中的黄金龙枪也撑起了如同帐篷一般的光晕。虽然被强行拦了下来，她却丝毫不退。

王秋儿身上那两黄、两紫、两黑，六个魂环之中同时亮起两个。第一魂技——黄金龙体，第二魂技——龙的力量，威能同时爆发。她娇喝一声，就那么硬生生地沐浴在冰皇之怒下继续前刺，目标依旧是霍雨浩的胸膛。

不过，有冰皇之怒这么一拦，霍雨浩在速度与灵活性上的劣势一下就解决了。他借

助冰皇之怒喷吐出的极致之冰光芒，身体向后退，背后的金色身影也瞬间前飘，化为一团强光，迎上了王秋儿这一击。

"轰——"

滔天气浪在轮盘上方迸发，就像龙卷风一般席卷而起，冲入高空之中。

此时，观战者不只有王冬儿，还有巫风和宁天。虽然她们无法感受到，但仅仅看着，也令她们脸色微变。

为什么大家年纪差不多，他们的实力竟然能够达到如此程度？队长也就算了，好歹她接近二十岁了，可这霍雨浩才十七岁啊。他为什么能这样强大啊？正面与队长抗衡，他竟然还占了上风……

是的，这第一下的碰撞，是霍雨浩占据了上风。

剧烈的轰鸣声中，气浪上冲。无论是霍雨浩还是王秋儿，都忽略了一件事，那就是他们战斗的这个地方相对狭小，当那庞大的魂力波动冲起之时，反震之力在整个空间内顿时回荡起来，冲击得两人都站立不稳，踉跄后退。

而在这个时候，霍雨浩的优势就显现出来了。他先凭借着冰皇之怒克制住了王秋儿的速度，再以光之女神战技正面迎击。他自身只是受到反震之力的影响，而王秋儿还要承受光之女神的冲击力，并且要抵抗那极致之冰的极寒气息。踉跄之后，她几乎退到了比赛台边缘，才稳住身形。

王秋儿在进步，霍雨浩又何尝不是在进步呢？他最大的优势就在于自身魂技的数量远超普通魂师，再加上自创魂技，在战斗时，魂技的可选择性就大多了。如何搭配自身的魂技，一直是他要面对的问题。而随着自身经验的丰富，霍雨浩对自身能力的掌控力也正在变得越来越强。对他来说，现在只需要保证自身魂技在施展的时候，能够有足够的魂力支持就行了。

精神力的持续提升，也让霍雨浩在调配魂力、使用魂技的时候，可以精确到一点一滴，尽可能地做到不浪费一点魂力。他刚刚轰出的冰皇之怒，在光之女神与王秋儿接触的一瞬间，就在他强大的控制力作用下停止了。他并不没有完全发挥完这一击的威力。

庞大的魂力肆虐，王秋儿却没有等这肆虐的魂力停顿，右脚抬起，直接踹在这奇异世界的结界边缘，身体反弹而起。黄金龙枪幻化出万千金光，直奔霍雨浩覆盖而来。这一次，她是在自身第一、第二两个魂技的增幅下发动攻击的。威力比先前更加强大，速度也更快。

在这么狭小的空间内想要闪躲显然是不现实的，霍雨浩也没有试图这么做。深蓝色的身影在他身后浮现，瞬间由小变大——冰冷的容颜，绝美的冰雪，正是雪帝。

雪帝光影一下就融入到了霍雨浩体内。霍雨浩抬起右臂，深蓝色的剑芒化为惊天长虹竖斩而下，根本不去管那覆盖面积巨大的枪芒，只是那么强悍地竖斩而出，看那样子，仿佛要将天地斩破一般。

帝剑，冰极无双。

这是霍雨浩与雪帝完全结合之下的最强一剑。

万千枪芒收束为一股，正好点在那深蓝色的锋芒之上。只听"叮"的一声轻响，深蓝色的帝剑弹起，在空气中化为虚无。那黄金龙枪也同样停顿下来。从枪尖开始，深蓝色光芒蔓延，一直蔓延到龙枪近半的位置，这才被那金黄色的光芒逼停。手握龙枪的王秋儿，身上蒙上了一层冰霜。

他的极致之冰更加纯粹了！王秋儿此时只觉得遍体生寒，心中不禁暗暗吃惊。她没想到，霍雨浩竟然会用这种正面碰撞的方式和自己进行战斗。难道他要一直这样正面硬撼吗？

就在这个时候，从战斗一开始就处在被动抵抗状态中的霍雨浩终于主动发起了攻击。只见他背后光芒一闪，在魂导推进器的作用下，整个人就已经来到了王秋儿面前。奇异的一幕出现了——他左手上的人形魂导器手甲向上翻卷而起，露出了他的手掌。霍雨浩一掌拍出，直取王秋儿右肩。

看着霍雨浩那闪耀着奇异深蓝色的手掌，王秋儿脸色一变，以她那强悍的战斗方式，这时候竟然不敢和霍雨浩正面硬碰，而是身形一闪，将手中的黄金龙枪在地面上一撑，迅速向后退去。

霍雨浩熟悉她的能力，她又何尝不熟悉霍雨浩的能力呢？这一掌别看是用左手发出的，却赫然是霍雨浩最强的魂技——帝掌大寒无雪啊！

那极致的寒意，就算是王秋儿也承受不起。被它侵入体内也就意味着这场比赛要结束了。否则，她早就沉肩与其对撞，并且展开对攻了。

王秋儿闪退，霍雨浩却得势不饶人，左掌劈出之后，紧接着就是依旧覆盖着手甲的右拳。金色光影闪烁，绝美的光之女神又一次出现在了霍雨浩背后。无疑，这一拳是附带了战技能力的。

王秋儿本来对霍雨浩心中就憋着一口气，眼看他连击发动攻击，更加气往上冲。嘹

亮的龙吟声响起，她的双手同时抬起，左手拍向霍雨浩的右拳，右手则直接抓向霍雨浩的头部。

她最忌惮的是霍雨浩的灵魂冲击。此时对于霍雨浩来说，正是施展那强力攻击的好机会。随着精神力的提升，霍雨浩的灵魂冲击也变得越来越强大了。王秋儿虽然有信心能够承受得住，但承受下来，她自身也必然要受创。受创的时候，动作自然要慢。因此，她在动手的时候，优先照顾了霍雨浩的头部，以自身强大的气势逼住霍雨浩。

她有信心，就算霍雨浩在这个时候发动灵魂冲击，自己的灵魂暂时失控，攻击也绝对不会停顿，至少不会落于下风。

第357章
天梦领域

王秋儿预料中的灵魂冲击却并没有到来。霍雨浩的右拳硬生生地轰击而至。

跟我拼力量？王秋儿心中刚刚生出这样的疑惑，霍雨浩的拳头就已经轰击下来了。

在王秋儿原本的计算中，以她对霍雨浩的了解，一掌拍过去，足以将霍雨浩的右手拍到一旁。如果霍雨浩不使用灵魂冲击，以他的力量，是不可能在如此近距离的情况下抵挡住自己右手的。

可是，这些判断都是从王秋儿对霍雨浩的了解出发的。但如果霍雨浩的攻击力突然变了呢？

左掌拍击在霍雨浩右拳上的一瞬间，王秋儿就感觉到了不对。

霍雨浩的这一拳，不只充满了精神力，而且力量大得惊人。她那一掌，竟然没能将霍雨浩的拳头拍开。

不过，王秋儿的实战经验也极其丰富。没有拍开，她立刻就一沉手腕，改拍为推，挡在霍雨浩的拳头之前。

但就算如此，她毕竟是临时变招，力量没办法用到最强。在霍雨浩右拳巨大的力量作用下，那拳头已经推着她的手撞在她自己的左肩之上。

王秋儿闷哼一声，身体倒飞而出。她那原本抓向霍雨浩头部的手，自然也就落在了

空处。

怎么会这样？宁天和巫风都目瞪口呆地看着这一幕。她们虽然都知道霍雨浩厉害，但也没想到他竟然会厉害到在正面战斗中能够压制王秋儿的程度啊！这可是没有任何花里胡哨的正面对抗！他不是只有五环吗？怎么会厉害到如此地步？

一个个疑问不断地出现在宁天和巫风的脑海之中。这届全大陆青年高级魂师精英大赛以来，她们也自认修炼刻苦、进步神速。尤其是杀入半决赛之后，他们每个人的信心都提升到了顶点，都在期待着在决赛中与唐门的最终碰撞。

当那场大爆炸突如其来地发生，令决赛无法进行之时，他们这些人或多或少心情都有些低落。没能在王秋儿的带领下，在全大陆最盛大的比赛中击败唐门，是他们心中最大的遗憾。

可是，今天，就在这奇异的乾坤问情谷之中，他们才明白自己和史莱克七怪的差距有多么巨大。

他们认为实力最弱的江楠楠，竟然就凭借一己之力击溃了宁天和巫风两个人。如果说，这是因为江楠楠擅长近战，在这狭小的空间里更容易发挥的话，那么眼前这一战呢？霍雨浩和王秋儿这一战呢？她们还能说什么？

虽然胜负未分，但霍雨浩完全在正面压倒了王秋儿，令王秋儿节节败退。一个霍雨浩就已经这么强了，那唐门史莱克七怪的整体实力要强大到什么程度？

当唐门击败圣灵宗战队的时候，无论是外人还是史莱克学院战队的众人，都将胜利很大程度地归结于运气。只有霍雨浩那诡异的最后一击无法解释。

但是，亲身体会后，宁天和巫风就算不愿意承认也必须要承认，他们和唐门之间确实有着巨大的差距，宛如鸿沟一般的差距啊！

碰撞、反弹、落地。王秋儿就像一头母狮子一般瞬间弹起。

她先前在和霍雨浩近战的时候，是松开了黄金龙枪的。此时，黄金龙枪再次入手，在身前幻化出一片光幕，试图阻挡霍雨浩有可能发起的追击。

但是，霍雨浩并没有继续攻击，而是停在了先前两人碰撞的地方。

在他的额头处，头盔上的一块金属横移开来，一只奇异的竖眼随之出现在那里。奇妙的金色光芒随之出现。

不好，他要用灵魂冲击了！王秋儿几乎下意识地又一次松开了自己的黄金龙枪，全力凝神，让自己的精神力凝聚起来，同时魂力升腾，一条金龙环绕着她的身体盘旋而起，由强攻化为防御。

但是，她预料中的灵魂冲击还是没有出现。令她更加震惊的一幕出现了。

周围的空气开始出现奇异的涟漪。那一圈圈扭曲的波纹，以霍雨浩为中心向周围扩散开来。一道道光纹波动，空气扭曲，令周围的一切呈现出水波荡漾一般的怪异景象。

这轮盘并不大，此时却已经完全在这水波荡漾中扭曲起来，没有死角，没有缝隙。

这个能力，王秋儿从未见霍雨浩施展过，自然也就不知其奥秘了。心中凛然之下，王秋儿手中的黄金龙枪横扫而出，一片金色的光影呈扇形向外扩散，全方位地冲击向周围扭曲着的空气。

王秋儿的目的很简单——通过攻击试探，来确定霍雨浩所在的位置，一旦找到，就锁定他，然后全力攻击。

但是，这曾经被霍雨浩当做底牌，准备对付圣灵宗的强大能力，又怎会那么容易被破解呢？

金光掠过，顿时悄无声息地消失了。周围的空气确实全都剧烈地波动起来，但原本还能够勉强看到的光影随之完全消失了。没错，就是完全消失，霍雨浩就像根本没有出现在这里过似的。

在这一瞬间，王秋儿甚至产生了错觉——这里的一切变化难道是这乾坤问情谷弄出来的？

可是，她很快就否定了自己的想法。这个地方虽然诡异，却还是遵循着一定规律的。至少那个怪异而平淡的声音每次开口之后，之前说过的话都做到了。这一场既然是让自己和霍雨浩一战，应该也不会有什么变化。而且，霍雨浩本身擅长精神力，这应该是他最新的能力。只是，他没有提升过魂环，这样的能力难道是他自创的不成？

霍雨浩此时施展的能力当然不是自创的，就算他的能力再强，也没强到如此地步。天梦冰蚕带给他的那四大魂技之中，看似最没用的精神干扰，在霍雨浩自身精神力不断进化的情况下，配合着他那模拟魂技，终于形成了眼前这神奇的领域。霍雨浩为它命名为天梦领域。

不过，霍雨浩现在的修为还很有限，必须要有一定时间的蓄力，才能将天梦领域的能力发挥出来。王秋儿是真正体验过完整版天梦领域的第一人。

三个霍雨浩，突然毫无预兆地出现在了王秋儿身前的三个方向。三道碧绿色光芒同

时朝着她电射而来。

王秋儿心中大惊，将黄金龙枪交给左手，向左侧刺去。右拳则轰向右侧，绕体金龙盘旋而出，迎向了正面的攻击。

但是，她很快就发现自己上当了。那来自于三个方向的进攻，下一瞬已经悄然消失。她全力以赴的抵挡，全都落在了空处。

幻境！王秋儿立刻就意识到了问题所在。但是，她更不敢轻举妄动了。此时她背靠空间的边缘，起码还大概记得自己先前的位置，一旦冲出去，完全陷入这领域之内，恐怕遇到的麻烦会更大。

手中的黄金龙枪护在身前，绕体金龙依旧盘旋着。王秋儿闭上了双眼。顿时，一层奇异的金色光芒从她身上散发出来，正是她的天赋能力——黄金感知。

虽然黄金感知破不了霍雨浩的领域，却能够极大程度地增强王秋儿对于危险的判断，一旦真正的攻击到来，她就能第一时间抵御，并且发起反击。

场面诡异地陷入了僵局。

王秋儿的黄金感知和绕体金龙，都是需要消耗魂力的。而霍雨浩这天梦领域不但要消耗魂力，还要消耗精神力。在这种情况中耗下去，比拼的就是谁的魂力能够坚持得更久。

"我输了。"霍雨浩的声音在四面八方响起。紧接着，周围扭曲的一切光影全部消失，他还站在那里，似乎什么都没有变化过。可王秋儿先前面对那个方向的攻击是没有任何效果的啊！

"你怎么输了？"王秋儿看着霍雨浩，下意识地问。

霍雨浩苦笑道："别忘了，我是五环。而且，领域类魂技覆盖的范围太大，对我的消耗自然很大。如果继续战斗，我根本没什么机会。你的黄金感知克制了我的领域。我唯一的办法就是和你耗下去。可耗下去的话，我的魂力必定会率先耗尽，所以，最终的胜利者肯定是你。"

霍雨浩的声音十分真诚，也十分恳切。但王秋儿怎么都觉得不太对劲。

"你根本就没有输，你还有那么多手段能够使用。"王秋儿怒声说道。

霍雨浩苦笑道："那你说说，我的那些手段之中，有哪一样能够战胜你。"

"你有……"王秋儿想说霍雨浩那天施展的冰雪二帝之骄傲，但立刻想起来，那天霍雨浩是在紫金蝶龙变状态下才施展出那强大魂技的。而现在没有自己和王冬儿跟他融合，他根本就不可能施展出紫金蝶龙变。

再回想一下，他确实是没有什么能力能够直接克制自己的！

"你还能使用奶瓶。"王秋儿好不容易憋出这么一句话。

霍雨浩有些无奈地翻翻白眼，道："讲点道理好不好？我们这是公平对抗。用奶瓶？你认为这个地方会让我用这种不公平的手段来与你比试吗？而且，一旦使用奶瓶，我就要分神，刚才的领域能不能保持还是问题。好啦，我输了。我和冬儿认输，你过关了。"

果然，伴随着霍雨浩的认输，那个声音又响了起来："王秋儿胜，通关。"

金光一闪，王秋儿带着狐疑和诧异凭空消失。霍雨浩和王冬儿则各自回归自己所在的位置。

霍雨浩真的没有手段战胜王秋儿吗？这个问题其实连他自己都不知道。他确实还有多种手段能够用出，但王秋儿是什么实力？她被誉为本届大赛的最强龙魂师。王秋儿最大的特点是遇强愈强。对手的强大，往往能够激发她超常发挥。而且，她那极致力量是直接作用于肉体上的，就算魂力耗尽了，战斗力也未必下降多少。在她全力爆发的情况下，就算是魂圣、魂斗罗级别的强者都不愿意与她硬碰。

霍雨浩原本就没打算要赢，正面对抗，占据一些上风，然后再认输，这应该是最好的结果了。这样既不会让自己失去面对王秋儿的信心，又基本确定了这场战斗的胜负。

就在霍雨浩和王冬儿认为他们即将返回本来的位置，继续这奇异的轮盘冒险时，那平淡的声音又一次冷冰冰地响起："以二对一，却不全力出手，违背规则，故意相让。惩罚你们直接进入深度冒险。"两道光芒一闪，根本就不给霍雨浩和王冬儿辩驳的机会，就将二人带走了。

这个……

巫风和宁天看得目瞪口呆。要知道，先前戴华斌在面对朱露的时候，就是直接认输的啊！但这诡异的空间可没说他们作弊，还要让朱露通关，是朱露自己要求，才进入深度冒险的。

而霍雨浩和王秋儿这公平一战，就因为王冬儿没有参加，反而被判定为作弊。这究竟是怎样的标准？

光芒一闪，轮盘就再次出现了。这一次，光芒出现的位置正是宁天脚下。

　　就剩下我和巫风了，宁天不由得扭头向巫风看去。巫风也正在看着她。

　　宁天已经决定了，如果自己抽中的也是一对一的战斗，那么，自己就认输。反正一对一的情况下，自己本来也打不过巫风。深度冒险就深度冒险吧。尽管宁天很清楚，以自己辅助系器魂师的战斗力进入深度冒险恐怕会十死无生，但她此时的心情依旧淡定。

第358章
深度冒险竟然是……

在感情方面，宁天其实是十分茫然的。海神湖上海神缘那一次，对于宁天来说，是奇耻大辱。她一直铭刻于心。而这次陷入乾坤问情谷，她听到巫风的表白，心情是极为复杂的。但对于巫风这份执着的爱，她着实也有几分感动。

就在宁天胡思乱想着的时候，她面前的轮盘终于停止了转动。一个曾经出现过的符号呈现在她的面前。

那个符号，是徐三石曾经面对过的唇形。

宁天呆呆地抬起头，看向巫风。巫风也同样在看她。只不过，此时此刻，在巫风眼中亮起的，是欣喜的目光。

"呕……"作呕声持续响起，足足延续了数分钟才勉强停顿了下来。

彼此怒视对方，贝贝和徐三石闻着自己身上那一身臭味，郁闷到了极点。

不过，看着彼此狼狈的样子，他们的表情由郁闷渐渐变为抽搐。

"哈哈哈……"

"事实证明，哥对你一点兴趣都没有。"徐三石傲然说道。

贝贝怒道："放屁！难道我对你有兴趣不成？你个浑蛋，赶快给我弄干净，难受死

了。这是哪里？"

说着，两人反应过来，开始打量着周围的一切。

他们出现的地方，是一片废墟之中。周围尽是断壁残垣，却像是在一座城市中，和之前在乾坤问情谷的情形截然不同。

徐三石催动魂力，黑色光芒从两人身上扫过，玄武特有的水属性能力清除了两人身上的污垢。贝贝也催动自己的雷电魂力，消除了空气中难闻的气味。

"这好像是……"

徐三石和贝贝对视一眼。他们都觉得这里的建筑风格有些眼熟，再向远处看去，那一座座高大的建筑终于肯定了他们心中的猜测。

"明都？"

二人吃惊地异口同声道。

就在这个时候，乾坤问情谷中那令他们痛不欲生的平淡声音在他们脑海中响起："深度冒险开始。冒险题目：冲出重围。要求：冲出明都，重返西山境内。你们所处的环境是真实的，在进行考核过程中如果死亡，那就是真的死亡。超过三天没有回归西山范围，考核失败，惩罚为死亡。考核开始。"

声音瞬间消失。在他们视野的左上角多出了一个淡金色沙漏，沙砾开始缓缓流动，显然是用来计时的，同时也在提醒着他们，他们此时依旧是在那乾坤问情谷的控制之中。

感受着这一切的变化，贝贝和徐三石险些爆粗口。

用脚趾头都能猜到现在明都是什么情况。刚刚经历了那场毁灭性的大爆炸，必然是全城戒严，指不定有多少军队和明都强者在附近呢。他们二人的修为虽然不弱，可是，这里可是人家的首都啊！想要重新返回西山境内谈何容易！

"我们先计划一下。"贝贝比徐三石冷静得要快一些，向他招招手立刻说道。

徐三石会意地点了点头。他们都是史莱克内院出来的精英，面对危局，两人在短暂的恼怒之后立刻就恢复了冷静，看了看四周，赶忙找到一处较为隐蔽的角落处隐藏起自己的身形。

贝贝有些无奈地道："总算给咱们脱离的时间是三天，而不是三个时辰。"

徐三石翻了翻白眼，道："你的伤怎么样了？"

贝贝道："勉强能够动手吧。你呢？"

徐三石苦笑道："比你强点，估计还有七成的战斗力。祈祷我们不要太过倒霉，说不定，还是有机会蒙混出去的。"

正在这时，一片脚步声响起。

"快，这边搜寻一下，看还有没有伤者。那边也找找。"

贝贝看着徐三石的眼神顿时怪异起来，低声咆哮道："以后你给我闭上你这张乌鸦嘴！"

光芒一闪，戴华斌凭空出现在一处军营之中。他惊讶地发现，自己身上竟然换上了一身军装。此时他正站在一个大帐外，周围一片漆黑，正是夜晚。

这里是……

看着这熟悉的环境，戴华斌不禁有些呆滞。他甚至怀疑之前经历的一切都是做梦，而眼前的一切才是真实的。

可惜，事实总是那么残酷，那来自十乾坤问情谷的平淡声音响起："深度冒险开始。冒险题目：拯救。你的父亲白虎公爵戴浩将会遭遇刺客刺杀，你必须阻止刺客，帮父亲脱离危险。你目前是你父亲的亲卫，没有人能认出你的真实身份。你只能依靠自己的实力和智慧。本考核为真实事件，也就是说，如果你不能救父成功，不但你会因为考核失败死亡，你父亲也同样会死亡。五分钟后，你父亲将带人外出巡逻，一刻钟后，你方能恢复说话能力。你将无法阻止你父亲外出，而敌人随时会出现。深度考核的成功条件：保护你父亲白虎公爵戴浩重返军营。如白虎公爵死亡，则考核失败，惩罚为死亡。"

戴华斌听着这声音以及考核的内容，不由得目瞪口呆。自己竟然被送到了千里之外的明斗山脉，父亲军队所在的大营！父亲无法认出自己，并且将要经历一场刺杀。这究竟是怎么回事啊？

正在他惊疑不定之时，突然，在他旁边的另一名亲卫身体一颤，紧接着，一股熟悉的气息立刻传来。戴华斌定睛看时，吃惊地发现，那名亲卫竟然变成了朱露的模样。

"露露？"戴华斌张嘴想要呼叫，却发现自己根本发不出声音。而这个时候，朱露也已经看到他了。她的美眸中流露出激动之色，一闪身，就扑到了他的怀中，泪水不受控制地向外流淌。

虽然两人都无法说话，但从朱露的表情上，戴华斌也看得出，她应该已经原谅自己

了。

就在这时，朱露身体一僵，眼中的感动渐渐被吃惊所代替，显然，她也听到了什么。

朱露一拉戴华斌，赶忙蹲下身体，用手指在地面的泥土上快速地划动着。一个个小字出现在戴华斌眼中。戴华斌目瞪口呆地看到，朱露接下来深度冒险的任务竟然和自己的一模一样。

"你好傻啊！你已经通关了，干吗要跟来？"戴华斌焦急地在地面上写着。

朱露向他轻轻地摇了摇头，嘴角处却浮现出一抹笑意。她抬起头，在他面颊上亲了亲，然后在地上写了四个字——生死与共。

戴华斌全身一震，深情地看着朱露，用力地向她点了下头。

正在这时，突然间，"呜呜"的号角声响起。

戴华斌是白虎公爵之子，很小的时候就已到过军队了，自然明白这号角的意思是什么。这是集结号，而且是专门针对白虎亲卫的集结号。

果然，周围很快就有大量的白虎亲卫行动了起来。他们两个此时都是白虎亲卫的样子，赶忙跟着人群一起跑了过去。

父亲要遇刺，怎么办？我现在该怎么办？戴华斌发现，此时自己心中竟然有些茫然。这个时候，他根本没法说话。就算他能说话，在父亲无法认出自己的情况下，跑过去告诉他会被刺杀，以父亲的脾气会相信自己吗？答案显然是否定的。

戴华斌还从来没有面对过这样的危局，一时间大脑中一片混乱，不知道该如何是好。但他很清楚，那个鬼地方给他的任务绝对不是在开玩笑。一个不好，不但自己和朱露要死，父亲也……

想到这里，戴华斌只得强打精神。

白虎亲卫是白虎公爵麾下最精锐的近卫，很快，就已经集结完毕。

远远地，戴华斌看到父亲一身戎装，站在大帐前方，面容冷峻。已经有侍从牵来了他的坐骑——神骏无比的白虎驹。

白虎公爵戴浩目光森然地从面前迅速集结的白虎亲卫们身上扫过，点了点头，道："暂时的和平并没有让你们懈怠，我很满意。好，第一小队，随我出巡。其他人回营休息。出发。"

说着，他脚尖点地，已经上了白虎驹。身边的四名近身侍卫也各自上马。刚刚集结完毕的第一小队白虎亲卫立刻奔跑起来，跑向马厩，各自上马，跟随着白虎公爵一同出营。

毫无疑问，戴华斌和朱露正是这第一小队中的队员。

白虎亲卫可以说是白虎公爵的家将。就算战争结束，白虎公爵不再担任元帅之职，白虎亲卫也会一直跟随在他的身边。

白虎亲卫中，每一个小队有一百人。五百人为一个中队。一千五百人为一个大队。整个白虎亲卫团无非就是三个大队左右的配置，相当于一个师团的兵力，还有一些特殊兵种。这是戴浩身为白虎公爵，目身能配备的士兵的极限了。

戴浩在前面骑着白虎驹，速度并不算快。很快，后面的白虎亲卫们就已经跟上了。

每个人都骑着龙鳞战马，加上一身白色甲胄，在夜晚分外显眼。整齐的金属铿锵声在这明斗山脉中响起。

星罗帝国为了预防日月帝国随时有可能发动的侵略战争，在明斗山脉中布置了大军。白虎公爵坐镇明斗山脉，为西方军区统帅，同时还兼任着三军统帅，可以说是星罗帝国军方的第一重臣。

明斗山脉从星罗帝国与天魂帝国、日月帝国的交界处一直向南，绵延千里。因为是当年日月帝国所在的日月大陆与斗罗大陆板块碰撞时产生的，所以被命名为明斗山脉。

明斗山脉的地势十分复杂，怪石嶙峋，植被较少。正是凭借着这一道天然屏障，星罗帝国面对日月帝国的压力才减少了很多。而且星罗帝国本身地大物博，虽然只是原属斗罗大陆三国之一，但整体面积比日月帝国还要大上几分，重兵把守之下，从未让日月帝国占过什么便宜。

不过，明斗山脉虽然利于防御，但也因为地势的缘故，想要布置大军十分困难。而且山脉整体狭长、绵延千里，自然令守军的布置较为分散。

白虎公爵戴浩经常会出巡，巡视西方军区的各地驻军，一向以治军严谨而著称。这些年来，他将西方军区经营得犹如铁桶一般，平时在与日月帝国驻扎于明斗山脉另一边的军队小规模的碰撞中从未吃过亏。这也是日月帝国一直以来不敢轻举妄动的重要原因。

这次，戴浩出巡，就是要去巡视距离他自己的西方军区帅营三百里内的三处军营。连夜出发，也是为了能够在明天夜晚到来之前回归自己的帅营。

"我……"霍雨浩最后听着那冰冷无情的淡漠声音宣布自己和王冬儿直接进入深度冒险，哪怕以他的沉稳，也忍不住要骂人了。

这也太不公平了吧！他觉得，这诡异的乾坤问情谷似乎就是专门针对自己的。自己并没有明显放水，说的也是事实，真正拼下来，自己未必是王秋儿的对手。难道说，非要自己和冬儿联手将秋儿击败，让她进入深度冒险才行？这是什么道理？

可是，再多的郁闷也没有吐露的机会。他和王冬儿已经一起陷入了一片金光之中。

周围的一切都变得不清晰了。那扭曲的感觉仿佛要将身体撕碎一般痛苦。好不容易，霍雨浩才从这种痛苦中挣扎出来，却发现自己居然是坐在马背上的。

快马奔驰，险些将他直接掀飞，幸好他一抬手，赶忙抓住马鞍，才算稳住了自己的身体。

这是哪里？

霍雨浩看着前方，发现在自己的前后左右都是人，而且都穿着他熟悉的白色甲胄。夜幕中，周围的一切有些昏暗，胯下的龙鳞战马狂奔起来。

他下意识地扭头向身边看去，一眼就看到了身边的王冬儿。他们两个在这马队中太显眼了。王冬儿还好点，起码也穿着那白色甲胄，可霍雨浩依旧是那用稀有金属打造的人形魂导器的模样。令他奇怪的是，自己这人形魂导器的重量起码有五百斤，但胯下的战马并不怎么费劲。

"雨浩，我们这是在哪里？"王冬儿疑惑地问道。

霍雨浩苦笑道："我也不知道啊！这就是所谓的深度考核吗？"

正在这时，两人脑海中同时响起了那平淡的声音。

"深度考核开始。考核题目：救援。你们正在跟随白虎公爵去巡视军营的路上。稍后，将会有敌袭出现。你们现在都是白虎公爵亲卫的样子，并且不会因为自身的相貌和装备的特殊被认出来。考核要求：你们必须在接下来遭遇敌人袭击时，帮助白虎公爵，并且保护他顺利逃生，返回军营。同时，还要保证队伍中的戴华斌、朱露存活。这三人最终全部返回白虎公爵帅营，你们的考核成功。任何一人死亡，即为考核失败。惩罚为死亡。考核现在开始。"

听完这考核的内容，霍雨浩的反应就只有三条黑线从额头上划过了。

这叫什么玩意儿啊？不但要救人，还要当保姆！而且，让自己救的人竟然是他……

这考核根本没有什么有用的提示，敌人是谁不知道，敌人有多少人也不清楚。对手的实力倒是能猜到几分。敢来刺杀白虎公爵的，实力一定不会弱，必然是封号斗罗那个层次的强者。毕竟白虎公爵是魂斗罗级别的强者，而且身为帝国公爵和三军统帅，自身拥有的各种魂导器以及近卫的数量也一定不少。己方实力越强，也就意味着敌人的实力越强。

更让霍雨浩愤怒的是，这任务竟然还有让他们救援戴华斌和朱露的要求，而且还不能失败。死一个人，他们的考核就完了。也就是说，现在霍雨浩、戴华斌、朱露，这三个人的命已经和他们拴在了一起。

涉及戴浩，霍雨浩的情绪难免会受到冲击，但他毕竟是经历过极限单兵计划的，论心志之坚毅，性格之坚强，比戴华斌强多了。

在短暂的愤怒、郁闷之后，他立刻就冷静了下来，对眼前的局势进行着判断。同时，精神探测也立刻展开，向全军覆盖过去，探查己方目前的形势。

王冬儿这时也已经恢复了冷静。当她感受到霍雨浩的精神探测共享联系过来时，立刻心中大定。她知道，霍雨浩此时已经冷静下来了。只要他能冷静就好。

王冬儿知道霍雨浩与白虎公爵的恩怨纠葛，所以在听到拯救的人是戴浩时，她心中也大吃一惊，下意识地就向霍雨浩看去。果然，霍雨浩的表情明显有些不对。但很快，她就欣慰地发现，霍雨浩的表情恢复了。这就意味着，他的心态已经冷静了下来。

雨浩真的越来越成熟了啊！面对这样突如其来的变化也能在第一时间稳定下来。

"雨浩，你的魂力如何？"在来到这里之前，霍雨浩可是刚与王秋儿大战一场。

霍雨浩道："巅峰状态。那乾坤问情谷总算不算太吝啬，如果连巅峰状态都不还给我的话，我们恐怕就真的连一点机会都没有了。"

很快，精神探测的反馈就已经烙印在他的脑海之中。

白虎公爵带领着四名近卫，走在最前面。通过精神探测，霍雨浩隐隐能够感受到，那四名近卫的实力至少在六环以上，加上白虎公爵八环魂斗罗级别的实力，绝对是一股不弱的力量。

而在他身边的白虎亲卫们，绝大多数竟然也有魂师的底子，尽管不算太强，但其中一些小组长之类的，至少有二三环的实力。

对于普通军队来说，这支白虎亲卫绝对是精锐中的精锐。他们组成的钢铁洪流，就算是四，五环实力的魂师强者都未必敢正面碰撞。

但是，白虎亲卫们毕竟不可能都是魂师啊！魂师的数量，对任何国家来说，都是问

题。哪怕日月帝国集合全国之力，魂导师军团也就组成了那么几个而已。

像明都一下聚集了那么多顶级魂师的情况，在大陆上是极其罕见的。之前袭击明都皇宫的那一战，恐怕大陆上超过三分之一的强者都聚集在那里了。

在感受了己方的整体实力之后，霍雨浩有了一些判断，然后立刻在人群中搜寻，寻找着目标。

幸好，那诡异空间没有对他们太过苛刻。很快霍雨浩就找到了戴华斌和朱露两人，立刻也将自己的精神探测延伸了过去，与他们完成共享。

戴华斌心中万分焦急。他刚刚能够说话了，正要想办法通知父亲有敌袭，来自霍雨浩的精神探测共享就到了。

戴华斌和朱露只觉得脑海中"嗡"的一下，原本黑暗的周围顿时变得清晰起来，甚至能够感觉到直径数百米范围内每一处细微的变化。那种仿佛从空中俯瞰的立体探测感受顿时令他们惊异不已。

紧接着，霍雨浩的精神意念就进入了他们的脑海之中。

"戴华斌、朱露，我是霍雨浩。我和冬儿要与你们共同经历这次深度冒险。无论我们之前曾经有过怎样的过节，我相信面对这样的局面，你们也都明白应该怎么做。毕竟，这关系到你父亲的生命。你现在感受到的，是我通过精神共享与你们完成的联系。接下来，精神共享也会一直存在着。从现在开始，如果你们相信我，就必须要听从我的指挥。只有这样，我们才有机会救你父亲，明白吗？"

尽管那个人也是霍雨浩自己的父亲，可是，在他心中，从未认可过这一点。在他的记忆中，只有五年前跟随戴钥衡来到军营时见过那个人而已。所以，他绝不认为那个人是他的父亲。

在这个时候，霍雨浩已经让自己完全进入了冷静的状态。这是一种宛如机械化一般的冷酷。在这种状态下，他的判断力将会达到最强，会尽可能地抛却一切感情因素的影响，冷静地面对一切。

戴华斌和朱露对视一眼，看到了彼此眼中瞬间闪过的惊喜。

尽管他们对霍雨浩都有着无限的恶感，可是，又不得不承认霍雨浩的实力。当初刚刚入学的时候，在实力还远远不足的情况下，霍雨浩就和王冬儿联手拿下了测试赛的冠军。从那以后，戴华斌不知道多少次想要通过自身的努力去战胜他，却一次又一次地失败了。而到了现在，他不得不承认，自己和霍雨浩之间的距离已经完全拉开了，想要追上他已经是不可能的。

此时，戴华斌在茫然失措之际，突然听到霍雨浩的声音，竟然有心头一松的释然感。

当下，他坐在马背上用力地点了一下头，示意霍雨浩，自己会听从他的指挥。

霍雨浩心中暗暗冷哼一声，这家伙总算还不算太蠢。

霍雨浩的行动没有停下来，精神力直接朝着白虎公爵笼罩了过去。敌人的埋伏虽然不知道在什么地方，但肯定在他们此行的必经之路上。他现在已经顾不上去猜测敌人是如何知道白虎公爵会在这个时候巡营了，一定要阻止白虎公爵继续前行。

为了击杀白虎公爵，敌人必定布下了天罗地网。要是真的钻进大网之中，霍雨浩可不认为凭借自己的实力能够救援白虎公爵。王冬儿是魂帝，他和戴华斌、朱露都是魂王，就凭借这点实力，想要救助八环的白虎公爵？他们凭什么啊？所以，只有先避免进入对方的圈套，才有机会。

白虎公爵戴浩端坐在自己的白虎驹上。白虎驹全速奔腾，他自己端坐在上面纹丝不动。

他之所以要出来巡视，最主要的原因就是日月帝国那边不稳定。

日月帝国蠢蠢欲动已经有很长时间了，战争一直处于一触即发的状态。星罗帝国这边，各大关隘都布有重兵。

根据日月帝国那边传来的消息，离战争开始至少还有几个月，日月帝国那边总要准备充分并且调动更多的军队到边境才有可能发动战争。

可就在今天，戴浩突然接到了一个惊人的消息。明都发生了史无前例的大爆炸，爆炸波及了整个明都超过三分之一的面积。这场大爆炸令整个日月帝国为之沸腾，损失惨重。日月帝国官方宣布，本次爆炸与星罗帝国和天魂帝国有关，却没有具体说什么。

久久公主在来信中说，本次爆炸与他们无关，很可能是史莱克学院干的。

是谁做的，现在已经不重要了。那等规模的爆炸对明都的打击无疑是巨大的。据说伤亡虽然不多，可明德堂和日月皇家魂导师学院全都被毁掉了，很可能还毁掉了他们一个重要的仓库。在这种情况下，日月帝国发动全面战争的可能性必定会大大降低。尤其是，根据密报，日月帝国的皇帝竟然在那场大爆炸中受惊过度，驾崩了。

这样一来，日月帝国皇室那边，必定要暂时陷入内乱之中。虽说太子徐天然已经占据了绝对的优势和主动权，但另外几位有机会继承皇位的皇子也不是吃素的。而且，他

们对徐天然足够了解，一旦让这位大哥成功登位，那么，等待他们是什么可想而知。因此，他们必定会不惜一切代价地发起反击。

这对于星罗帝国来说，绝对是大好事。发动全面战争的可能性已经接近于零。这也给了星罗帝国更多的准备时间。

最近这些年，原属斗罗大陆三国越来越重视魂导器的发展了。白虎公爵自然也不例外。他没办法参与魂导器制作，但越来越看重魂导器在战争中的作用。

不久前，一件魂导器样品的到来，令白虎公爵着实兴奋不已。这件产自于唐门的诸葛神弩炮，不但威力极佳，更重要的是，只要给那密封奶瓶充能完毕，就连普通士兵都能够进行操作。虽说，这件魂导器维护起来还较为麻烦，尤其是对定装魂导炮弹的依赖以及定期充能的问题。可是，如果大规模地装备这种魂导炮的话，再借助明斗山脉的有利地形，对星罗帝国的守军来说，无疑是有巨大好处的。

今天出来巡视，是因为白虎公爵担心，日月帝国那边受到重创，他们的边疆守军会有异动。仇恨有的时候会让人失去理智，国家之间的仇恨更是如此。所以他要尽快查看各个关隘要塞的防御情况。

戴浩一向喜欢亲力亲为，这也是他在军队中威望如此之高的重要原因。此时夜色弥漫，清凉的夜风吹拂着面庞，这位白虎公爵的心情好了起来。毕竟，战争推后，对于他这位三军统帅来说，压力自然小了很多。

正在戴浩思考着如何进一步加强魂导器在军队中的作用时，突然间，一股奇异的精神波动传来。那精神波动并不十分强烈，却如丝如缕，竟朝着他的大脑中钻了进来，试图进入他的精神之海。

白虎公爵剑眉倒竖，眼眸中，双瞳闪耀。一层强烈的精神波动顿时从他身上迸发而出，将那股精神力抵挡在外。同时，他一抬手，跟在他身边的四名守卫立刻拉住马的缰绳。他自己胯下的白虎驹也随之停了下来。

白虎亲卫不愧是白虎公爵最精锐的军队，或许他们在个人战斗力上不如魂师，但要说战阵、军人法则等方面，却绝对如同白虎公爵的肢体一般操控自如。

上百名白虎亲卫看到前面传来的信号后，在不到五十米的距离内，全部快速停住，阵形没有半分散乱。

戴浩掉转马头，胯下的白虎驹发出一声低沉的咆哮。

这白虎驹是一种奇异的魔兽，马生虎皮，达到了六级实力，自幼是戴浩自己养大的，和他如同兄弟一般亲近。它与戴浩配合，在他还没有晋升魂圣之前，就令他有着远超同龄人的实力，可以说为他立下了汗马功劳。

这白虎驹的感知力极为敏锐。戴浩感受到的精神波动，它也同样感受到了，立刻就将目光投向了后面的白虎亲卫。

"是谁？出来！"戴浩沉声喝道，已经向白虎亲卫中看去。以他的修为，在和那精神力略微接触之下，立刻就判断出其来自于自己的亲卫之中。

这个判断不禁令戴浩大吃一惊。要知道，对方的精神力虽然被他驱除了，但这精神力的强度可不是白虎亲卫可以拥有的。精神力外放，至少是魂圣以上修为的魂师才能做到啊！幸好，对方的精神力似乎并没有什么恶意。

白虎亲卫中终于有了一丝骚乱。戴浩身边的四名护卫已经催动着胯下的龙鳞马冲了过来。为首的一人大喝一声："所有人原地不许动。警戒。"

白虎亲卫们各自拉住自己的龙鳞马，纹丝不动，只有龙鳞马偶尔发出的声息。

霍雨浩右手在马背上一按，就从马背上腾跃而起。

此时，在白虎亲卫们的眼中，他是一名身材高大的侍卫，和身边的其他人并没有什么两样。在那乾坤间情谷奇异的力量作用下，白虎亲卫看到他都会觉得很熟悉，很自然地将他当成袍泽，可要如果让他们叫出他的名字，却又偏偏想不起来。

"公爵大人，是我。"霍雨浩高声喝道。

白虎公爵戴浩双眼微眯。那四名近卫已经从龙鳞战马上腾身而起，每一个背后都张开一对小巧的翅翼，迅速围了上来。而周围的其他白虎亲卫也各自抽出战刀，将霍雨浩以及他所在的位置团团围住。只有王冬儿还跟在霍雨浩身边。

戴浩看着霍雨浩，双眼微眯。他的感觉和所有的白虎亲卫是一样的——熟悉，却叫不出对方的名字。

"你是谁？是你在用精神力试探我吗？"戴浩沉声喝道。

霍雨浩点了点头，道："是的。您应该感觉到了，我的精神力很强。坦白说，我是一名精神系魂师，投身到您的白虎亲卫之中，只是因为对您的仰慕和对国家的忠诚。我无意隐瞒，但又不愿太过出头，所以才一直隐身在您的白虎亲卫之中。我刚才突然感觉到前方有危险，所以才用精神力向您示警。"

戴浩脸上露出几分疑惑，但紧接着就化为了冷冽之色，沉声喝道："拿下。"

第359章
救父！

身为一名铁血统帅，白虎公爵的掌控欲一向是极强的。面对未知事物，他自然首先选择将对方控制在自己的掌握之中。至于霍雨浩说的话是真是假，可以将他拿下后再详细询问。

其他白虎亲卫不动，只有那四名近卫同时朝着霍雨浩这边扑了过来。

霍雨浩心中暗叹一声：想要说服他，真的不容易啊！

这是他第一次面对面地和这个人打交道，此时此刻，他的内心深处又何尝不是五味杂陈。他是用了多大的毅力，才能让自己保持冷静，说出刚才那番话的啊！

四名近卫各自释放出了自己的武魂。三名魂帝，一名魂圣，实力相当惊人。

首先冲向霍雨浩的，是那名魂圣级强者。他身上的魂环三黄、三紫、一黑，也算相当不错的魂环配比了。

但是，就在他距离霍雨浩不到十米的时候，突然间，一股难以形容的恐怖气息正面冲击过来。

在那一瞬间，这位魂圣只觉得自己仿佛在面对一头魂兽之王，那种铺天盖地的威压令他近乎窒息。前冲之势硬生生地遏制住了。他骇然看到，对面那神秘的白虎亲卫身上，一圈圈魂环光芒正飞速升起。

两黄、两紫、四黑、一红。九个，竟然是九个魂环！最恐怖的是，在这九个魂环中排位最后的，居然是一个血红色的十万年魂环啊！

十万年魂环，哪怕是在魂师的世界中，也几乎是传说中的存在。

只要经历过正规魂师教育的魂师都知道，十万年魂兽已经是拥有了高等智慧的生物，它们甚至可以选择重修成人。想要击杀十万年魂兽的困难程度无疑是巨大的。不只要拥有强大的实力，更要有足够的运气。

封号斗罗面对十万年魂兽，在修为差不多的情况下，封号斗罗获胜的几率较大。前提是这个十万年魂兽本身的血脉并不是最强的那种。一名封号斗罗击败 只十万年魂兽或许可能，但想要将其击杀或者抓住，却难上加难。能够活到十万年，或者拥有等同于十万年修为的魂兽，哪一个不是具备着强大的生存能力啊！

更何况，随着时代的发展，十万年魂兽的数量越来越少。它们也很清楚人类魂师对它们的觊觎。因此，大多数还存活着的十万年魂兽，都像星斗大森林中的那些一样，隐藏于魂兽栖息地的深处。那里是它们的世界。魂师要是去了，无疑会十死无生。

而眼前这个隐藏在白虎亲卫之中的家伙，竟然拥有一个十万年魂环。先前那恐怖的气息，似乎就是他通过十万年魂环传递过来的。太可怕了。这完全是位阶上的全面压制。

其他三名近卫自然也都在空中停顿了下来。所有白虎亲卫胯下的龙鳞马，都不约而同地悲鸣出声，纷纷匍匐在地。它们不过是几十年修为的魂兽，又怎么可能与那十万年魂兽的气息相抗衡呢？如果对方想，就算是吓，都能将它们吓死。

只有白虎公爵戴浩胯下的白虎驹依旧神骏地站立着。但如果仔细看就会发现，淡淡的白色魂力正在不断地从白虎公爵身上向白虎驹流淌着。这只修为接近万年级别的强大魂兽在面对霍雨浩身上散发出的气息时，一样是被压制得死死的。

白虎公爵的脸色变得凝重了。他万万想不到，一名拥有十万年魂环的封号斗罗竟然隐藏在自己的白虎亲卫之中。此时，他更加惊讶地发现，自己竟然连对方的年龄都看不出来。这种情况还是第一次在他身上出现。

"你究竟是谁？"戴浩沉声问道。十万年魂环意味着什么，他比自己的近卫们更清楚。

十万年魂环又被称为超级斗罗的敲门砖。一般来说，封号斗罗进入九十级之后，

再想向上提升修为就会变得非常困难。绝大多数封号斗罗一生也别想突破九十五级，成为超级斗罗。只有那些天赋极佳，自身又很有悟性和运气的封号斗罗才有机会进行突破。

有一种封号斗罗是例外的。他们只要能够持续修炼，并且活到自己突破的那一天，就一定能够突破到超级斗罗层面。那就是拥有十万年魂环的封号斗罗。

十万年魂环对于魂师身体素质的提升是任何药物和能量都无法比拟的。它足以令人类的身体达到承受超级斗罗那种层次的魂力的水平，并且将他们的天赋调整到那种程度。

正是因为知道这些，戴浩才认为眼前这个人不只是封号斗罗。他明白，一名十万年魂环的拥有者，很可能就是超级斗罗啊！

十万年魂环，固然是所有魂师心目中最顶级的宝物，但同样，也是最大的麻烦。十万年魂环固然是无法被剥夺的，但是，它必然会产生十万年魂骨啊！只要魂师死了，魂骨是能够被抢走的。

因此，在实力足够的情况下，遇到十万年魂环的拥有者，其他封号斗罗的第一个想法就是杀人夺取魂骨。

所以，有运气获得十万年魂环的魂师们，在身边没有足够力量守护的前提下，一定要尽可能先将实力提升到超级斗罗那个层面。有了超级斗罗的实力，自保自然就不再是问题了，他们也就不再怕被人击杀。

超级斗罗，确实不是自己能够抗衡的啊！戴浩很快就做出了判断。

霍雨浩此时有些无奈。他不得不利用模拟魂技摆出眼前这副架势，不这样的话，怎能让白虎公爵绝了对自己动手的心思，让他安静下来听自己讲述？

实力，在魂师界永远是最大的话语权来源。

"你不用管我是谁，你应该感觉得到，我对你没有恶意。否则，我在你的白虎亲卫之中，想对你动手的话，随时都可以，根本不需要等到现在，更不需要主动示警。我擅长的是精神力，所以，我能够感觉到在不远的地方，一场大危机正在等着你。如果你相信我，立刻回去还来得及。想要对付你的力量，是你无法抗衡的。立刻掉头吧！"

霍雨浩用最简短的话讲述着自己的目的。

戴华斌此时就在白虎亲卫之中，看着那傲立于龙鳞马马背之上、散发着超级斗罗气息的霍雨浩，不禁暗暗想：这家伙还是这样，他那吓唬人的本事永远要超越他实际的实力。曾几何时，他不也是这么吓唬我们的吗？可是，现在他展现出来的实力是那么逼真，连父亲都辨别不出。

是的，霍雨浩凭借着自己有形无质的强大精神力，在模拟魂技的帮助下完成的此次模拟，别说戴浩看不出端倪，就算是玄老那个级别的强者，不接近到一定距离也看不出他这一身气息都只不过是借用自身魂环模拟出来的。而对于白虎公爵这个层次的魂师来说，除非真正动手，否则是没办法辨别的。

戴浩双眼微眯，沉声道："我怎么知道这不是一个圈套？你凭什么让我相信你？"

霍雨浩没有吭声，而是突然抬头向空中看去。他的感知力之敏锐，已经不逊色于王秋儿的黄金感知，对于危险的预判一向是十分准确的。他猛然抬头的同时，眼中金光喷吐，强大的精神力已经固定地朝着一个方向探查而出。

在平地，霍雨浩单向探查的距离已经能够达到五千米。而在空中，因为没有任何阻隔，探查的范围会变得更大。

当他身上散发出强势的精神力时，白虎公爵对他的实力再没有任何怀疑。那恐怖的精神力，分明已经超越了他的层次啊！在刚刚喷吐出的时候，精神力甚至已经接近实质化了。这是何等修为？超级斗罗，这个人一定是超级斗罗！可是，在大陆上确实没听说过哪位精神武魂修为的强者达到了超级斗罗这个层次啊！此人难道是一位隐世强者？

霍雨浩可不像戴浩那么轻松。他只是用精神力在空中扫了一下，立刻就脸色大变，大声喝道："快下令撤退。空中有敌人的监视魂导器，你们的一举一动都在人家的监视之中，突然停下来，一定会让敌人发觉，强敌稍后即至！快撤！"

霍雨浩在史莱克学院学习的时候就听老师们讲述过，因为魂导器快速发展，现在所有的军营都有着很强的防御力。而且，以白虎公爵戴浩在星罗帝国的重要性，他身边不可能没有封号斗罗级别的强者，只不过这些强者平时隐匿于军营之中而已。这次戴浩并没有带这些强者出来。只要能够返回军营，白虎公爵的安全就基本没什么问题了。

戴浩不是优柔寡断的人，能够成为三军统帅，他做事一向雷厉风行。在感受到霍雨浩那强大的精神力之后，他毅然做出了决定，沉声喝道："掉头，回军营。"

霍雨浩一听此话，顿时大大地松了一口气，赶忙收回身上释放出的威压。

不过，令他有些郁闷的是，那些龙鳞马却一时半会站不起来了。在冰帝强大的十万年魂兽气息面前，这些几十年修为的魂兽想要缓过来，起码需要一个时辰。不过，现在顾不了这么多了，他刚才也是没办法啊！不把气势弄强，白虎公爵哪能相信他？

白虎亲卫们不愧都是精锐，根本不需要长官下令，就已经纷纷弃马，转身朝着军营方向跑去。

他们的阵形依旧严整，并且在奔跑之际，刻意向两旁让开，留出一条通道。

没有了霍雨浩身上释放的威压，白虎驹直接恢复了正常，载着白虎公爵飞速地朝着原路狂奔。

戴浩没有选择使用飞行魂导器是再正确不过的，在空中目标太明显了，哪怕在万米之外，只要空中有监视魂导器，就能轻松地锁定他。在地面上奔逃，反而容易一些。反正对手也不敢轻易升空。这明斗山脉的防空体系可不是闹着玩的。三千米以内，空中全覆盖。霍雨浩之前发现的监视魂导器是在接近五千米的高空处，这才没有被下面的对空探测魂导器发现。

霍雨浩胯下的龙鳞马也不行了。他和王冬儿都跳下了马背。眼看着，戴浩骑着白虎驹来到了他面前。

"多谢前辈示警，如此次能逃脱大难，戴浩定有重谢。"

近在咫尺，看着面前白虎公爵那丝毫没有惊慌之色的刚毅面庞，霍雨浩只觉得自己的呼吸都变得急促了。

在这个时候，他心中升起的并不是仇恨，而是发自内心想要帮他逃脱的念头。

"赶快走吧，不然就来不及了。对了，你有没有什么办法，能够让你们军方的防御魂导器不对空攻击？至少不对我们升空的魂导器进行攻击。"

戴浩勒住白虎驹，沉声道："有，只要带上我们军方的特殊标记就可以了。这种标记只能是我亲自布置，有特殊的鉴别方法。"

霍雨浩点了点头，道："那好。你的修为距离九环还有多远？"

戴浩愣了一下，道："半年前，我已经九环了。"

封号斗罗？他竟然是封号斗罗了！这一下，霍雨浩愣了愣，紧接着心头一片冰凉。

他不知道戴浩是封号斗罗，可那些埋伏的敌人肯定是知道的啊！针对魂斗罗的暗杀和针对封号斗罗的暗杀显然不会是一个级别的。也就是说，敌人会更加强大。

霍雨浩顾不得其他的，飞速地从自己的储物魂导器中取出一物递给戴浩，道："快，一边往回跑，一边将它升空。这东西要这么用……稍后，你用它帮你断后。我们也会帮你断后的。快走！"

戴浩接过霍雨浩递过来的大箱子，没有犹豫，立刻催动白虎驹转身就跑。他一边跑，一边将那盒子打开。

霍雨浩和王冬儿落在后面。戴华斌的声音从旁边传来："我们一起断后。"

看着停下来的戴华斌，霍雨浩怒道："断后什么啊，快跑！连他都不行，你留下能有什么用？"霍雨浩一边说着，一边指了指已经快要跑出视线的白虎公爵。

戴华斌梗着脖子道："你能留下来断后，我怎么就不行？"

霍雨浩真想一巴掌拍死他，那样也就大仇得报了。可现在，戴华斌关系到他和王冬儿深度冒险的结果，是绝对不能死的。

"别废话了，一起跑吧。"说着，霍雨浩已经开启了背后的魂导推进器，追着白虎公爵的方向全速前进了。王冬儿没有释放武魂，也在贴地疾行。她的武魂在黑夜中太明显了，不到战斗的时候是不会轻易释放出来的。

戴华斌这才和朱露一起朝着二人追去。他此时心中已经放松了许多。他们才出了军营没多远，以父亲的速度，最多十分钟就能冲回军营了。

但是，就在这个时候，天空突然亮了起来。

一团团绿色的光芒从西方飞了过来。这些绿色光芒看上去呈现为一个个葫芦状，因为距离地面太远，看不清楚它们的具体大小，但上面喷射出的光焰在这夜晚之中是那么耀眼夺目。目标所指，正是白虎公爵戴浩逃脱的必经之路。

果然来了！

霍雨浩暗叹一声。对手在高空之中有监视魂导器，相当于在高空中多了一只眼睛啊！

能够将监视魂导器升到空中五千米进行定向监视，这等技术只有日月帝国才有。至少在目前斗罗大陆三国中，没有谁能达到。

对此，霍雨浩也是毫无办法。他只是一个介于六级到七级之间的魂导师，一名五环魂王级别的魂师。除非他自己可以升空到五千米，去面对面地解决监视魂导器，否则是毫无办法的。明知道被监视，他也没能力将其摧毁。这就是实力上的不足。

霍雨浩自认自己做得已经不错了，在这么短的时间内就阻止了白虎公爵前行。但很明显，敌人的准备也是十分充分的，在发现不对之后，立刻展开了远程攻击。现在就要看星罗帝国这边的防御体系能够起到多大作用了。

在任何国家的军事重地，天空一向是禁区。霍雨浩和王秋儿当初就曾经在天魂帝国遇过这样的麻烦。而在明斗山脉中，天空中的防备显然更加森严。

当那十几个绿色葫芦状的光芒全部出现之后，大片的红色光团就开始从周围的山脉中蜂拥而出，朝着天空中的绿光迎了上去。这些都是地对空拦截魂导炮。

这种魂导炮制作起来没有什么难度，关键就是体积大，对于稀有金属的消耗也大，使用的时候消耗的魂力同样巨大。

眼看着星罗帝国这边的对空防御体系的反应速度还算不错，霍雨浩终于松了一口气。

很快，大片的红色光团就迎上了那些绿色葫芦形的光芒。就在双方即将碰撞之时，那些葫芦形的光芒居然分裂了。葫芦状的前端和后端断开，前端猛然加速前冲，和那些红色光团撞击在了一起，而后方的绿色光芒则在半空中停滞了一下。

高空中的变化何等之快，如果霍雨浩没有灵眸和紫极魔瞳这等超人的能力是绝对看不清的。

只听空中一片震耳欲聋的声音响起，大片光芒照亮了整个高空。

拦截成功？

这个念头在白虎亲卫们的脑海中出现了一瞬间就破灭了。一团团变成锥形的绿光，闪电般从天而落，目标所指，正是白虎公爵所在的方向。

"不好！"霍雨浩心中暗叫一声。

他现在已经顾不得其他了，精神探测共享瞬间开启到极致，直奔白虎公爵的头部而去。

此时白虎公爵戴浩因为在密切关注着空中的变化，猝不及防之下，顿时被霍雨浩的精神力成功侵入。

没等他用自身的精神力抵御，精神探测共享就给他带来更大的震惊。

天空中下落的所有绿光都被数据化。需要多长时间坠落，落点是什么位置，一一出现在他的脑海之中。

白虎公爵何等老辣，立刻就明白了怎么回事。只见他那魁梧的身形骤然膨胀几分，一头短发已经变成了黑白相间的虎皮纹模样。两黄、两紫、五黑，九个魂环悍然升起，释放出一圈圈夺目的光彩。排位于第四的魂环光芒大放，一颗颗莹白如玉、隐隐呈现为虎头模样的光团迅速地在他头顶上方出现。紧接着，这些光团拉拽出一道道炫目的白色尾焰朝着空中迎了上去。

"轰轰轰……"一连串剧烈的轰鸣声响彻整个山道。

白虎公爵将白虎流星雨逆行释放，拦截之精准，令人叹为观止。要知道，那加速下落的绿光速度快到极致，在这么短的时间内，如果没有霍雨浩的精神探测帮助，白虎公爵也不可能完成这样的拦截。

就在所有人以为危机已经暂时解除，白虎公爵能够继续返回军营之时，突然间，白虎公爵戴浩前方大约三百米处，突然亮起了一片棕黄色的光芒。

这棕黄色的光芒刚出现的时候只有直径十米左右的一小片，但转瞬间就蔓延开来，覆盖了直径百米的范围，将山道以及周围的山壁全都覆盖了进去。

这是……

霍雨浩的瞳孔剧烈地收缩了一下。能够瞒过他的精神探测，直接作用在山道之上，这不是魂师的魂技，而是魂导器！而且，是他目前遭遇到的最强魂导器！因为，这种能够瞒过精神探测，并且具备隐形效果的魂导器，至少也有八级。

这些前来暗杀白虎公爵的敌人，可真是下了血本啊！这应该是八级定装魂导炮弹。

"小心。"霍雨浩下意识地大叫出声。在喊出这两个字的时候，他自己也觉得奇怪。为什么？我为什么要那么关心他的安危？

"轰隆隆……"

刹那间，整个明斗山脉都摇晃了起来。那被棕黄色光芒覆盖的区域，瞬间发生了恐怖的大爆炸。爆炸声震天动地，土石飞扬。强烈的冲击波，瞬间覆盖了上千平方米。

"防御！"白虎公爵大喝一声。他没有退避，身上的第一、第三、第五，三个魂环交替亮起。他那原本就十分魁梧的身形瞬间涨大一倍。一双虎掌前拍，一层强烈的白光以他的身体为中心骤然扩散开来，挡住了正面的大部分冲击波。

看到这一幕，远处下意识地挡在王冬儿身前的霍雨浩不禁有些呆了。

以白虎公爵封号斗罗级别的实力，如果他只是护住自身，这冲击波虽强，却绝对不

可能对他造成什么损伤。可是，他却将防护开启到如此广阔的程度。他的消耗必然会成倍增加啊！

剧烈的轰鸣持续爆发，大地龟裂，无数裂痕从爆炸的中心点开始，朝着四面八方蔓延。

这山路的两侧，一边是悬崖峭壁，另一边是高耸的山壁。山路虽然较宽，但此时，这恐怖的大爆炸发生之后，空中立刻开始有大量的石块落下。

山崩！

白虎亲卫们不愧是精锐中的精锐，尽管面对这宛如天威一般的恐怖爆炸，他们个人的力量是渺小的，但他们此时尽可能地聚集在一起，抵挡着大爆炸。一部分拥有盾牌的白虎亲卫纷纷举起盾牌，抵挡着来自于前方的冲击波和头顶的落石。那四名白虎公爵近卫已经不顾一切地冲到前面，想要帮白虎公爵分担一些压力。但是，那正面爆发的冲击波实在太强了，强大到他们才冲起就被冲击波轰击得反卷而回。

霍雨浩已经隐约知道那带来如此恐怖效果的魂导器是什么了——山崩地裂弹，八级定装魂导炮弹。

魂导器到了七级以上，一些拥有特殊效果的，都会具有一个自己的名字。定装魂导炮弹尤其如此，它们的名字可以说是五花八门。

这山崩地裂弹就是其中之一。它本身应该在七级定装魂导炮弹的范畴，但增加了隐身和抗干扰的特殊核心法阵之后，就迈进了八级的门槛。

它有很强的穿透力，落在地面上就会立刻钻入其中，凭借着自身拥有的对土元素亲和力极强的稀有金属和核心法阵，能够在最短的时间内钻入泥土或者岩石深处，然后再爆发出强大的震荡力。

相当于震荡弹百倍的震荡力爆发的瞬间，就是山崩地裂之时。

用来杀敌的话，在八级定装魂导炮弹中，这山崩地裂弹不算什么。但因为它自身比较稳定，并且附带隐身效果，用在战场上的效果是相当惊人的，在眼前这种战术性攻击中更是如此。敌人的目的很明显，就是要阻断白虎公爵回营的路，给他们的刺杀争取时间。

"元帅，您快走，不要管我们！"那名魂圣级别的近卫急忙大喝道。

此时正面最强的冲击波已过，但白虎公爵戴浩并没有离去。以他的修为，低空飞行根本不算什么，但他返身而回，身在空中，不断释放出大片的白虎流星雨，将从天而落的乱石一一击碎。

看着那悬浮在半空之中，宛如天神一般的男人，霍雨浩的胸口仿佛哽住了。

他为了自己的属下，竟然不顾随时有可能被刺杀的危险。他……

戴浩沉声喝道："少废话，整顿队伍，准备迎敌！你们是我的战士，就是我的袍泽，我不会丢下任何一个人。我们守在这里，等待援兵。"说着，他一抬手，一道彩光就已经冲天而起。

这里距离军营并不远，坚持到帅帐那边的强者们赶过来也不需要太多时间。空袭加上地面上的爆炸，大营那边肯定已经发现了动静。救援并不会来得太迟。

前方的山道被炸开了一道宽达数百米的大口子，想要步行过去已经不可能了。白虎公爵如果自己离开，就意味着他要舍弃这个上百人的白虎亲卫队伍。在战争中，弃子是很正常的，但白虎公爵并没有这么做。他是统帅，更是星罗军队之魂，是真正的英雄。怎能舍弃自己的兄弟呢？而且，他选择防御也未必就是错误的。毕竟，敌人会在什么地方出现，在前方还有没有强力的攻击都很难说。

戴华斌看着父亲不肯走，竟然留下来守护下面的白虎亲卫，也不禁心中大急，急忙向身旁的霍雨浩问道："怎么办？"

霍雨浩拳头攥得紧紧的："还能怎么办？帮他。"

他没办法帮白虎公爵做决定，现在唯一的选择，就是帮助白虎公爵守住这里。虽然敌人反应及时，能够在第一时间发起拦截，但终究比白虎公爵踏入伏击圈差多了。这里距离军营又近，他们并不是没有机会。

精神探测共享全开，覆盖了白虎亲卫所在的范围。霍雨浩做不到让每个人共享他的精神力，但他现在只需要给白虎公爵和他那四名近卫共享就足够了。

有了霍雨浩的帮助，白虎公爵凭借白虎流星雨拦截空中的落石就容易多了。比磨盘大的石头，都被他那白虎流星雨一一击中。

王冬儿此时已经张开了她那光明女神蝶的双翼，在霍雨浩精神探测共享的帮助下，蝶神之光频出，帮白虎公爵戴浩拾遗补缺，进一步地降低着山崩的威胁。

白虎亲卫们也没闲着，虽然不是每个人都有盾牌，但没有盾牌的白虎亲卫也是百里挑一的壮汉，借助手中的武器，纷纷挑飞落石。一时间受伤者虽然仍有不少，但总算没有太大的伤亡。

就在这时，远处一道道红光突然闪现，带着煊赫的气势，铺天盖地地朝这边覆盖

过来。

魂导高爆弹。

霍雨浩眼神一凝，心中暗叹一声，已经猜出了这些敌人的来历。先是八级定装魂导炮弹，再是集群高爆弹，除了日月帝国，就没别人了。

白虎公爵戴浩长啸一声，身体在空中骤然转向，迎着那些高爆弹飞了过去。第四魂环持续闪耀，白虎流星雨在他的控制下，和速射魂导炮一样自由转向，大片光雨迎向了那群数量庞大的高爆弹。

与此同时，他口中大喝一声："白虎亲卫听令，分散撤退！"

在这个地方，想要分散其实是很难的。前面的路被炸断了，参差不齐，一边是峭壁，一边是悬崖，只能从炸断的那边寻找能够通过的路，找到缓坡才可以离开这里。

士兵们讲究军令如山。听到白虎公爵的命令，带队的小队长立刻带领着士兵们朝着路被炸断的那一边跑了过去。

但是，山崩地裂弹又怎么可能留给他们一条逃生的路呢？当他们来到悬崖边缘时，看到的只有深深的沟壑。

白虎亲卫第一小队的小队长是一名年约四旬的壮汉。看到眼前的断路，他眼中闪过一抹绝望之色，猛然转过身，面对跟随自己而来的白虎亲卫们，露出毅然决然之色。

目光从眼前的袍泽们脸上掠过："兄弟们，大家都看到了。公爵大人是为了我们才留下的。如果不是我们，公爵大人已经脱险了。我们已经身陷绝境，拖累公爵大人一秒钟，公爵大人的危险就增加一秒。自从加入白虎亲卫的那一天开始，大家就都有为公爵大人尽忠的自觉。我不勉强你们，愿意跟着我的，永远是我张彪的好兄弟。公爵大人，属下为您尽忠了。公爵大人保重！"

说着，他深情地扫视了一眼面前的袍泽们，猛然转身，左脚脚尖点地，一个纵跃就朝着身后的悬崖跳了出去。

身为白虎亲卫的小队长，张彪对眼前的形势判断得很清楚。敌人转瞬即至，援兵却不知道什么时候才能赶到。唯有让公爵大人迅速撤退，与援兵会合，才能保证安全。而戴浩不肯舍弃他们，他们就成了最大的拖累。这里根本没有分散的可能性，他们就只能为公爵尽忠了。

看到这一幕，霍雨浩只觉得胸口如中巨锤一般。在军队中，能让下属为自己的安危而自杀，能够为了保护下属而不顾自身安危，白虎公爵的形象在他内心深处猛然变得高大起来。他一拉王冬儿，两人同时朝着悬崖跳了下去。

第360章
为了拯救忠义，我愿意！

"浑蛋，张彪，你在干什么？"戴浩眼观六路，自然发现了小队长张彪跳崖的一幕，不禁心中大急。

就在这个时候，白虎亲卫们几乎异口同声地大喝道："公爵大人保重。"紧接着，他们一个个抿着嘴唇，眼神中饱含着坚决，就那么朝着悬崖下跳了下去。

"浑蛋，快去阻止他们。"面对山崩地裂弹都神色不变的戴浩，此时脸色终于变了。他那双瞳虎眸骤然变得通红，扭头向自己的四名近卫大吼道。

但是，那一向顺从的四名近卫停留在他身边一动不动，更隐隐地挡住了他的视线。

为首的那位魂圣级别的近卫悲声道："公爵大人快走吧，兄弟们是为了您的安全才这样的啊！您如果怜惜他们，就赶快离开这里。"

就是这么一会儿的工夫，上百名白虎亲卫，除了戴华斌和朱露两人之外，已经全都消失在了黑漆漆的悬崖处。

戴华斌呆了，朱露也呆了。

如此惨烈的一幕，突然在他们面前出现。他们毕竟都是不到二十岁的青年。哪怕戴华斌是白虎公爵之子，也从未见过军队中如此惨烈的景象啊！

戴华斌脑海中回响着父亲曾经对自己和哥哥说过的话——每一位白虎亲卫都是忠烈

之士，你们兄弟二人都要善待他们。

白虎公爵此时的双眸已经一片血红，眼神骤然变得狰厉起来，右手一托，就打开了刚才霍雨浩给他的那个箱子，将魂力强势注入！

一团硕大的银色光芒瞬间升空而起，将周围照得一片闪亮，很快就冲入高空之中。

当天空中的银色光团稳定下来的瞬间，一道银色光束从天而降，落在了戴浩身前。这位白虎公爵双手做出一个上托的动作。顿时，又一颗淡金色的光球出现在了银光之中。

这枚光球的直径足有一米，徐徐升起时，像是一轮太阳似的。它上升后，与天空中那团银光交映生辉，一直飞到那银光的旁边。

两个光球就那么在天空之中遥相呼应，围绕着莫名的圆心开始了旋转，在空中交织出一个更大的金银双色光球。

没错，霍雨浩给白虎公爵戴浩的，正是星空斗罗最新研制成功的九级魂导器——日月神针。

以霍雨浩现在的修为，还无法使用这件九级魂导器，但戴浩可以。

日月神针的使用方法并不难——释放，锁定对手，攻击。使用它的最大难点，就在于对魂力的要求。

白虎公爵戴浩虽然刚刚晋升封号斗罗不久，但白虎武魂作为最顶级的兽武魂之一，戴浩晋升为封号斗罗后，实力一定会得到质的飞跃，远不是一般的封号斗罗能比的。而且他正当壮年，正是气血和精神都最旺盛的时候，未来是很有可能成为一名超级斗罗的。

在这种情况下，他来施展这日月神针就不会有太大的问题。

此时戴浩心中虽然充满了悲愤，但当这日月神针升空之后，依旧不禁倒吸一口凉气。伴随着日月神针的升起，他只觉得自己的精神力也随之向空中攀升，视野极度扩大，精神力正在持续增强着。原本无法捕捉到的敌人踪影迅速出现在了他的视野之中。高空中的日月神针在转动，他自身的魂力也在以惊人的速度消耗着。但就在这金银双色光芒升空的下一刻，对面的攻势明显减弱了。

这就是威慑，来自于九级魂导器的威慑。

天空中的金银双色光团就像一只巨大的双色光眼一般冰冷地注视着大地，寻觅着它的目标。

日月神针作为最顶级的九级魂导器之一，本身的使用要求十分苛刻，需要吸收三天的日月精华，方能发挥作用。在使用的时候还会消耗海量的魂力，攻击三次之后，就需要再次进行对日月精华的吸收、充能。

正因为它的使用要求苛刻，才造就了这等超级魂导器。要求越高，也就意味着这件魂导器本身的破坏力越强。哪怕是超级斗罗也不愿意面对它的攻击啊！

日月神针最大的特点是全属性破坏。在日月光华的作用下，任何属性的防御面对它，都将失去防御效果。它还能进行穿刺攻击。九级魂导器的穿刺攻击，覆盖范围三十公里，这是何等恐怖的打击力度啊！

对面的敌人显然已经认出了日月神针的来历，攻势才骤然遏制住了。他们很清楚，在日月神针的监控下，他们已经无所遁形。

白虎公爵，不，现在应该称为白虎斗罗，戴浩的眼中满是森然之色，通过日月神针，冷冷地注视着远处那数量超过十个的敌人。

通过日月神针放大探查的效果，他能够清楚地看到这些敌人身上的魂环数量和颜色。

一共有十二名敌人。其中四名竟然是九环修为，也就是说，那是四名封号斗罗。他们之中甚至还有九级魂导师存在。否则先前那山崩地裂弹也不是那么好释放的。

除了四名封号斗罗之外，剩余的八个人中，修为最低的是魂圣级别。还有四名八环魂斗罗级别的强者。

此时，那四名封号斗罗的身上全都亮起了一团金光，正是无敌护罩。另外八个人中，也有四个人释放出了无敌护罩。十二人完全分散开来，却再也不敢前进半步。

这就是日月神针的威慑力！

将日月神针借给白虎公爵的霍雨浩恐怕都想不到，当这日月神针升空之后，竟然能够让对手如此畏惧。

霍雨浩的猜测一点都没有错。这些敌人果然来自于日月帝国，是专门来进行斩首行动的。

白虎公爵在星罗帝国中的地位举足轻重，对军方有极强的掌控力。如果能够将他暗杀，对于未来日月帝国无疑会有巨大的帮助。

十二名刺客，事先做好了充分的准备，不但在白虎公爵帅帐那边有内应，更施展了高空侦察魂导器这种最新研制出来的强大存在。十二名刺客中，有两位是九级魂导师。

在前方不到三十里的地方，他们布下了天罗地网，设置了各种魂导器陷阱。只要白虎公爵踏入他们的陷阱，他们有信心，哪怕白虎公爵神奇地拥有了超级斗罗的实力也是必死无疑。

可是，令他们万万没想到的是，白虎公爵出了军营之后，没过多久竟然就突然掉头了。这个变化大大地出乎了他们的意料。

为首的一位九级魂导师立刻意识到他们的行动已经暴露了。但是，白虎公爵毕竟已经离开了营地，身边只有一百多名护卫，这已经是他们能找到的最佳时机。

于是，第二套作战方案展开。以山崩地裂弹阻挡对方的道路，他们用最快的时间赶了过来，准备不惜一切代价击杀白虎公爵。

他们的既定目标即将实现。白虎公爵傻愣愣地没有自己突围，而是为了保护属下留了下来。这一切令他们大喜过望。

可是，当那金银双色光芒先后升空的时候，他们全都愣住了。

来自于日月帝国的这十二名刺客中，过半是魂导师。尤其是那两位九级魂导师，绝对是见多识广的。

换了普通刺客，或许不会在意这升空而起却没有散发出任何威势的光团。可他们不会啊！无知者无畏，可知道的人会产生更大的恐惧。

星空斗罗叶雨霖赖以成名的太阳神针谁不知道？这两位九级魂导师，正好有一位和叶雨霖是至交好友，刚好知道他最新研制成功的日月神针。

因此，当他看到那日月神针升起的瞬间，第一时间就开启了自己的无敌护罩。尽管他知道，无敌护罩未必能够挡住日月神针的攻击，但总算是聊胜于无啊！

听到这位九级魂导师当众说出"日月神针"这几个字之后，在场的诸位魂导师背后瞬间就密密麻麻地生出一层冷汗。

当年的太阳神针有死神之光的称号，指在谁身上谁就得死啊！这日月神针的威力肯定在太阳神针之上。别说超级斗罗，就算是玄老这种接近极限斗罗的强大存在，与它正面碰撞一下，恐怕都要受伤。

这些刺客是来刺杀白虎公爵的，却绝对不是来送死的。尤其是那四位封号斗罗级别的强者，对自己的生命更是珍惜。

"怎么办？他怎么会有日月神针？难道说，星空斗罗……"

"不可能啊！星空斗罗是绝对不可能背叛的。快点决定，我们的无敌护罩根本不能

坚持太长时间。"

"先撤，再从长计议。"为首的九级魂导师当机立断，立刻下达了撤退的命令。

生命是宝贵的，任何人的生命都只有一次。他们谁会愿意冒着被日月神针从高空中攻击的危险继续发动刺杀？没人敢啊！真的没人敢。

于是，这十二名刺客立刻掉转身形，转身就跑。对他们来说，如何在最短的时间内冲出十五公里，是最重要的。

白虎公爵此时心中还有一丝希望，因为刚才他看到霍雨浩和王冬儿也跳下了悬崖。所以，他沉着冷静地没有发动日月神针。最强大的武器在发射之前，威慑力才是最大的。他虽然不明白为什么对手立刻逃遁了，但至少自己暂时安全了。现在就看那两个神秘人能否将自己的属下们救下。

白虎公爵这边放松下来。霍雨浩那边却忙得不亦乐乎。

霍雨浩和王冬儿跳下悬崖之后，王冬儿立刻张开蝶神双翼，霍雨浩则迅速向下俯冲，然后也开启了自己背后的飞行魂导器。

最先跳下悬崖的，是那位小队长张彪。从空中看去，这边的悬崖至少有三百米高。哪怕是魂师，只要没有飞行能力，也没有其他手段减缓下降速度的话，也必定会摔死啊！

霍雨浩一边向下迅速俯冲，一边将自己的精神力释放到最强状态。一张巨大的精神之网迅速笼罩了周围的空间，将所有跳崖的白虎亲卫全都覆盖在内。这样他才能准确地知道这些白虎亲卫的具体位置。

头盔额头的位置开启，一道深蓝色的光芒电闪而出，瞬间下降。正是小雪女。

小雪女一出现，一双小手就在空中有力地挥动了一下。顿时，一股强风在山谷间激荡而起。强风吹袭，硬是让这些身穿铠甲的白虎亲卫的下降速度略微缓了一缓。

雪帝掌控的可不只是雪。她是冰天雪女，在那寒冰肆虐的极北之地，可怕的除了寒冷之外，还有风。这也是雪帝比冰帝更加强大的地方。除了极寒之外，她还掌握着风的奥义。那雪舞极冰域，本身就有狂风的因素在内。

霍雨浩怕自己的极致之冰伤害到这些白虎亲卫，所以不敢用领域能力去卷起他们，只能让雪女先把他们的下坠之势缓一缓。

雪女操控着风，率先冲了下去，一闪身，就到了最前方的张彪身边。一双细嫩的小手在张彪背上轻轻一推。距离地面已经不到三十米的张彪顿时从急速下坠变成了横飞而出。

张彪本身是一位魂师，突然来的侧向力量令原本以为必死的他心中一惊，赶忙下意识地控制着自己的身体。

三十米的高度对他这种级别的魂师来说，应对起来就要容易多了。身体在空中一个横滚，借助侧推之力，他的双掌不断劈下，利用魂力减缓自己的冲势。

小雪女推开张彪之后，一双小手再次上托，一股狂风向上吹拂，果然再次将下坠的大部分白虎亲卫朝上托了一下。

有她的这两次缓冲，霍雨浩和王冬儿终于率先冲了下来。

这个时候，两人都将自己最快的速度施展了出来，加上小雪女，三道身影不断地辗转腾挪，接住那一个个从天而降的白虎亲卫。

霍雨浩现在好后悔，自己怎么没有制作一件能够在这个时候用得上的魂导器啊！他的魂导器绝大部分是具有杀伤力的。

白虎亲卫们跳下的范围虽然不大，但人数实在是太多了。

此时，霍雨浩右手持生命反射之盾，身上还释放着魂导护罩，不断地辗转腾挪，并且不断地施展出唐门绝学——控鹤擒龙。但是，他依旧不可能将所有人都接住。

一个人坠落下来，他猛然接住，再瞬间将其推开，用右脚勾住另一个，用生命反射之盾撞开一个，身体迅速前冲，接连接住十几个。

在这个时候，他根本不可能把每个人都完好地接住。他没有时间啊！他只能在这些白虎亲卫即将落地的时候，将他们横向撞开，卸掉他们下降的冲力。受伤是难免的，但这样至少可以令他们保住性命。

可就算这样，在霍雨浩和王冬儿已经竭尽全力的情况下，还是有一部分白虎亲卫救援不及。

三百米啊！他们从三百米高空坠落，还穿着铠甲，那是何等冲力！霍雨浩毕竟只是一名魂王，王冬儿也不过达到了魂帝修为。两人就算实力再强一些，也达不到大范围救人的程度。

一团团血花不断地在他们身边飞溅而起，一个个忠义的生命，就那么在他们身边消失。

霍雨浩的嘴唇抿得紧紧的。这些人都是为了保护白虎公爵而死的。他们心甘情愿地从悬崖上跳落，在跳下的一刻甚至还在高喊着"公爵保重"。

　　这样的军人，霍雨浩还是第一次见到。他也第一次体会到了只有军队之中才有的铁与血的味道。

　　血腥的气息弥漫，霍雨浩不知道什么时候，已经泪流满面。他已经竭尽所能了。当他将最后一名白虎亲卫抱住时，却发现自己的双臂已经因为接连发力而酸软了。他猛地在地面上一滚，身上的人形魂导器不断发出刺耳的摩擦声，好不容易才将这冲力卸掉。但那巨大的惯性依旧冲撞得他口中一甜，忍不住一口鲜血喷在自己的面罩上。

　　眼前红蒙蒙的一片，霍雨浩只觉得自己全身仿佛脱了力一般痛苦。

　　周围是大片的惨叫声，伴随着那浓郁的血腥气息，令他此时的心情充斥着难以名状的痛苦。

　　这是怎样的士兵啊！为了自己的长官，他们甘愿牺牲自己宝贵的生命。他们的跳跃，是那么义无反顾。

　　霍雨浩和王冬儿也不知道他们救下了多少人。整个过程不过一分多钟而已，但是，他们险些耗尽了自己全部的魂力与力气。那种感觉，根本无法用言语来形容。这一分多钟的生死救援，他们已经尽力了。可是，看着那一个个不断冒出鲜血的白色人形，王冬儿早已忍不住痛哭失声。

　　"他们……"

　　"啊！"霍雨浩仰天怒啸，自身的精神力急剧提升。可是，他现在根本什么都做不了。该发生的都已经发生了。他根本没有机会去拯救这些宝贵的生命啊！

　　正在这个时候，一个平淡的声音突然在他脑海中响起："敌人已退，白虎公爵的危机解除。深度冒险通过。你们现在有两个选择——直接通过深度冒险，或者，用这个结果换取一次全体恢复。

　　"全体恢复，可以令死亡时间不超过一刻钟的人完全恢复到正常状态。但死亡超过一刻钟，灵魂已经溃散的话，就将无效。如果你们选择全体恢复，那么，你们就要再经历一次深度冒险。如何选择，自行决断。你们有十秒钟的时间思考，十秒之后，自动回归本谷。"

　　霍雨浩听到的，王冬儿自然也听到了。两个人对视一眼，看着彼此眼中的那份惊喜与执着。王冬儿一把拉住霍雨浩的手，两个人异口同声地喊道："全体恢复。"

　　是的，为了拯救那份忠义之心，哪怕再度冒险他们也心甘情愿！

　　刹那间，一团奇异的光芒出现了。霍雨浩的头顶上方，出现了一团宛如太阳一般的明亮金光，而在王冬儿头上，出现了一轮银色弯月。

"日月生辉，乾坤问情。"那平淡的声音在整个山谷中回荡着。紧接着，一圈金银双色光芒就从霍雨浩和王冬儿的身上向外扩散开来。

只见那金银双色光芒所过之处，在场的每一位白虎亲卫身上都蒙上了同样的光泽。还活着的白虎亲卫们，目瞪口呆地看着那一对身上散发着奇异光彩的男女。在这一刻，他们已经能够看清楚这对男女的模样了。

他们清楚地感觉到，一种奇异的温暖气流在他们身上流淌着。伤口带来的剧痛迅速消失，所有的创伤都在以惊人的速度愈合着。

更为奇异的是，地面上的鲜血就像活过来一般开始流动，重新流回那一具具身体之中。一个接一个的身体开始了轻微地抽搐。渐渐地，他们的动作大了起来，甚至开始有人爬起。

那些原本失去了生命的白虎亲卫，眼中渐渐流露出了茫然之色。他们转过身，目瞪口呆地看着身上散发着奇异光彩的那对男女，眼神之中充满了不可思议之色。

"神迹。这是神迹啊！你们是天神下凡吗？"小队长张彪此时已经从地上爬了起来。他身上也受了伤。这山谷下面怪石嶙峋，这是白虎亲卫们伤亡数量庞大的重要原因。可此时，他身上的伤口沐浴在那金银双色光芒中，已经彻底痊愈了。

他看到了一张绝美的娇颜，看到了飘扬的粉蓝色长发，也看到了另一个全身覆盖在金属中，散发着强烈金光的人。

他们手拉着手，身上散发着那神迹一般的光彩。在他们身上，不只是光明，还有一份温情。

白虎亲卫中，已经有越来越多的人站了起来。他们都转过身，看着那一对散发着日月光辉的男女。

不知道是从谁开始的，白虎亲卫们开始朝着他们单膝跪倒，向这对给了他们重生机会的男女表达着由衷的敬意。他们眼中流露着崇敬与狂热。在他们心中，这完全是神的力量啊！

金银双色的光芒突然增强到了极致，下一瞬，开始朝着中央收拢。当那金银双色光芒消失的一瞬间，霍雨浩和王冬儿也已消失不见。

与此同时，戴华斌和朱露也听到了那个平淡的声音。

"白虎公爵的危机解除，深度冒险结束，通过。"

天旋地转之中，周围的一切开始变得扭曲和模糊。无论是霍雨浩、王冬儿，还是戴华斌、朱露，都在下一刻进入了一个奇异的空间之中。他们的耳边，再次响起了那平淡的声音。

响在戴华斌和朱露耳中的是："你二人在深度冒险中发挥普通，出力甚少，只能勉强过关。没有任何奖励。有资格进入最后一关，真心问情大冒险。愿你们能够最终通过。"

光芒一闪，戴华斌和朱露二人已经消失。

霍雨浩和王冬儿耳边同样响起了那个平淡的声音。但是，他们听到的和戴华斌、朱露截然不同。

"白虎公爵遇险，霍雨浩能够凭借自己的精神力对其进行提醒，并且凭借自己的能力得到了白虎公爵的相信，改变路线，成为这次深度冒险通过的重要因素。但你们并非完全凭借自身的能力赶走了敌人，而是借助于外物。因此，深度冒险不完全通过。但念在你们之后的救人行为还算及时，极大地减少了白虎亲卫的损失，勉强算你们的深度冒险完美通过。我原本想奖励你们二人各自具备一次从重伤中恢复的能力，但你们选择了全体恢复，奖励取消。深度冒险得分为负数，需要重新进行另一场深度冒险。再次通过，方可参与第三关——真心问情大冒险。做好准备，第二次深度冒险开始。"

霍雨浩和王冬儿此时虽然依旧觉得天旋地转，看不清楚周围的任何事物，但此时此刻，他们嘴角处都洋溢着满足的微笑。他们的手握得紧紧的。

再进行一次深度冒险，他们一点都不后悔。能够令那么多死亡的忠义之士活过来，他们都觉得，哪怕再来多少次冒险，都是值得的。此时此刻，他们心中的那份满足，是以往任何时刻都无法媲美的。

光芒闪过，霍雨浩和王冬儿消失在那扭曲的光芒之中。

白光陨落，白虎公爵双目通红地落下峡谷。当他看见那一个个站在山谷之中的白虎亲卫之时，整个人都惊呆了。

此时，来自于军营那边的援军已然赶到。在白虎公爵身边，守护着多位强者。天空中，日月神针的光芒依旧在闪耀着。可惜，敌人已经逃出了这日月神针的侦察范围。

看到自己的属下一个个都好好地活着，再看看天空中那交映生辉的金银光团，白虎公爵心中一时间百感交集。

究竟是谁帮了我，救我于危难之中啊？是谁？

白虎公爵呆呆地站在那里，久久不语。

贝贝和徐三石此时的情况有些糟糕。在遭遇了明都搜索卫队之后，二人不得不出手，硬冲了出去。否则，他们根本没办法解释清楚自己的身份。他们根本就不是日月帝国人的模样。

他们冲破了一支搜索卫队后，引来了更多的敌人。

直到此刻，贝贝和徐三石才知道，这座号称不设防的大陆第一城有多么可怕。尽管很多地方已经变成了大量的断壁残垣，但是，防御型魂导器依旧无处不在。更加可怕的，还是空中的侦察魂导器。

这些等级并不高，却极其实用的侦察魂导器就悬浮在距离地面数百米的空中，一直紧跟着他们。有侦察魂导器的指引，一队接一队的日月帝国士兵不断地对他们进行围追堵截。饶是两人实力不弱，也是险象环生。

也因为他们的奋力抵抗，开始有魂导师出现在拦截队伍里了。而此时，他们想从西边冲出明都范围，还有相当长的距离。

更令贝贝和徐三石心情低沉的是，他们那尚未痊愈的伤口开始越来越强地影响着他们自身的发挥。

金光一闪，霍雨浩和王冬儿重新有了脚踏实地的感觉。

两人都略微适应了一下，才从那晕眩的感觉中挣脱出来。霍雨浩一拉王冬儿，精神探测下意识地开启了。

霍雨浩首先感到惊喜的是自己此时的身体状态。

先前为了救助那些白虎亲卫，他和王冬儿都险些筋疲力竭。而此时他发现，自己不但精力充沛，状态甚至比以前更好。体内的魂力似乎也有了些许进步，精神力也变得更加凝练了。

但是，很快霍雨浩就脸色大变，惊呼一声："啊！"

"怎么了？"他这一叫，冬儿自然也紧张起来。

霍雨浩一脸心疼地道："我的日月神针还在白虎公爵那里，那可是顶级的九级魂导器啊！若不是夕水盟准备拉拢我，恐怕也不会说服那位太子殿下让星空斗罗叶雨霖拿出来。"他太聪明了，当初在明都魂导师精英大赛的时候，他就猜到了星空斗罗拿出日月

神针的原因。那场大赛最终决定胜负的是战斗，而夕水盟那些邪魂师都不知道自己的战斗力有多强。用九级魂导器加上九级定装魂导炮弹来收买自己，其实也是为了增强圣灵教自身的实力。

事实证明，他们对霍雨浩实力的判断是正确的。哪怕有叶骨衣这个天使武魂的强大魂师出现，霍雨浩也终究获得了最终胜利。

至于叶骨衣，此时就比较可怜了。霍雨浩当初将她放在了自己的亡灵半位面，准备比赛结束自己也脱险之后将她放出来。可谁知道出现了乾坤问情谷这突如其来的情况，阻隔了他与亡灵半位面之间的联系，就只能让叶骨衣在那里多等一等了。

当然，霍雨浩对叶骨衣的安全还是放心的。那个亡灵半位面是死灵圣法神、亡灵天灾伊莱克斯传给霍雨浩的。作为老师，伊莱克斯在将这个半位面赠送给霍雨浩的时候，就把掌控位面的钥匙给了他。尽管霍雨浩还远远不能和这个亡灵半位面完美结合，彻底掌控它，但在位面内部划出一片安全区域还是毫无问题的。

失去了日月神针，霍雨浩是真的心疼啊！以他双生武魂的实力，未来八环级别应该就能够使用它。那可是连超级斗罗都忌惮的强大魂导器啊！

"你真的心疼吗？"王冬儿似笑非笑地看着他。

霍雨浩愣了愣，问："我不该心疼吗？"

王冬儿"扑哧"一笑，搂住他那覆盖着稀有金属的手臂，道："反正也没给外人。"

霍雨浩的面部表情顿时变得古怪了几分。回想着先前发生的一幕幕，他突然发现，自己对那个人的恨意竟然有明显减弱的趋势。当那个高大的人为了保护自己的属下，毅然决然地留下来时，原本应该极其仇视他的自己，心中却充满了钦佩之情。

不，我是不会原谅他的！霍雨浩在心中用力地告诉自己。

但是……

一想到日月神针是给了他，自己心中似乎真的不那么心疼了……

给就给了吧！起码有了日月神针，他的安全就能更好地保证了。这样他就不容易被敌人击杀，可以等着我回去找他报仇了。

这么一想，霍雨浩就觉得自己想通了，脸上的表情也恢复了正常。

正在这时，那令霍雨浩和王冬儿神经过敏的平淡声音又一次响起："深度冒险开始。冒险题目：拯救。"

又是拯救……

不过，紧接着霍雨浩的脸色就变得凝重起来。

"你们目前所在的位置为明都西部，贝贝和徐三石正在向这个方向突围。救他们出险境，返回西山境内，即为冒险成功。冒险失败，惩罚为死亡。同时，贝贝和徐三石也会死亡。深度冒险开始。"

大师兄和三师兄的深度冒险竟然是在明都之中。此时的明都，是何等的险恶之地啊！霍雨浩心中骇然的同时，也大为郁闷。因为那乾坤问情谷给出的提示实在太少了。

它只是让自己和冬儿救人，却根本不给出准确位置。也就是说，他们还要先找到贝贝和徐三石才行。之后，他们还要冲出重围。太难了！

第361章
他是奇迹缔造者?

不过，就在这个时候，霍雨浩突然有了一种奇异的感觉。他惊讶地发现，那无形中一直压制着自己的乾坤问情谷的气息似乎有所变化。这种变化带来的直接好处就是，他能够联系上自己的亡灵半位面了。

能联系上亡灵半位面，就意味着在迫不得已的情况下，他可以动用死灵圣法神、亡灵天灾伊莱克斯留给自己的力量，同时，还有……

拉住王冬儿的手，霍雨浩念动咒语，光芒一闪，两人就那么凭空消失了。

下一刻，森寒阴冷的世界就呈现在了他们面前。正是霍雨浩的亡灵半位面。

死灵圣法神、亡灵天灾伊莱克斯创造的亡灵半位面确实非同凡响。一进入这里，霍雨浩立刻就感觉到，那乾坤问情谷对自己的控制似乎消失了。也就是说，他只要在这里，就可以不被乾坤问情谷影响。

可惜的是，他不能一直在这里啊！

霍雨浩暗叹一声。乾坤问情谷实在是太狡猾了，发出的任务，是让自己拯救大师兄和三师兄，因此放开了对自己的一些束缚。

进入亡灵半位面确实可以不受影响，可问题是，他能不管大师兄和三师兄，带着冬儿就这么逃生吗？这显然是不现实的。

"你终于来了。我还以为你是个骗子。"有些愤慨的声音响起。紧接着，一道黄色身影闪过。一脸愤怒的叶骨衣已俏生生地出现在了霍雨浩面前。

叶骨衣很愤怒。当霍雨浩用实力击败她之后，她对霍雨浩的说法就已经相信了大半。霍雨浩随后将她引到了这里，这个充满了亡灵生物的地方。不知道他是如何做的，那些亡灵生物并没有朝着这个地方靠近。可无论怎么说，对于拥有神圣天使武魂的她来说，这亡灵位面的气息实在是太令人恶心了。

霍雨浩一走，就是如此长的时间。叶骨衣不止一次想要去那些亡灵生物中冲杀一番，以发泄自己对这个世界的恶心。可是，她也知道，这里的亡灵生物与众不同。那些充斥着光明气息的亡灵生物根本不会反馈给她任何力量，更不会对她产生增幅。而且，朝远方看去，那一眼望不到边际的亡灵大军，就算她对自己再有信心，也不可能去真的硬碰硬。

等待良久，终于等来了霍雨浩，她不发怒才怪了。

霍雨浩歉然道："抱歉，叶骨衣，我们遇到了一些特殊的情况。我这就带你出去。不过，出去之后，我们还要请你帮忙。我们的朋友陷入在明都中，我们必须去接应他们出来。"

叶骨衣冷哼一声，道："我凭什么帮你？你这个可恶的邪魂师！我还没弄清楚你的情况呢。"

霍雨浩有些无奈地道："随便你吧。反正我过来只是将你放出去，如果你不愿意帮我们，就先离开吧。外面很危险。来吧。"

说着，他抬起右手，不断地念出一个个晦涩难懂的咒语。一层奇异的灰色光芒将三人包覆在内。叶骨衣虽然俏脸上流露出了嫌恶之色，但总算没有闪避。而且，她开始盯着霍雨浩身边的王冬儿看了起来。

冬儿一身白色劲装，将身体勾勒得极为完美。虽然从身材上来看，她和秋儿相比还略显青涩，但充满了青春气息。粉蓝色的长发披散在脑后，一双漂亮的粉蓝色人眼睛仿佛是天地之间最美的宝石，巧笑嫣然之间，哪怕是一向对自己的姿容很自信的叶骨衣，都看得有些呆了。

不过，她的呆滞并没有持续太久。很快，他们就在一片扭曲的光晕中消失了。

亡灵魔法的气息，令叶骨衣从呆滞中惊醒。那种令她虽然很讨厌，却不得不接受的波动持续了足足数十秒之后，才带着她重新回到了熟悉的世界。

同样是夜晚，明都上空月朗星稀。远处那一座座高大的建筑物散发着各种光芒，人站在远远的地方，也能清晰辨别。

霍雨浩急于去救贝贝和徐三石，也不理叶骨衣，拉着王冬儿朝着明都方向跑去。

"喂！你还没把话说清楚呢。"叶骨衣身形一闪，就追了上去，拦在霍雨浩面前。

霍雨浩脸色一沉，沉声道："让开，我要去救人。如果你敢再阻挡我，就是我的敌人。虽然我认为你的天使武魂是未来对抗邪魂师很有利的能力，但是，我同样不介意将你变成真正的亡灵生物。让开！"

说着，霍雨浩眼中金光大放，强大的精神力铺天盖地一般朝着叶骨衣奔涌而去。

"你凶什么凶啊！"叶骨衣被他吓了一跳。毕竟之前霍雨浩曾经击败过她，并且给她留下了深刻的印象。此时看着他那沉凝如水的脸色和逼人的气势，她不禁有些畏惧起来。

霍雨浩也不理她，拉着王冬儿绕过她，速度全开，朝着明都的方向狂奔而去。

看着他和王冬儿的背影，叶骨衣愤慨地跺了跺脚，但终究还是跟了上去。

"喂！等等我，我帮你们去救人。但救人之后，你要给我说清楚你那邪魂师能力究竟是怎么回事。"

王冬儿"扑哧"一笑，极具风情地瞥了霍雨浩一眼，道："欲擒故纵，很有一手嘛。"

霍雨浩没好气地道："都什么时候了，你还有心思开玩笑。赶快帮我。"说着，他手上的甲胄翻起，露出了自己的右手，拉着王冬儿的左手。浩冬之力迅速连通，在两人体内流转起来。霍雨浩那双闪耀着金光的眼眸顿时变得更加明亮了。

澎湃的精神力犹如利剑一般朝着远方刺去。在这个时候，霍雨浩已经顾不得掩饰自己的精神修为了，将精神强度提升到最高，化为一道无形的精神之光朝着远方探去。伴随着他头部的转动，精神探测大规模地向周围扫描着。

从后面追上来的叶骨衣顿时感受到从霍雨浩身上散发出的澎湃精神力了。她不禁骇然色变。

她那神圣天使武魂，对于精神力的要求是极高的。她这个武魂本身，不只可以依靠光明之力来提升，同时还可以依靠信仰之力和对邪恶净化产生的净化之力来增强。而这些都需要强大的精神力进行控制。

因此，叶骨衣对自己的精神力一向是很有自信的。可此时此刻，在霍雨浩面前，她却发现，自己的精神力根本不算什么。这个家伙的修为分明只是六环左右的样子，可精神力如渊如海，深不可测。那恐怖的精神威压，简直比封号斗罗级别的强者还要强盛。

扫描了一圈之后，霍雨浩并没有找到贝贝和徐三石的气息，却清楚地发现了大队的日月帝国军队。这些军队驻扎在明都西方，隐隐从外面将明都包围，其中还有不少携带着魂导器的魂导师。阵容严整，分明随时做着应变的准备。

霍雨浩深吸一口气。那闪烁着夺目金光的双眼缓缓闭合，额头上，那闪耀着奇异光彩，仿佛蕴含着天地至理的命运之眼悄然开启。一抹紫金色光芒瞬间从那竖眼中喷吐而出。

在全力施展精神力的情况下，霍雨浩原本一直通过模拟魂技隐藏着的魂环也终于现形。

白色、紫色、紫色、黑色、黑色，五个魂环。五个完全和最佳魂环配比不同颜色的魂环就那么出现在了他的身边。

是的，这就是霍雨浩魂环的真实颜色。

当初天梦冰蚕曾经对他说过的话并没有夸张。为什么他的灵眸威力能够变得如此强大？这与他自身的魂环在精神力不断提升以及进化后不断增强有着巨大的关系。

第一魂环百万年，第二魂环千年，第三魂环千年，第四、第五两个魂环都是万年级别。这在同等级的魂师之中，绝对是绝无仅有的存在啊！

而且，在不久的将来，伴随着霍雨浩精神力的进一步提升，他的第二、第三两个魂环甚至有进化为万年的可能性。

看着他身上的五个魂环，叶骨衣不禁目瞪口呆。

这是什么情况？十年、千年、千年、万年、万年，他是怪物吗？他还是正常人吗？他的魂环不是古怪的灰色吗？怎么又变成了这个样子？到底哪个是真，哪个是假？他只有魂王修为，却击败了自己这个魂帝！这……

霍雨浩身上出现的情况，已经彻底颠覆了叶骨衣对于魂师的认知。一时间，她对这个连相貌都没记清楚的家伙越来越感兴趣了。

用命运之眼进行精神探测，是目前霍雨浩能达到的最强的精神探测能力。单方向的探查范围甚至可以接近七公里。

精神探测缓缓横扫，霍雨浩感受着精神力扫过范围内出现的各种变化。

终于，他脸上露出一丝喜色——找到了！

"我们走。叶骨衣，你过来，跟在我身边，不要超出十米范围。"

"我……"叶骨衣本想抱怨一下，可是，霍雨浩已经拉着王冬儿飘身而起，迅速朝着前方离去了。王冬儿身上，亮起了一黄、三紫、两黑六个魂环，同样是超越了最佳魂环配比的存在。一双漂亮的蓝金色翅翼从她背后舒展开来，动人的光彩将她的容貌渲染得无与伦比。

哼！我也不比她差！好胜心升起，叶骨衣释放出了自己的天使武魂。与霍雨浩一战后，她消耗的魂力早就在亡灵半位面中全部恢复了。那个地方虽然充满了亡灵气息，但也同样有着浓郁的光明气息，对于她恢复魂力倒是没有任何影响的。

四片天使之翼张开，叶骨衣拍动着羽翼迅速追到霍雨浩身边，一边是洁白，一边是蓝金，这绝对是一个绚丽夺目的三人组合。

远远地，日月帝国的大军已然在望。霍雨浩抬头望天，以他的视力，很快就找到了高空之中的侦察魂导器。

一抹冷笑随之出现在他的嘴角处。这高空侦察魂导器对别人有用，对他却未必。

一层奇异的精神波动从他身上荡漾而起，叶骨衣只是看到他身上那排在第一位的白色魂环亮了一下，然后周围的光线就开始轻微地扭曲起来。

她身在其中，自然看不出自身有什么变化，唯一的感觉就是，她和王冬儿身上释放出的光芒似乎变淡了，然后渐渐消失。周围又是一片黑暗。可她偏偏能够看到王冬儿翅翼上的蓝金色光芒，这等奇异的景象令她不禁好奇起来。

但下一刻，让她更加震撼的一幕出现了。霍雨浩柔和的精神力传来，在认为他是要联系自己的前提下，叶骨衣很自然地接受了他的精神力。可是，下一瞬，叶骨衣那双漂亮的美眸就瞪大了。

周围的一切都变得清晰起来。方圆数平方公里范围内，一切事物都出现了在她的脑海之中。那全方位立体的神之视角，令叶骨衣险些惊呼出声。

精神力，竟然还能这么玩吗？他不是一名邪魂师吗？可是，此时他的能力之中一点邪恶气息也没有了，反而有着浓郁的光明气息。这家伙，到底是怎么回事啊？

带着疑惑，叶骨衣紧跟着霍雨浩。通过精神探测共享，霍雨浩只是向她传递了跟紧自己的要求。

很快，三个人就接近了那驻扎的军队。

叶骨衣开始有些紧张起来。虽然他们的实力都很强，但也扛不住人家军队人多啊！

而且，日月帝国的军队，就算不是魂导师军团，也会配备几名魂导师的。他们此番又是向里面闯去，一旦被人家发现，肯定会被群起而攻之的。这家伙不像笨蛋啊，怎么做这种自投罗网的事情？

不过，她心中的疑问还没结束，接下来发生的一切就令她又一次惊到了。

那些日月帝国的军队就像根本看不到他们似的，对于他们的接近，居然没有任何反应。

而事实上，这些军队就是看不到他们。凭借着模拟魂技的强大能力，霍雨浩不知道曾经隐瞒过多少人。他这近乎于隐身的模拟能力，在这夜晚之中能够发挥出最大的作用。除非真切地去感受他身上散发出来的气息，否则，单用眼睛看，是肯定看不到的。而想要感受到他的气息，除非是特殊的魂兽，或者是修为远超过他的强者，否则是不可能做到的！

因此，他们就这么堂而皇之地从军队面前冲过，直奔明都城内而去。

叶骨衣很快就顾不上去猜测霍雨浩的能力了。因为，眼前的断壁残垣更令她惊骇莫名。

"这里是明都？明都怎么变成了这个样子？"看着面前大片倒塌的建筑物，还有地面上随处可见的巨大裂痕和各种断壁残垣，叶骨衣忍不住惊呼出声。

"闭嘴。"霍雨浩没好气地通过精神力将意念传递过去。

模拟魂技可是无法阻拦声音的啊！她是唯恐那些军队听不到吧！

叶骨衣也意识到了自己的失言，但对霍雨浩毫不客气的呵斥依旧很不满，哼了一声道："你让我闭嘴就闭嘴啊！"虽然依旧在说话，但她已经将声音压得很低了。

霍雨浩哪有时间理她，此时他已经清楚地感受到，大师兄和三师兄正处于危机之中。脚下的速度再次加快，全力前冲。

他没有选择从空中飞过去，是因为他对魂导器的了解。空中的侦察魂导器因为要持续悬浮于空中，结构只能尽量简单，但地面上的对空探测魂导器就不一样了。那可不是他这模拟魂技能瞒过去的。对空探测魂导器是有大体积的魂力探测魂导器进行辅助的。而无论怎么样，霍雨浩也不可能将自己的魂力波动完全掩盖。一旦被发现，别说他只有魂王修为了，就算变成封号斗罗，也受不了被集中火力攻击啊！

贝贝和徐三石现在的情况确实是很不好。他们被包围了。

包围他们的，是一群魂导师。这些魂导师的个体实力都不算太强，最高级别的也只

是五级，但是，他们的数量太多了。

四十多名魂导师组成了一个看似松散的包围圈，将贝贝和徐三石包围在其中。

他们使用的魂导器，大多只是三级、四级的，却以速度和远程攻击为主。大片大片的速射炮、高爆弹不断地朝着贝贝和徐三石狂轰滥炸，根本不给他们喘息的机会。

魂导师达到一定数量后，战斗力会产生质的飞跃。这些魂导师就是如此。他们都来自于日月帝国的魂导师军团，平时在一起训练得十分默契。他们使用的魂导器都是只消耗魂力，并不怎么消耗资源的纯魂力魂导器。

如果贝贝和徐三石都在最佳状态，那他们这对史莱克学院的绝代双骄，冲出去根本不算什么。

但是，在全大陆青年高级魂师精英大赛上，两人都身受重伤，虽说治疗及时，但距离痊愈尚远。在一系列的战斗之后，两人的伤都有些发作。此时，徐三石用自己的玄冥龟甲盾护着贝贝，几次尝试冲锋，都被硬生生地打了回来。

而且，就在这个时候，一团闪烁着红光的光球悄无声息地出现在了高空之中。那如同大眼睛一般的光球很快就锁定了徐三石。

恐惧之眼。

哪怕并非魂导师，贝贝和徐三石也能认出这东西是什么。在大赛上，和菜头就曾经凭借这玩意儿给他们整个团队制造了很多战胜强敌的机会。

可是，此时此刻，他们自己要承受这恐惧之眼的威力了。这种颠倒过来的滋味可着实不怎么好受。

"贝贝，没想到我会和你一起死在这里。老子跟他们拼了！你待会趁着我爆发的时候，赶快突围。跟楠楠说，我不能照顾她了，让她找个好男人嫁了吧。"徐三石义无反顾地说道。

"放屁。就你那点本事，还想帮我逃跑？你还是赶快滚吧。凭借你那乌龟壳，你逃走的几率要大得多。老子全力爆发才更有爆发力。"贝贝气急败坏地说道。面临绝境，他往日的儒雅也受到了不小的影响。

徐三石怒道："你少说废话。反正楠楠对我始终存有芥蒂，就算我死了，她也不会太伤心。你不一样，你还要去救小雅呢。没有你，小雅怎么办？赶快滚蛋。恐惧之眼的充能就要完成了。"

说着，徐三石用力地推了贝贝一把。

可是，就在这个时候，贝贝身上亮起了夺目的黄金色光芒，嘹亮的龙吟声响彻九天，正是光明圣龙发动的前兆。

之前虽然面对强敌，但因为自身伤势的原因，贝贝始终没有动用过黄金圣龙的能力。在这个时候释放，他显然是要拼命了。

徐三石双眼通红地瞪着贝贝。贝贝的目光却变得平和了，平日里的那份儒雅从容重新回归。他面带微笑地看着徐三石，身上升腾起的金色雷电渐渐变成光雾向外扩散，方圆数十米范围内，已经变成了一片夺目的金色。一时间，在这金光之中，电闪雷鸣，仿佛形成了一个独立的特殊世界。在贝贝身上，那金黄色的光芒却如同火焰一般燃烧了起来。

他这是在燃烧自己的生命力来提升自身魂力的威能啊！光明圣龙的强大，足以令他在短时间内越阶战斗。而在以生命为代价的前提下，贝贝能释放的战斗力会无比恐怖。

徐三石的眼睛都红了，就要冲过去阻止他，却被一股强劲的金黄色闪电弹得远远的。

贝贝面带微笑地向他挥了挥手，指指西边，又指指明都城内，然后朝着他挥了挥手。

徐三石和他认识这么多年，怎么会不明白他的意思？他这是让自己赶快逃生，以后再去救小雅。

徐三石突然瞪着贝贝，扯开嗓子歇斯底里地大喊道："贝贝，你这个老狐狸，我现在相信你对我的感情了！"

贝贝的嘴角明显抽搐了一下，却转过头不去理他。

就在这个时候，突然间，天空中那红光闪烁的恐惧之眼突然暗淡了。远处，一声惨叫响起，一团血光冲天而起。

那混合着红白两色的血光四溅，而空中的恐惧之眼晃了晃，居然就那么从空中坠落了下来。

周围的气温，以惊人的速度降低着。天空中，不知道什么时候已经飘起了鹅毛大雪。原本正常的气温以难以形容的速度降低着。那些魂导师甚至还没反应过来是怎么回事，身体就已经被冻得有些发僵了。

徐三石愣了愣，紧接着大喜过望，朝着贝贝大叫道："小师弟来了，是小师弟来了！老狐狸，你赶快收了你的神通。你要是敢死，老子就跟着你去！"

饶是平日嬉笑怒骂的徐三石，此时也禁不住泪流满面。

是的！霍雨浩来了！

此时的霍雨浩，眼神冰冷得犹如地狱魔王降临一般。眼眸之中，紫金色光芒足足喷吐出一尺有余。这明明是纯粹的精神波动，却像两把紫金色利刃一般攻向对方。

这种状态下的霍雨浩绝对是可怕的。小雪女已经悄无声息地出现在他的背后，双手合十在胸前，食指、无名指相对弯曲，摆出奇异的手印。恐怖的暴风雪，就是他俩发出来的。

没错，这正是雪帝三绝中的第三绝帝寒天与霍雨浩永冻之域的结合——雪舞极冰域。

恐怖的暴风雪，在下一刻已经肆虐全场。霍雨浩直接冲入场内。

当贝贝点燃自己的生命之火，开始全面燃烧光明圣龙血统的时候，霍雨浩就要疯掉了。

对他来说，贝贝不只是大师兄，更是兄长，甚至是代替父亲的角色啊！贝贝在他心中的地位，是没有任何人能够替代的。眼看着大师兄竟然被逼迫至此，霍雨浩怎能不疯狂？

刚才那飞溅而起的红白双色雪花，是一位七级魂导师的脑浆。他就是恐惧之眼的控制者。

霍雨浩凭借着自身强大的精神力，在第一时间找到了他的存在。他的精神力达到了有形无质境界后，第一次全力爆发，通过命运之眼施展了灵魂冲击。

尽管七级魂导师的个体战斗力和真正的七环魂圣相比有不小的差距，精神力也要弱小一些，但那毕竟是七环啊！真正的七级高手，竟然在霍雨浩全力以赴的命运之眼灵魂冲击下直接陨落了。

雪舞极冰域，以浩冬之力为根本释放出来，瞬间就覆盖了直径三百米范围内的一切。

那些散开的魂导师，全都瞬间被暴风雪淹没。

霍雨浩眼中的紫金色光芒再次闪耀。贝贝闷哼一声，身体周围的金光突然变得散乱起来，身上燃烧着的金色火焰也停止了燃烧。霍雨浩却眼睛一闭，直接软倒在地。

生命之火开始燃烧之后，发动者是无法自己停止的。霍雨浩在不得以之下，不得不给自己这位大师兄一记灵魂冲击，强行帮他结束了生命之火的燃烧。

以贝贝的修为，在刚才光明圣龙燃烧的情况下，就算来一名八环魂斗罗都无法冲进去帮他结束燃烧。唯有通过精神力，霍雨浩才能完成。尽管这样会令贝贝受到重创，但最起码能保住他的命啊！

霍雨浩飞奔着冲到贝贝身边。他身边的王冬儿伸出右手在贝贝身上虚按。来自于魂骨的能力——黄金之火瞬间席卷了贝贝的身体，暂时帮他将外界的极致之冰气息隔绝。

"冻死我了。雨浩，受不了了！"徐三石的惨叫声从后面传来。

霍雨浩在确定贝贝保住了性命之后，大大地松了一口气，赶忙解除领域，松开冬儿的手，冲过去扶住了不远处摇摇欲坠的徐三石。

虽然在雪舞极冰域中的时间非常短暂，但身体状态极差的徐三石已经受不了了。

尽管体内的极致之冰天地元力一直困扰着霍雨浩，但也在不断地将他那极致之冰的强大威能激发出来。虽然霍雨浩依旧是魂王，但实际战斗力在不断增强。

雪舞极冰域最大的问题在于它的全方位无差别攻击，以霍雨浩现在的实力，还不能有效地控制领域的威能。因此，他此时施展的是雪舞极冰域，而不是和王冬儿融合后的武魂融合技。

一弯腰，霍雨浩就将身材高大的徐三石背在了自己的背上。他心中暗暗庆幸，幸好之前制作了这件人形魂导器，现在总算派上大用场了。否则的话，自己行动不便，如何救得了两位师兄啊！

背起徐三石，霍雨浩回到了贝贝身边，双手将他抱了起来，然后向王冬儿道："我们走。"

叶骨衣此时全身打着寒战，当她看到霍雨浩背后的小雪女出现，然后释放了这恐怖的领域之后，已经彻底无语了。在她眼中，霍雨浩完全就是一个怪物。而且她方才分明看到，霍雨浩在施展这个领域的时候，身上魂环的光芒又一次发生了变化，竟然变成了一红四金。他还是魂师吗？他还是人类吗？

霍雨浩这会儿可顾不上安抚叶骨衣脆弱的心灵，在王冬儿的守护下转身就朝着西边跑去。模拟魂技的威能再现，扭曲了周围的光线，与身边的一切同化。

"快过来，你在干什么？"霍雨浩向叶骨衣吼道。

这会儿叶骨衣距离他较远，正在凭借她自己的神圣天使武魂对抗着霍雨浩释放出的雪舞极冰域。她眼睁睁地看着霍雨浩等人在自己眼前消失了，这会儿正瞪大了眼睛，处于茫然失措中。

他竟然还有群体隐身的能力！难怪刚才那些军队发现不了我们，难怪他要让我进入他身体周围的十米范围内。

在霍雨浩精神力的引领下，叶骨衣赶忙回到他们中间，在另一个方向护着他，迅速朝着西边离去。

而此时，天空中的侦察探测魂导器已经发现了地面上突然出现的剧变，一时间，刺耳的警报声迅速传开。

数道身影在十几秒后就出现在了空中，日月帝国真正的强者终于来了。

不过，当他们看到地面上那一具具冰雕时，不禁脸色大变。

雪舞极冰域在霍雨浩联合了王冬儿的魂帝之力施展后，已经达到了魂圣级别的层次。那可是魂圣级别的极致之冰啊！岂是这些四五级的魂导师能抗衡的？

他们全都在那极致的冰冻中失去了生命，就连身上的魂导器都被冻得布满冰霜。

"人呢？"为首的一名老者朝着身边专门负责侦察魂导器的魂圣问道。

"失踪了。刚才莫扎已经过来了，他好像被什么特殊的力量爆了头。"莫扎就是先前操控恐惧之眼的那位魂圣。这位负责侦察魂导器的魂导师也是魂圣级别，此时脸色有些难看。他和莫扎的实力在伯仲之间，莫扎挡不住，他同样挡不住啊！若不是为首的这位是八级魂导师，他都不会在这里停留。

"加大探测力度。附加魂力进行探测。我就不信他们能逃走，一定是用了什么隐身能力。"八级魂导师沉声说道。

那位心中志忑的七级魂导师点了点头，立刻从自己的储物魂导器中取出一件硕大的魂导器。

这件魂导器是被他背在背上的，像一个大盒子。伴随着魂力注入，强烈的魂力波动从其中传出。紧接着，一根粗大的金属杆从盒子上方升起，上升到一米五之后，顶端裂开，化为伞状，七根金属支架从金属伞的周围向中央合拢，汇聚于一点。

魂力波动瞬间传出，开始向下方扫描。

这种魂力探测魂导器是六级的，想要大范围地使用，却需要七环魂圣以上的实力才能做到，而且不能距离地面太远。这种限制决定了它无法配备在高空探测魂导器上。

但是，就在这位魂圣刚刚开始对下方进行魂力探测的时候，他背后的魂力探测魂导器突然"滴滴滴"地爆鸣起来，吓了他和周围的几名魂导师一跳，

众位魂导师下意识地朝着下方看去，紧接着，恐怖的超低温龙卷风暴就在下面爆

发了。

"轰轰轰……"剧烈的爆炸冲击波呈圆形扩散开去，被瞬间炸开的冰雾混合在一起，化为巨大的龙卷风冲天而起。

这一瞬间的爆炸实在是太可怕了，仿佛之前那场毁天灭地的大爆炸又一次降临了。恐怖的魂力波动在下一刻就令魂力探测器的探查力度达到了最大，"啪"的一声爆掉了。众位魂导师都忙不迭地向高空飞起，就算如此，那从下方传来的极寒气息依旧令他们全身发颤。

地面上，直径千米范围内，全被这恐怖的大爆炸波及了。一些原本完好的建筑也被瞬间炸塌。

幸好这个区域内的军队和平民早就被疏散了，并没有什么人员伤亡。

那恐怖的大爆炸显现出的威能，分明已经和封号斗罗级别的强者全力出手时相差无几了。

霍雨浩心思缜密，越是在危急的时刻，就越冷静。情绪可能会有波动，但绝对不会影响他作出正确的判断。

他早就预料到自己带着贝贝和徐三石再次隐身后会引来敌人的窥视，这也是他冒着徐三石会受到雪舞极冰域影响的危险也要使用这个领域的原因。否则，以他和王冬儿联手的实力，如果那时候发动的是虚无中的真言，心灵风暴，可以令在场的魂导师全军覆没。

冻成冰雕的魂导师们，成为了接下来的定时炸弹，而掌控炸弹爆炸时间的，就是霍雨浩的左手！

冰爆术被称为极致之冰神技，又岂是随便说说的？在这种群战的时候，它能够让霍雨浩在一定前提下变得比八环强者更加可怕。

这还是在霍雨浩没有亲自用手灌注冰爆术引爆这些魂导师体内的魂力的情况下，否则，这爆炸肆虐的范围可就不只是直径千米了。爆炸威力恐怕会直接影响到空中的众位魂导师。

在虚幻中前行，霍雨浩面容冷峻。他抱着贝贝，背着徐三石，此时心中一片安宁。

背后传来巨大爆炸声的时候，他甚至没有回头。

眼看前方的大片军队开始有所动静，他只是略微改变前行的方向，从军队的缝隙中带着王冬儿和叶骨衣穿出。

贝贝的呼吸虽然微弱，却很平稳，生命体征很正常。徐三石经过这段时间的调整，呼吸也均匀了许多。

不知道为什么，在这个时候，霍雨浩脑海中突然想起了之前为白虎公爵跳崖的那些白虎亲卫。他突然明白了为什么很多男人会选择当兵。只有在战场上，才能够真正感受到那种生死与共的袍泽之情，才能真正感受到铁血军人的风姿啊！

先前一直有的一个想法，在他心底犹如禾苗一般茁壮成长。他已经下定了决心。

终于，在模拟魂技的作用下，三人从日月帝国军队的缝隙中冲出了重围。霍雨浩精神探测、精神共享、模拟三大魂技成为了他们能够从容冲出去的最重要保证。

前方已是一马平川，但在这个时候，霍雨浩停下了脚步，眉头微皱，有些为难地看向叶骨衣，道："叶姑娘，现在这里已经暂时安全了，但继续向西的话，会有危险。我们必须要前往，可你不用。现在我可以告诉你一些关于我们的事情了。我是史莱克学院的内院学员霍雨浩。她是王冬儿，是我的女朋友，也是内院学员。至于我的能力，我暂时没有时间跟你解释。你应该已经知道日月帝国之中关于圣灵教的事情了，你也感受到了他们的强大。凭借个人的力量，我们是根本不可能与他们对抗的。如果你愿意的话，那就来史莱克学院吧。学院的大门会向你敞开！以你神圣天使武魂的能力，应该会被内院破格录取。"

王冬儿瞥了霍雨浩一眼，轻轻地碰了碰他的手臂。当着一位美女的面直接介绍她是他的女友，这本身就是他对自己的柔情啊！

听霍雨浩说他是史莱克学院的，叶骨衣不禁大吃一惊。她当然听说过史莱克学院。大陆第一学院，不知道的人恐怕不多。难怪这家伙有那么多千奇百怪的能力，他竟然是史莱克学院的人！

尽管认识的时间并不长，但不知道为什么，叶骨衣对霍雨浩有种莫名的信任。或许是因为霍雨浩早就有击杀她的机会却没有下手。

"我要考虑一下。"叶骨衣眉头微皱着说道。

霍雨浩点了点头，道："好的。不勉强你。但我相信，我们有共同的敌人，未来我们必然会成为战友。"

就在这个时候，霍雨浩、王冬儿和还清醒着的徐三石耳中，都再次响起了那个让他们充满阴影的平淡声音。

"深度冒险通过，第二关，冒险度过。可以进行第三关真心冒险。回归。"

　　四道淡淡的金银色光芒同时从霍雨浩四人身上升腾而起。在叶骨衣目瞪口呆的注视下，四人下一刻就从她面前消失了，而她的身体也从模拟环境的隐身状态中浮现了出来。

　　拍拍额头，叶骨衣发现，自己的心脏已经有些麻木了。霍雨浩带给她的震撼实在是太多了，以至于她现在都已经习惯了。

　　去史莱克学院？先离开这里再说吧！既然不能去西边，那就绕过去。

　　一道道金光闪过，虚幻的世界重新化为真实。

　　霍雨浩、土冬儿、贝贝、徐三石，先后出现在了一个崭新的地方。

　　这里似乎是一个巨大的广场，一眼望不到边际，只有空中的一轮金阳和一轮银月，说明着他们依旧被控制在乾坤问情谷的范围之中。

　　四道金银双色光芒同时从他们脚下升起，却不再对他们进行禁锢。霍雨浩能够清晰地感觉到，自己消耗的精神力、魂力，都以惊人的速度恢复着，就连身体的一丝疲倦也在那温暖的光芒中完全消失了。

　　贝贝的反应是最明显的，他的身体直接从霍雨浩手中飘浮了出去，从平躺变为站直，浓郁的光雾不断地向他体内浸润着。

　　此时，霍雨浩已经看清，先前消失的众人都已经出现在了这里，只不过他身上没有光雾而已。站成一圈，每个人身上都有一层光罩，似乎是无法离开的样子。

　　看到霍雨浩四人的出现，所有人都不禁大大地松了口气。只有张乐萱看见贝贝昏迷后，美眸中流露出了焦急之色。

　　时间不长，虚弱的徐三石率先恢复过来。他惊讶地发现，不但自己的身体状态恢复了，就连之前在比赛中留下的旧伤都已经复原。这乾坤问情谷，确实是极其神奇的地方。

　　又过了一会儿，贝贝终于恢复了意识。当他睁开眼，看到众人时，也意识到自己已经闯过了先前那一关。贝贝扭头看向霍雨浩，向他挤了挤眼睛，一点都没刚从生死边缘徘徊的样子，儒雅的气质、温和的微笑再次出现。直到他的目光无意中被张乐萱眼神中的焦急吸引时，他的脸色才微微一僵，看着张乐萱的眼神中多了一种说不清道不明的味道。

　　"恭喜你们闯过了第二关冒险。接下来，将是最后一关——真心冒险。只要通过这一关，你们不但可以离开，还能够得到一份由我来决定的奖励。"

"真心冒险的题目不限。或许，对你们有些人来说会很简单，但对有些人来说，很困难。你们每一个人都会遇到不同的真心冒险。现在，开始吧。"

最后一关，真心大冒险就要开始了。可以提前告诉大家，在这次真心大冒险之中，乾坤同情的精华就要出现了。徐三石和江楠楠心中一直的阴影是什么？当初江楠楠为什么不肯跟他在一起？和菜头心底深处隐藏着什么？贝贝最爱的小雅在哪里？张乐萱的感情路将如何？戴华斌和朱露、宁天和亚凤又将遭遇怎样的考验？还有，当秋儿与冬儿在冰峰绝地决斗之时，又会发生什么？这一切，我将在下一集中告诉你们。期待第十六集的来临吧！

十周年庆典将持续进行，16册将随书赠送超厚160页全彩精装典藏笔记本，唐门漫画人物尽在其中！3月10日上市，定价32.80元，一起期待吧！

本册完

《斗罗大陆第二部绝世唐门16》2014年3月10日荣耀上市！
《生肖守护神2》2014年2月15日全国上市！
《绝世唐门》漫画单行本1—2册全国火爆热售中！